Horizons lointains

Christian Depandres

Sonja Massie

**d'après un scénario de Bob Dolman,
récit de Bob Dolman et Ron Howard**

Horizons
lointains

Traduit de l'américain
par Christiane Poulain

Éditions J'ai lu

Titre original :

FAR AND AWAY

1

— Que le diable tranche la tête à ces maudits landlords — tous tant qu'ils sont — et réduise leurs cous en charpie !

Patrick, le tonnelier du village, avala une longue rasade de bière, un sourire éclairant sa trogne ronde. Il jeta un coup d'œil dans le pub, les yeux étincelants de contentement. Jusque-là, nul, au sein de ce cercle d'hommes qui prisaient fort l'art on ne peut plus sérieux des jurons, n'en avait proféré de plus coloré. En silence, Patrick mit quiconque au défi de faire mieux.

— Que la malédiction des corneilles s'abatte sur eux, qu'un renard morde à l'hameçon de leurs cannes à pêche, qu'ils souffrent d'urticaire et n'aient point d'ongles pour se gratter !

Le frère de Patrick, Ryan, se carra sur son tabouret, sa pipe envoyant des bouffées de fumée dans un air rendu déjà piquant par l'odeur du feu de tourbe flambant dans l'âtre et la puanteur des vêtements de laine humides.

— Et que le diable les gobe et s'étrangle avec leurs pénis !

— Puissent-ils tous être condamnés à brûler dans les feux de l'enfer jusqu'à la consommation des siècles sans une goutte de bière pour étancher leur soif éternelle ! ajouta Denis, un fermier rouquin au visage criblé de taches de son, en faisant glisser sa chope vide sur le comptoir en direction de l'aubergiste qui, aussitôt, la lui remplit de nouveau à ras bord.

Une demi-douzaine de buveurs suivirent l'exemple de Denis, mal à l'aise à l'idée de subir la damnation éternelle sans le réconfort d'une ale bien fraîche.

— Vous feriez mieux de tenir vos langues, les gars, dit Danty Duff, un ramasseur de varech grisonnant installé à l'autre bout du comptoir. (Lui et son meilleur copain, Joe Donelly, avaient investi les lieux plus tôt et bu plus sec que n'importe lequel de leurs compagnons sans en souffrir le moins du monde.) Vous ignorez qui, parmi nous, risque d'être un salaud de mouchard. Parlez comme vous faites devant qui il ne faut pas, et vous vous retrouverez dans d'aussi sales draps que ces types de Galway — à vous balancer au vent en haut d'une poterne branlante.

— Peuh... tu n'as pas plus de cran qu'une veuve édentée, Danty Duff. (Joe Donelly, le visage buriné d'avoir passé, lui aussi, une théorie de jours à extraire de la tourbe en plein soleil, éclata de rire et assena une claque dans le dos de son ami. Danty esquiva le coup in extremis, et Joe manqua choir de son tabouret.) Tu as peur de ton ombre, si fait. Ce sont des hommes d'action qu'il nous faut... comme les gars de ce capitaine Moonlight, qui organisent des razzias, gourdins et torches brandis. Ils vont nous reconquérir notre pays, pour sûr.

Les clients poussèrent des acclamations, tapage chaleureux qui emplit le vieux pub depuis son plafond bas garni de poutres jusqu'à son sol de pierre jonché de paille.

Voilà pourquoi les villageois se réunissaient chaque jour au pub d'O'Manion. Ce n'était pas pour la bière — ils pouvaient vider leur chope chez eux. Ce n'était pas pour la chaleur de l'âtre ou pour l'énergie morale que leur insufflait le ragoût de mouton en train de mijoter sur le foyer douillet. Ce n'était même pas pour savourer quelques heures de paix, à l'abri des langues bien pendues de leurs femmes ou des pitreries de leurs bruyants moutards...

S'ils venaient chez O'Manion, c'était pour retrouver des camarades qui les encouragent à être plus braves, plus grands et plus forts qu'ils ne l'étaient, pour rencontrer des hommes qui se mettaient au défi les uns les autres de dépasser la pauvreté qu'on leur imposait et de rompre une lance pour la liberté. Jusqu'alors, leurs lances n'avaient été que verbales, ils n'avaient risqué que des jurons, afin de vider les entrailles de leur âme. Tout au long de l'histoire, cependant, les mots avaient toujours eu le pouvoir de pousser le cœur irlandais à l'action. Et le jour de la révolte était proche, chacun d'eux le savait.

— Or donc, qu'as-tu fait aujourd'hui pour arracher à ton landlord le pays que Dieu t'a donné, Joe Donelly ? demanda Danty, manifestement vexé. Lui as-tu mis une torche sous les fesses ou lui as-tu embrassé le derrière quand il est passé sur son beau cheval ?

— Peut-être qu'il s'est contenté de baiser le cul du canasson, intervint Denis, qui rentra la tête dans le col de sa veste quand il vit l'œil de Joe Donelly étinceler de fureur. Fais excuse, Joe, j'ai dit ça sans mauvaise intention, parole !

Le vieux Joe avait la réputation, dans le village, d'être très susceptible. Danty, son ami d'enfance, détenait seul le privilège de pouvoir lui lancer sarcasmes ou insultes au visage puis de tourner les talons sans avoir le nez en sang.

— C'est bon, les gars, dit l'aubergiste en faisant glisser deux chopes de bière sous le menton de Joe et de Danty. Que diriez-vous d'une chanson modulée par ces gorges d'or pour nous réjouir l'oreille et nous alléger le cœur ?

La flatterie eut raison de la colère ; Danty et Joe entonnèrent incontinent une interprétation avinée de leur mélodie favorite :

Son bel œil velouté
Était une calamité.
Il n'était pas depuis trois jours en terre
Qu'elle ficha l'camp avec ses sous, lonlaire...
Du haut des cieux, il contempla, lonla,
Celle que naguère il adora.
Par Dieu, mon pauv' gars !
La v'là déjà qui convole avec un autre que toi !

8

Les clients se mirent à boire avec sérieux, appréciant la plaisante amertume de la bière qui leur rafraîchissait le gosier. Les chandelles à mèche de jonc jetaient des lueurs mouvantes sur les tables grossièrement équarries et se reflétaient dans le miroir craquelé accroché derrière le comptoir ; il avait été brisé des années auparavant lors d'une bagarre entre Joe et Danty.

L'âme temporairement purifiée par les jurons, les villageois eurent tout loisir d'oublier leurs soucis pendant quelques minutes et de se délecter du chant enthousiaste, sinon mélodieux, des deux compères.

Mais la quiétude fit long feu. Un tumulte dans la rue les fit tous bondir sur leurs pieds et se précipiter aux fenêtres pour voir ce qui se passait. Des cris de colère retentirent par-dessus des piétinements sur la chaussée boueuse ; on entendit le hennissement d'un cheval effrayé.

— Les amis ! V'là un landlord qui s'annonce et l'enfer qui se déchaîne ! cria Ryan avec allégresse. Il faut lui donner une leçon.

Abandonnant leur chansonnette, Joe et Danty vidèrent d'un trait le fond de leurs chopes et se ruèrent dehors, brûlant d'en découdre au lieu de jouer les badauds passifs comme leurs compagnons.

Leurs malédictions avaient porté leurs fruits encore plus promptement que le plus croyant d'entre eux n'eût osé l'espérer. Sir Geoffroy

Hampton, le propriétaire de Hampton House, était assis sur la banquette de cuir de son attelage d'un noir lustré. Un bien bel attelage, en vérité, conduit par un cocher également lustré, qui portait une livrée noir et argent et affichait une expression légèrement ébahie. Tant le laquais que son maître se rendaient compte qu'ils se trouvaient en posture plus que fâcheuse.

Les paysans se pressaient autour d'eux en une foule bariolée et indisciplinée, armés qui de pelles ou de pioches, qui de gourdins, et forts d'une rancœur collective accumulée au fil des années. Ils faisaient durer leurs vêtements depuis trop longtemps, avaient traversé trop d'épreuves et souffert trop de chagrins.

Ils grouillaient sur la chaussée, empêchant la voiture de passer. Le cocher fouetta le cheval, qui pouvait à peine avancer au milieu de la cohue qui se faisait plus dense et plus coléreuse.

— Maudite soit votre âme boursouflée de graisse, espèce de pourceau ! cria une femme.

Le landlord, croisant les bras sur sa veste de velvet bleu garnie de revers de soie noire, la fusilla du regard.

— Vous êtes un fléau dans ce pays qui n'a jamais été vôtre ! braílla un fermier aux épaules voûtées, dont le gamin, à demi nu et trop frêle pour son âge, agrippait la cuisse en pleurant. Allez rôtir en enfer !

Une vieille femme dépourvue d'arme se pencha et, ramassant une pierre, la lança avec force en direction de la voiture. Le haut-de-forme en satin noir du landlord tomba parmi la foule ; une douzaine de pieds nus eurent tôt fait de le piétiner.

Joe Donelly donna un coup de coude dans les côtes de son ami.

— Passe-moi ton arme, Danty, que je tue ce beau monsieur.

— De quelle arme causes-tu, Joe ? rétorqua Danty. Je n'en ai point... A moins que tu ne veuilles assommer Son Honneur avec ma pipe en terre.

— Dans ce cas, je vais offrir à ce salopiau un échantillon de ma philosophie. (Mettant les mains en cornet autour de sa bouche, Joe cria :) Landlord ! Vous êtes un pécheur ! Entre vos poumons, il n'y a ni cœur ni âme. Il n'y a que le renflement de votre bourse coquettement garnie !

Content de lui, Joe flanqua un coup de coude à Danty et gloussa.

— Tu as foudroyé ce type, Joe, déclara son ami avec un hochement approbateur de la tête.

Les termes bien sentis de la malédiction ravivèrent la fureur de la foule, et tous se ruèrent en avant, resserrant leur cercle autour de l'infortuné gentilhomme ; celui-ci porta la main à la poche de sa veste de velvet et en sortit un petit pistolet d'argent.

Le pointant sur Joe Donelly, il se mit à rire à la vue de l'expression de confusion et de peur qui se peignait sur les traits du paysan.

— Où est passé ton courage, mon ami ? persifla-t-il.

Le silence s'abattit sur la foule. Nul n'osa plus respirer tandis que le doigt du landlord se raidissait sur la détente. Joe blêmit, mais ne broncha pas. Il avait toujours pensé qu'une âme ne quittait pas la terre avant que le bon Dieu ne la rappelle à Lui. Cependant, il lui semblait entendre un chœur céleste prononcer son nom.

Dans un accès de témérité, la femme qui avait jeté la pierre s'approcha plus près de l'attelage.

— Si vous tuez ce brave Joe, Votre Honneur, nous vous exécuterons sur place, oui-da !

Le landlord scruta la foule, la jaugeant. Puis, sans crier gare, il leva le canon de son arme et tira un coup en l'air.

Au bruit de la détonation, le cheval fit un brusque mouvement en avant, tirant la voiture à sa suite. Les paysans se couchèrent sur le sol tel un champ de blé devant la moissonneuse-batteuse. Joe Donelly s'effondra tête la première sur la chaussée, heurtant un pavé du front.

— Ah, Joe, qu'est-ce qui t'arrive, mon vieux ? (Danty se pencha sur son ami, oubliant le landlord en fuite et la foule grouillante.) Tu saignes salement, Joe.

Seule la vieille femme qui avait lancé la pierre s'aperçut du drame qui se jouait. Elle proposa son fichu en guise de bandage ; Danty le noua autour de la tête du blessé.

12

Joe ouvrit les yeux ; cependant, bien qu'il fût conscient, sa blessure, à l'évidence, était grave.

— Ramène-moi chez moi, Danty, dit-il en agrippant sans force le bras de son ami. Il faut que je sois au milieu de mes fils au moment de rendre l'âme.

Le jeune Joseph Donelly leva le nez vers le ciel et bénit la journée. Après le temps infect du matin, la fin d'après-midi promettait d'être magnifique ; les nuages blancs laissaient couler des flots de soleil en traits miroitants qui recouvraient d'une patine d'or les prairies couleur d'émeraude.

A califourchon sur son vieil âne — l'animal, paraît-il, avait fait partie des bêtes de somme de Brian Boru —, Joseph cheminait sur la route poussiéreuse, l'esprit libre de toute inquiétude ou de tout souci. La vie n'avait guère réservé d'épreuves à Joseph Donelly ; et il avait affronté avec courage et succès celles qui s'étaient dressées sur son chemin. Par voie de conséquence, le garçon était fort satisfait de lui.

Jusqu'alors, il n'avait rien accompli qui pût lui valoir la renommée, mais on ne l'avait pas pendu non plus, ce qui était déjà quelque chose à mettre à son actif en ces temps troublés.

Au débouché d'un virage, Joseph aperçut deux jeunes filles qui marchaient à sa rencontre, des paniers d'œufs aux bras. L'une portait deux pintades dans une petite cage. A la vue de Joseph, le visage des deux campagnardes irradia à l'égal du soleil de l'après-midi.

Il leur rendit leurs sourires, savourant l'effet que sa bonne mine exerçait invariablement sur le sexe faible. Avec ses cheveux noirs et l'étincelle caressante, espiègle qui brillait dans sa prunelle, Joseph se savait beau garçon... très très beau garçon. Ceci expliquant cela, son assurance confinait à la vanité.

Les filles gloussèrent lorsqu'il ôta son chapeau pour les saluer; il leur décocha le sourire étincelant sous le charme duquel étaient tombées la moitié des personnes du sexe du pays — l'autre moitié, faut-il le dire, ne connaissait Joseph Donelly ni d'Ève ni d'Adam.

— Bien le bonjour, demoiselles! s'exclamat-il en arrivant à leur hauteur, le chapeau toujours levé. Votre beauté donne sa parure à la route que nous foulons.

Poussant des rires étouffés, les jouvencelles baissèrent la tête et l'observèrent à la dérobée de sous leurs chapeaux à bride. Joseph plongea en une révérence aussi profonde que le permettait sa position, mais son mouvement pétri de grâce fut coupé net par la décision que prit soudain son âne de se mettre à trotter. Joseph eut toutes les peines du monde à garder l'équilibre en raison des tressautements violents du bourricot.

Le garçon se rendit compte alors qu'il était difficile de conserver à la fois sa dignité et son assiette. Les bras jetés autour de l'encolure de la bête, ses longues jambes enserrant sa panse distendue, il lui cria un juron à l'oreille.

— Maudite sois-tu, stupide créature ! Crève, charogne ! Tu seras transformé en outre avant le coucher du soleil !

Quand le cavalier retrouva enfin son assise et que l'âne eut repris une allure paisible, les filles étaient loin et le dommage causé à l'ego de Joseph irréparable. Les rires des deux jeunes filles résonnaient encore, tel le caquètement de mille oies sauvages saisies de folie.

Bah ! Qu'avait-il à se soucier de ce que ces oiselles pensaient de lui ? Ce n'étaient que des quilles.

Ah, l'éternel féminin ! songea-t-il en poussant un soupir. Les femmes font perdre la tête aux hommes, mais la vie serait bien triste sans elles !

Joseph remonta cahin-caha le chemin qui menait à l'humble cottage des Donelly, maîtrisant son âne à grand-peine. La minuscule structure de pierre, percée d'une unique fenêtre et d'une porte peinte en rouge vif, se dressait au milieu d'un pré qui descendait en pente douce jusqu'à la plage escarpée et à l'océan. Au vrai, le lopin, à défaut d'autres récoltes, produisait une abondante moisson de pierres, qui avaient servi à édifier le cottage, cimentées par un peu de boue et beaucoup de sueur — celle du père de Joseph. Joe Donelly avait bâti cette chaumine à l'aube de sa vie d'homme, avant la naissance de ses trois fils et la mort de sa femme.

Souvent, quand Joseph empruntait cette route sur son âne ou à pied, il était submergé par une vague de fierté à la pensée que son père avait construit leur maison de ses mains, si modeste fût-elle. L'été précédent, le père et le fils avaient refait le toit de chaume ; une vraie galère, mais ils avaient accompli du beau travail. Joseph avait versé de nombreuses pintes de sueur ainsi que quelques gouttes de sang dans cette demeure, et il était heureux à la perspective d'en hériter un jour.

Sa joie et sa fierté s'estompèrent quand il aperçut Paddy et Colm, ses deux fainéants de frères, dans la cour. Les deux échalas essayaient de se flanquer des gifles. Légèrement éméchés, ils battaient davantage l'air que l'adversaire.

— Regarde qui vient là ! cria Paddy, baissant les poings pour désigner Joseph. C'est le don qu'a fait Dieu à l'univers !

— L'enfant chéri, ajouta Colm d'un ton railleur qui démentait ses paroles. T'as été extraire de la tourbe, Joseph ?

Comme d'habitude, le cadet se crispa sous ce persiflage qui n'avait jamais de cesse. Ses aînés, semblait-il, croyaient que Dieu les avait investis de la mission de l'humilier, de « lui rabaisser son caquet d'un cran », ainsi qu'eux-mêmes le disaient.

— A votre avis, comment on se chaufferait si personne n'allait ramasser de la tourbe ? (Joseph sauta à bas de l'âne et commença à décharger les briquettes noires des deux paniers accrochés aux flancs de la bête.) Le

16

sage a dit : « Travaille comme si le feu couvait sous ta peau et tu n'en manqueras jamais dans ton cœur. »

Son proverbe déclencha une salve de rires.

— Tu entends ça, Paddy ? dit Colm entre deux quintes. Ce gamin est pétri de sagesse !

L'âne déguerpit et Joseph tira sur la longe.

— Du calme, sale bête ! siffla-t-il entre haut et bas.

— Ah, il pète peut-être de sagesse, n'empêche qu'il n'est pas fichu de venir à bout de sa carne ! s'exclama Paddy.

Colm s'esclaffait. Levant les poings, il déclara :

— Te laisse pas abattre ! Courage !

Paddy répliqua, levant les poings à son tour :

— Donne-nous une cible.

Joseph haussa les épaules, continuant de porter la tourbe dans l'appentis adjacent au cottage et de l'y empiler en tas bien nets.

— Ça suffit, tous les deux ! (Du menton, il indiqua l'enclos derrière le hangar.) Il y a une chèvre, là-bas... Allez vous occuper de votre vie amoureuse.

Les deux échalas éclatèrent de rire, sans cesser de le défier.

— Viens donc, mon petit chou ! (Colm caracola autour de lui, lui barrant la route.) Un petit saignement de nez, on n'en demande pas plus...

Il lui envoya son poing dans les côtes, et la tourbe s'éparpilla aux quatre vents. Quelques briquettes heurtèrent Joseph au tibia. Mais le garçon garda son sang-froid. Respirant à fond, il dit calmement :

— Je n'ai pas envie de me battre avec toi.

Au moment où ces mots franchissaient ses lèvres, il abattit son poing sur le nez de Colm, envoyant valser l'importun dans la cour. La guerre était déclarée !

Des poings écrasèrent des mâchoires, des genoux des entrejambes, des pieds des tibias, des dents mordirent tout ce qu'elles trouvèrent à leur portée.

— Essaie un peu de *me* rouer de coups, espèce de sale bâtard ! brailla Paddy tandis qu'il encaissait intérêt et principal de la fureur rentrée de son cadet.

Joseph lui assena un vigoureux et retentissant crochet du droit.

— Bâtard ? Oserais-tu salir la mémoire de notre chère mère défunte ? (Un solide crochet du gauche.) Fils de pute !

En dépit de ses talents émérites de boxeur, Joseph, à l'évidence, succombait sous le nombre. Son obstination, si admirable fût-elle, était suicidaire. Son nez ne tarda pas à saigner — il l'avait bien cherché. S'étalant dans la poussière, il s'acharna à se remettre debout, de nouveau prêt à en découdre.

— Accepte ta défaite, taré ! s'écria Colm. Nous t'avons aux trois quarts démoli.

— Je vais réunir ce qu'il me reste de forces pour vous mettre en pièces, tous les deux.

Légèrement chancelant, Joseph se rua derechef à l'assaut.

Mais le combat fut interrompu par le grincement d'une carriole qui filait sur la route à
toute allure.

— C'est le vieux Danty, observa Colm. Où a-
t-il bien pu se dégoter une carriole ?

— Et pourquoi roule-t-il à ce train d'enfer ?
ajouta Paddy.

— Bizarre... (Joseph descendit vers la route
et une douleur qui n'avait rien à voir avec la
tabassée qu'il venait de recevoir lui étreignit la
poitrine.) Qu'y a-t-il, Danty ? cria-t-il, pressen-
tant le pire.

— Mes garçons, répondit le vieil homme en
s'engouffrant comme un ouragan dans la cour,
c'est votre père... Il est grièvement blessé.

— Votre père s'est battu comme un lion contre l'ennemi, pour sûr. Cinquante adversaires
armés de terribles fusils. Et il les a vaincus l'un
après l'autre avec ses seuls poings. (Danty, au
pied du grabat où était couché Joe, veillé par
le plus jeune de ses fils, tira sur sa pipe et
envoya la fumée vers les poutres du minuscule
cottage.) J'en ai tué un bon nombre moi-même,
pour dire la vérité de Dieu, mais...

— Allons donc, Danty Duff !

Joseph tordit un linge au-dessus d'une
cuvette d'eau et le plaça sur la blessure béante.

— Modeste comme je suis, reprit Danty Duff
à voix basse, je garderai cette partie de l'histoire... pour plus tard.

— Comment te sens-tu, p'pa ? demanda
Joseph.

Joe ouvrit les yeux ; toutefois, ce fut un regard vide qu'il posa sur son fils.

— Mon âme me quitte, Joseph.

Chaque inspiration lui coûtait un effort.

Fébrilement, Joseph attisa la tourbe dans l'âtre et déplaça la bouilloire pour que l'eau bouille plus vite. L'entaille était vilaine ; il fallait la nettoyer à fond avant de la recoudre avec une aiguille à repriser et du fil noir.

— Ne parle pas ainsi !

Joseph jeta un regard de désespoir à ses deux frères qui se tenaient dans un coin, silencieux, les bras croisés sur la poitrine. Il examina de nouveau la face cendreuse de son père et craignit que le vieil homme ne dît la vérité.

— Je parlerai comme bon me semble ! rétorqua Joe. Je suis à l'agonie, aussi sûr que deux et deux font quatre. Ne discute pas, saperlipopette !

— Mais tu ne vas pas mourir ! (Joseph tordit le linge et fit couler de l'eau sur la plaie, arrosant le matelas de la paillasse fatiguée par la même occasion. Aucune importance. Plus rien n'importait à présent, pas quand son père expirait sous ses yeux sans qu'il pût faire quoi que ce soit pour l'empêcher.) Nous t'aimons, ajouta-t-il. Nous avons besoin de toi.

— Besoin de moi ? Tu parles ! Je ne vous ai rien donné, mes garçons. Une pauvre chaumière sur un lopin accidenté de caillasse... et qui ne nous appartient même pas malgré tout notre labeur ! En vérité, je suis content de m'en aller.

Joe ferma les yeux et prit une profonde inspiration. Joseph glissa la main sous sa nuque pour soutenir sa pauvre tête, mais celle-ci retomba comme celle d'un ivrogne.

— Tout ce que je demande, continua Joe d'une voix faible, ce sont de joyeuses funérailles, mes garçons. « Son bel œil velouté »...

Son chant s'interrompit net, sa poitrine cessa de se soulever et de s'abaisser.

Colm et Paddy s'approchèrent comme des voleurs, examinant avec curiosité le corps privé de vie qui avait été leur père. Danty se signa.

— Que Dieu accorde le repos à ton âme, Joe Donelly, marmonna-t-il.

— P'pa !

Joseph étreignit son père, mille et une pensées, mille et un souvenirs déferlant dans son esprit. Son père lui apprenant à pêcher, à danser la gigue, à planter des pommes de terre et à boire du whisky... Mille et un souvenirs... Mille et une marques d'affection.

Paddy et Colm courbèrent la nuque mais, au bout de quelques instants à peine, se jetèrent un coup d'œil à la dérobée.

— Pour sûr, on ferait aussi bien de vendre une ou deux bricoles maintenant que le paternel s'est fait la malle, chuchota Paddy.

— On tirerait bien quelques sous de son lit, par exemple, ajouta Colm.

— Est-ce là une façon de pleurer notre père ? s'écria Joseph en les foudroyant du regard. Son corps n'est pas même refroidi que vous autres êtes déjà en train de vous partager ses possessions terrestres !

— Le chagrin est une affaire personnelle, Joseph, déclara Paddy d'un ton faussement blessé. Nous n'avons pas besoin de tes conseils, merci ! Il nous a laissé une grosse dette sur le dos, avec la redevance.

— Nous réglerons notre dû dès que nous aurons fait la récolte, rétorqua Joseph.

Paddy renifla de dédain.

— Eh bien ! L'été promet d'être longuet !

— Cultive les patates et ramasse-les toi-même, Joseph, ô noble garçon plein d'ambition ! railla Colm.

Joseph recoucha délicatement son père sur la paillasse.

— Ne fais pas attention, p'pa ! Ce sont des sans-cœur, de gros fainéants, et ils ne tarderont guère à te rejoindre dans la tombe.

Joseph se releva et décocha un coup de poing à Paddy qui était le plus proche.

— Oui, ce sont des veaux, approuva le défunt Joe.

— Bonté divine ! s'écria Colm.

Les trois frères se figèrent tels des lapins morts abandonnés sur une congère en plein cœur de décembre.

La pipe de Danty lui tomba des lèvres tandis que les yeux du mort s'ouvraient.

— P'pa !... Jésus, Marie, Joseph et tous les saints, protégez-nous ! Il est aussi vif que nous ! s'exclama Joseph, des larmes de joie remplaçant celles que la tristesse et la colère lui avaient fait verser.

— Non, Joseph, répliqua le vieil homme. Je suis bel et bien mort.

— Mais tu es en train de me parler, p'pa ! Et tes yeux nous regardent...

Joe soupira.

— Il faut toujours que tu discutailles ! Je suis aussi mort qu'une pierre, te dis-je ! Je flottais à mi-chemin des portes du paradis, puis je me suis souvenu que j'avais quelque chose à te dire, mon garçon.

— A moi ? s'étonna Joseph.

— Oui, à toi. Tes crétins de frères ne valent pas qu'on revienne du paradis pour eux. Approche-toi, fiston, et ouvre grandes tes oreilles. J'ai un mot à te dire.

Tremblant, Joseph se pencha sur les lèvres de son père.

— Oui, p'pa ?

— Ce mot, c'est... terre, chuchota-t-il.

— Je n'ai pas compris, p'pa.

Joseph pencha davantage la tête.

— *Terre !* beugla Joe, et Joseph s'écarta d'un bond, les tympans assourdis. Terre, Joseph.

Joseph tomba à genoux près de son père.

— Je ne comprends pas...

— La terre, tout est là. Il faut que tu m'entendes, mon fils... toi, un garçon si... si original. Je ne doute pas que tu sois la chair de ma chair, à cause de ta jolie tournure que tu tiens de moi, mais ton avenir me cause du souci, fiston.

Joseph se courba encore, une expression confuse sur ses traits.

— Tu es revenu des portes du paradis pour me dire que je suis un original ?

Joe secoua la tête avec tristesse.

— Tu as le crâne farci d'un fatras d'idées. J'étais pareil, quand j'étais jeune. Mais les rêves, dans ce misérable coin du monde, s'achèvent dans une chope de bière, mon garçon.

— Pas les miens, p'pa ! Un jour, je serai propriétaire de ma terre et...

— C'est exactement ce que je voulais te dire. Un homme ne peut avoir de rêves sans terre. Sans terre, tu ne saurais construire un foyer. Sans foyer, tu ne saurais prendre femme. Et sans femme...

— Ton zizi se ramollit, intervint Danty.

Les deux vieux compères éclatèrent de rire à l'unisson comme des gamins. Puis Joe leva une main tremblante et agrippa son fils par le cou.

— Quand j'avais ton âge, Joseph, je rêvais qu'on gagnerait la bataille... que ma génération reprendrait la terre volée à nos ancêtres. J'ai vieilli et j'ai renoncé... Mais je te lègue mes rêves. Si tu sais y faire, par Dieu, c'est le sourire aux lèvres que ton vieux père te regardera du haut des cieux !

Joe se remit à chantonner, referma les paupières et trépassa une seconde fois. Danty se signa et les fils l'imitèrent.

— Que Dieu accorde de nouveau le repos à ton âme, Joe Donelly, dit Danty.

— Puisses-tu atteindre le seuil du paradis au

24

moins une heure avant que le loustic au pied fourchu ne s'aperçoive que tu es mort, ajouta Joseph en se penchant pour embrasser son père sur la joue.

A l'extérieur du cottage des Donelly, un feu de joie flamboyait, embrasant le ciel nocturne d'une lueur inquiétante, ralliant les proches et les amis du défunt à la veillée mortuaire. Dans la petite bourgade, seule une noce surpassait des funérailles en entrain et en festivités ; ces derniers temps — grâces en soient rendues aux landlords, aux travailleurs illégaux et aux innombrables évictions —, on dénombrait davantage de trépassés que de couples unis par les liens du mariage.

Le feu emplissait l'air de sa fumée ; dans le cottage, derrière la porte que barrait un large ruban noir, elle était toutefois plus épaisse encore. Une veillée funèbre digne de ce nom se devait d'offrir en abondance victuailles, whisky de contrebande et tabac, et celle de Joe Donelly prodiguait les trois avec libéralité aux survivants dans l'affliction.

Des femmes, drapées dans de lourds châles de laine, allaient de-ci, de-là parmi les invités, les gavant de gâteaux sortant du four et approvisionnant leurs pipes en tabac. Près du cercueil ouvert, Danty Duff tirait sur la sienne et buvait de généreuses rasades de whisky. L'alcool fort au goût de fumée déliait sa langue déjà naturellement agile.

— Il a passé deux fois, oui-da, confia-t-il au

père Nolan, l'irascible vieux prêtre qui parait et égayait de sa présence la moindre occasion. Il a vu le paradis, il me l'a décrit en détail : saint Pierre, les anges, le Père céleste et tout le saint-frusquin.

— La chose n'a rien d'extraordinaire, répliqua gravement le prêtre en hochant sa tête à la chevelure d'argent. (Nombre de ses ouailles lui trouvaient l'air angélique, avec ce halo de cheveux brillants, notamment quand le soleil matinal se déversait à flots à travers les vitraux de l'église, le consacrant d'un nimbe d'or. Des chrétiens moins respectueux prétendaient que leur curé se tenait à cet endroit précis pour cette raison-là. Rien, cependant, ne venait prouver la justesse de leur théorie.) Je suis mort, moi aussi, voyez-vous, quand j'ai reçu une balle en plein cœur.

Danty haussa un sourcil en manière de réprimande.

— Mon père, je ne goûte guère ces menteries. Tout le monde sait qu'on vous a tiré dans le pied !

Le prêtre haussa les épaules.

— Peut-être... N'empêche que c'est le cœur qu'ils visaient. Vous pouvez en donner votre tête à couper.

Toutes les conversations se turent quand Joseph Donelly sortit de la pièce du fond. La foule s'ouvrit pour le laisser passer. Une expression solennelle sur ses jolis traits, les yeux rougis par les larmes, le garçon marcha droit sur le cercueil, caressa un instant la joue de son père, puis, cérémonieusement, déposa une pipe et du tabac sur un escabeau à côté du cadavre.

De l'autre bout de la pièce, Colm et Paddy s'avancèrent d'un pas nonchalant, une expression matoise sur le visage.

— Joseph, commença Colm, nous devons discuter d'un point important.

— Ce n'est pas le moment, répliqua Joseph.

— Mais il nous a quittés avec la redevance à payer, et nous nous disions que...

— ... que nous préférerions ne pas la payer, acheva Paddy.

Joseph leur lança un regard meurtrier, sa prunelle étincelant du feu des Donelly.

— Nous réglerons nos dettes après la récolte.

Colm sourit et gonfla la poitrine avec importance.

— Nous nourrissons plus grande ambition que ça.

— Nous allons sillonner le vaste monde, dit Paddy, nous faire embaucher pour travailler sur les routes. On va niveler les ornières et aplanir le pays.

— Viens avec nous, Joseph. (Colm posa la main sur l'épaule de son cadet.) Cette terre dépérit. Un chien aveugle ne lèverait même pas la patte dessus.

— Et elle ne nous appartient pas, par-dessus le marché. C'est la propriété de Daniel Christie, du comté de Clare.

Joseph, d'une saccade, se débarrassa de la main de Colm. Chacun, dans la pièce, retenait son souffle, impatient de voir pleuvoir les horions. Les Donelly avaient la réputation de vider les querelles à coups de poing. Cette veillée funèbre offrait à manger, à boire et à fumer en suffisance. Tout ce qui lui manquait, c'était une bonne bagarre.

— L'âge d'or touche à son terme pour les landlords. Cette terre est mienne, affirma Joseph avec un calme formidable. J'y resterai jusqu'à l'heure de ma mort. La question est réglée !

Il leur tourna le dos et, selon le rite consacré, plaça une assiette de sel sur la poitrine de son père.

Colm et Paddy se jetèrent un coup d'œil en coulisse et haussèrent un sourcil d'un air entendu. Joseph était bête comme trente-six cochons. Il battait la campagne, c'était indéniable.

*
* *

— Le ciel lui-même est en deuil, aujourd'hui, à cause de toi, p'pa, murmura Joseph tandis qu'il marchait à la tête du cortège.

Ses trois fils et son meilleur ami, Danty Duff, portaient Joe Donelly à sa dernière demeure. Amis et connaissances suivaient, une bande déguenillée d'hommes, de femmes et d'enfants nu-pieds. Les pleureuses — deux commères d'un village voisin — poussaient des gémissements à fendre l'âme, exprimant comme il se devait l'immense affection que chacun avait portée au défunt et les regrets que tous auraient de lui.

Un brouillard fin et froid tombait sur le cortège funéraire égaillé le long de la route et Joseph enfonça la tête dans le col de sa grande veste, à la recherche d'un peu de chaleur. Peine perdue. Une chape polaire l'enveloppait, le glaçant jusqu'au tréfonds de son cœur, et il était reconnaissant au ciel de cet engourdissement. Le lendemain, il ressentirait pleinement la perte de son père; ce matin-là, cependant, il allait tenir son chagrin à distance. La douleur le rattraperait bien assez tôt, après qu'ils auraient mis son père dans la tombe, après que Joseph aurait affronté une journée que ne réchaufferaient pas le sourire et la bonne humeur paternels.

Maudits soient les landlords! C'était leur faute! Puissent leurs âmes répugnantes brûler dans le brasier de l'enfer!

Soudain, ils entendirent au loin un martèlement de sabots rapide et fort. Des chevaux galopaient dans leur direction. Au sommet d'une colline surgirent cinq soldats, conduits par un beau ténébreux vêtu d'une redingote noire dont les basques virevoltaient dans la bise.

Instinctivement, les paysans baissèrent les yeux et continuèrent leur route.

— Voici l'ennemi, braves gens, souffla Danty. Les protestants. Ne leur adressez pas la parole. Ce pays est à nous. Faites comme s'ils n'existaient pas.

Les soldats et l'homme en noir se dirigèrent vers la procession et firent faire halte à leurs montures devant le cercueil.

— Quel est le nom de l'homme couché dans cette boîte ? demanda le chef tandis que son puissant bai caracolait de façon menaçante autour du cercueil de pin. (Nul ne pipant mot, il poursuivit :) Inutile de répondre ! Mais écoutez-moi bien. Je m'appelle Stephen Chase et suis mandaté par la famille Christie. Par le présent acte, et en leur nom, vous êtes condamnés... (L'homme ouvrit sa redingote, révélant une brochette de pistolets d'argent, et sortit une feuille de papier.) La redevance de ce terrain n'a pas été payée, et ce en dépit de trois mises en demeure.

Se penchant sur sa selle, il flanqua le document sur le couvercle de la bière avant de faire volter son cheval. Dans un fracas de tonnerre, les cavaliers piquèrent des deux en direction du cottage des Donelly.

— Qu'est-ce qui est écrit, Danty ? demanda Joseph, le cœur serré sous l'effet de la peur.

Danty prononça les mots fatidiques :

— C'est un avis d'éviction, mon gars.

— Non ! (Lâchant le cordon du poêle, Joseph se mit à courir à la suite des soldats.) Soyez maudits ! Non !

Ses longues jambes s'activèrent comme des fléaux et son cœur battit en rythme. Les côtes lui faisaient mal avant qu'il n'atteigne le cottage où les soldats avaient déjà sauté à bas de leurs montures pour se mettre au travail. Ils sortirent de la cabane les maigres possessions de la famille et les jetèrent en tas dans la cour.

— Vous n'avez pas le droit ! hurla Joseph. Vous n'avez absolument pas le droit de faire une chose pareille !

Stephen Chase se tourna vers lui et, repoussant les pans de sa redingote, porta les mains à ses pistolets.

— Bas les pattes ! s'exclama-t-il. Les lieux doivent être transformés en pâture.

— Mais c'est mon père qui a édifié cette maison ! dit Joseph, refoulant à grand-peine la bile qui lui montait de l'estomac. Il l'a bâtie de ses mains, et voilà que vous la démolissez alors qu'il gît à peine refroidi dans son cercueil ! N'avez-vous point de cœur, monsieur ?

Chase sourit — un sourire froid et dur qui n'éclaira pas ses yeux.

— Remerciez-nous d'avoir attendu qu'il meure, rétorqua-t-il sur un ton sarcastique.

Joseph plongea son regard dans celui de son interlocuteur ; il y vit la haine et le sectarisme que les aristocrates nourrissaient à l'égard de Joseph et de ses pareils. Stephen Chase le considérait comme un sous-homme. Pour un sang-bleu de son espèce, Joseph n'était rien de plus qu'une bête importune.

La fureur envahit le garçon à l'instar de la bile qui lui empoisonnait la bouche et il cracha. Il avait visé dans le mille : le projectile atterrit sur la joue droite de Chase. Aussitôt, une demi-douzaine de canons se pointèrent sur le rebelle.

L'homme en noir tira de sa poche un mouchoir brodé de dentelle et essuya le crachat.

— Cette terre, énonça-t-il avec lenteur en jetant dédaigneusement le mouchoir, ainsi que toutes les constructions qui s'y dressent appartiennent à M. Daniel Christie. Vous êtes un intrus, ici. Tâchez d'être parti avant que je sois à bout de patience et vous fasse fusiller sur-le-champ.

L'un des soldats courut hors du cottage, une torche à la main. Déjà, une épaisse fumée noire jaillissait de la petite fenêtre.

— Non ! Soyez tous maudits ! s'écria Joseph, des larmes lui brûlant les yeux.

Deux fusils s'enfoncèrent dans ses côtes ; il ravala sa colère.

— Prendre des gants ne sert à rien avec les gens de votre sorte, déclara Chase. Il faut vous traiter comme des sauvages, car voilà ce que vous êtes !

Arrachant la torche des mains du soldat, il s'avança vers le cottage et mit le feu au toit de chaume. Aussitôt, des flammes rouge orangé léchèrent l'herbe sèche qui se recroquevilla en d'innombrables serpents noirs minuscules.

Joseph détourna la tête, incapable de supporter ce spectacle. Au bout de la route, la foule en deuil était aussi choquée et impuissante que lui. Il aperçut Colm et Paddy, vit leur expression de soulagement ; ils étaient libres ! A cet instant, il n'éprouva plus pour eux que de la haine, ainsi que pour le monde entier.

Sans un regard en arrière, Stephen Chase remonta sur son cheval bai et, d'un geste de la main, intima à ses hommes de le suivre. Le groupe s'engagea sur la route au galop, dépassa le cortège funèbre et escalada la colline.

L'âcre fumée emplissait les poumons de Joseph et lui piquait les yeux. Des larmes qu'il ne pouvait retenir roulèrent sur ses joues. Il se retourna pour contempler le cottage et frissonna à la vue et au bruit du chaume s'effondrant à l'intérieur dans un rugissement et une chaleur de fournaise qui lui donnèrent la chair de poule.

Son père s'en était allé, ainsi que la maison de son enfance. Entre ces quatre murs, il aurait pu revivre certains souvenirs, se remémorer les soirées d'hiver passées au coin de l'âtre à fumer ou à jouer des airs du folklore. Or, à présent, le cottage avait disparu à son tour, lui aussi, l'ultime trace tangible de ses vertes années.

Et, comme tant de toits de ses frères irlandais, ce n'était plus qu'une coquille calcinée et vide ; vide à l'égal de ceux qui ne les appelleraient jamais plus du doux nom de foyer.

Cette situation avait trop duré de par les prairies de la verte Érin ! C'était trop de mal, trop de souffrances. Il fallait faire quelque chose.

Mais quoi ? se demanda Joseph tandis qu'il s'éloignait des décombres noircis et fumants pour rejoindre le cortège. Pour l'heure, il devait écarter la question de son esprit. Pour l'heure, il devait enterrer son père.

2

Le visage tourné vers l'océan, Joseph bandait son corps contre le vent froid et chargé d'humidité qui soufflait de l'Atlantique. Il avait passé maintes et maintes heures sur cette même falaise, fouillant l'onde des yeux, dévidant en esprit les aventures et les voyages qu'il rêvait d'entreprendre un jour.

Mais, ce matin-là, ses rêves avaient pris une tournure moins romantique. Ce matin-là, Joseph ruminait des projets de meurtre.

Son beau visage affichait une expression amère; son regard, habituellement vif, était celui d'une âme en peine. On lui avait enlevé trop de choses, et trop brutalement, et son cerveau n'avait pas encore pris la pleine mesure de ses pertes. Ayant peu mangé et dormi moins encore les jours précédents, une seule et unique pensée le tenait debout: la soif de se venger.

Il observa, en contrebas, les hommes qui ramassaient les algues sur la grève et les mettaient à sécher au-dessus de feux. Dans l'eau jusqu'aux chevilles, ils halaient leur moisson à l'aide de longues perches cruciformes. C'était une existence rude, certes, mais qui mettait des pommes de terre sur la table — quand on en avait une — et, à l'occasion, une chope d'ale dans le ventre.

Joseph repéra Danty Duff, maniant sa perche, sinon avec l'allant de ses cadets, du moins avec davantage de grâce et d'adresse. Danty ramassait du varech depuis son adolescence et sans doute le ferait-il jusqu'au jour où il tomberait raide mort dans ses traces sur le sable. Peu de gens de la condition de Danty ou de Joseph avaient la chance de changer de métier et de vie.

Joseph, pourtant, avait cru pouvoir changer sa vie un jour. Désormais, il avait relégué ce rêve au fin fond de son esprit. D'autres priorités, beaucoup plus importantes, avaient pris le pas sur ses désirs cachés. Des questions d'honneur.

Joseph dévala la falaise en direction de la plage, ignorant les filles qui marchaient devant lui, des hottes emplies d'algues sur le dos, balançant plaisamment la croupe, leurs yeux brillant d'intérêt. Elles gloussèrent et tournèrent la tête vers lui. Une fois n'est pas coutume — plein d'une superbe indifférence, il les dépassa sans même les gratifier d'un clin d'œil.

A la vue de Joseph, Danty regagna la plage dans une gerbe d'éclaboussures, ficha sa perche dans le sable et donna une chaleureuse accolade au fils de son ami défunt.

— Ah, ces filles, ces filles, Joseph ! s'exclama-t-il. Le monde regorge de filles. Belles, douces, câlines... Tu as remarqué ?

Joseph renifla.

— Je n'ai rien à offrir à une fille, Danty. Sans terre ni fortune à promettre, j'ai décidé de faire une croix dessus.

— Sel et poivre ! Tu es beau comme le diable ! (Danty tapota l'épaule de Joseph.) C'est ta tête qui parle, mon gars. Mais ton zizi a son mot à dire. Ton chagrin n'aura qu'un temps et tu verras les choses d'un autre œil un jour. Espérons que celui-ci arrive bientôt !

Joseph tourna les talons et s'éloigna, foulant la plage à grandes enjambées, la tête baissée, les mains au fond des poches. Danty s'élança à sa suite, soufflant un peu pour se maintenir à sa hauteur.

— Danty, je suis comme un lion en cage, ici. Mes frères s'en sont allés rejoindre une équipe de cantonniers. Pour eux, la vie continue ; moi, je ne me vois aucun avenir. (Il s'arrêta si brusquement que Danty lui rentra dedans. Joseph fit volte-face.) Qui est ce landlord, ce Christie ? C'est la justice que je réclame. Il doit payer pour le mal qu'il a fait aux miens.

Les yeux de Danty papillotèrent. Se haussant sur la pointe des pieds, le vieil homme chuchota à l'oreille de Joseph :

— La réponse est simple : zigouille-le. Mets cet homme dans sa tombe. C'est là qu'est sa place et celle de ses parents. En vérité, j'ai songé, là, parmi les algues, à me charger moi-même de la besogne. Mais je ne voudrais pas *te* priver de ce plaisir.

Joseph scruta la grève du regard. Aucune oreille indiscrète ne traînait à l'horizon. Gare quand on discute de sujets tels qu'un meurtre, se rappela-t-il. Un espion aux aguets pouvait faire pendre un homme.

— En toute honnêteté, Danty, je dois t'avouer que j'ai moi-même caressé cette pensée. Mais j'aurai besoin de ton aide pour mettre mon projet à exécution.

— Rien ne me réjouit davantage qu'une lueur meurtrière dans la prunelle d'un jeune gars ! s'écria Danty. (Joseph et lui étaient assis sur le sol de la cabane du vieil homme, parmi un fouillis de filets de pêche et de barriques en bois.) Cela me fait chaud au cœur de voir que la flamme du courage brûle toujours dans l'âme des fils de la vieille Érin !

Joseph sentit ladite flamme vaciller un instant sous la forte rafale que soufflaient le doute et la peur.

— Jusqu'à présent, je n'ai tué que des poulets et des cochons, reconnut-il.

Danty rit à pleine gorge et assena une tape dans le dos de Joseph.

— Te fais pas de mouron ! C'est un cochon et un poulet en une seule et même personne, ce Christie ! Il perçoit ses redevances et harasse ses chevaux. Donne-lui le goût de la mort, mon gars !

— Mais je n'ai jamais vu sa figure.

— Tu ne peux que t'en féliciter. Cela signifie qu'il n'a jamais aperçu la tienne et qu'il ne te remettra pas quand tu iras le trouver. Il demeure très loin d'ici... A cent soixante kilomètres.

— Cent soixante kilomètres, Danty ? Mais c'est à l'autre bout du monde !

— On ne devient pas un héros en restant assis sur son cul dans son arrière-cour.

Danty se leva et se dirigea vers une barrique dont l'étiquette annonçait : *J. Reeves. Marinade et saumure.* Il l'ouvrit avec un levier, libérant un arôme de vinaigre et de concombre qui se mêla aux odeurs de poisson qui flottaient dans la cabane.

— Bien le merci, Danty, dit Joseph, pris d'une légère nausée, mais je n'ai pas faim. A l'heure actuelle, je me soucie des légumes marinés comme d'une guigne.

— Et ce n'est pas non plus un légume mariné que tu vas avoir...

Danty envoya le couvercle sur un tas de cordes et de chaînes et, glissant la main dans la barrique, sortit une par une les pièces d'un antique fusil. Il exhuma pour finir une cartouchière de cuir contenant les munitions et lança le tout sur les genoux de Joseph.

Un large sourire fendait sa face ratatinée.

— A toi de jouer, mon gars ! Venu tout droit de Birmingham via Ballyshannon en contrebande. C'est pas une petite merveille ?

Joseph s'efforça de dissimuler son scepticisme.

— Il... euh... il est sacrément rouillé, Danty. Je déteste faire montre d'une si brutale franchise... mais j'aurais aussi vite fait de lui défoncer le crâne avec une bûche.

— Une bûche ! fit Danty, scandalisé. Ce n'est pas avec une bûche qu'un héros tue un démon !

Le vieil homme se rassit par terre et entreprit de monter le fusil.

L'intérêt de Joseph s'éveilla soudain.

— Un héros ? Sans blague, Danty ? Moi, un héros ?

— Ah, je t'en fiche mon billet, mon gars ! Tu vas changer le cours de l'Histoire. Ton nom sera sur toutes les lèvres. Les bardes composeront des ballades pour chanter tes louanges, les filles tomberont en pâmoison à ta vue — même si nombre d'entre elles le font déjà — et tu ne paieras jamais plus une chope de bière de ta vie.

Avec une lenteur empreinte de dignité, Joseph se leva et remit d'aplomb son chapeau poussiéreux.

— Que l'on m'admire un brin, ma foi, je n'ai rien contre. Il m'arrive çà et là d'imaginer que je suis né pour accomplir de grandes choses.

Danty se redressa, les traits illuminés d'une égale fierté, tandis qu'il se réchauffait au feu de l'ardeur du jeune homme.

— Et ton père, Joseph ! Ne l'oublie pas, ajouta-t-il, attisant un peu les flammes. Il te sourira du haut des cieux. (Il tendit le fusil à Joseph.) Capitaine Moonlight ! s'écria-t-il, menton levé, épaules droites.

— Oui ! Capitaine Moonlight !

Danty posa un baiser sur la tempe de Joseph.

— Tu ne sais même pas ce que ça veut dire, capitaine Moonlight ! Alors, arrête de faire semblant. C'est le mot de code des rebelles, et maintenant que tu l'as entendu, motus et bouche cousue. Tu ne dois en souffler mot à quiconque, Joseph.

— Pas un mot, je le jure !

Joseph brandit bravement son arme.

Le canon tomba au sol dans un bruit de ferraille, emportant dans sa chute la plus grande part du courage de Joseph Donelly.

Les villageois sortirent en hâte de leurs maisons pour voir Joseph traverser la bourgade sur son âne maigrichon. Le fusil dépassait de ses sacoches de selle.

— Capitaine Moonlight, Joseph ! cria Patrick, le tonnelier.

— On est parti tuer son landlord, hein ? brailla O'Manion du seuil de son pub.

— Taisez-vous ! Personne ne doit savoir ! s'écria Joseph à contrecœur.

Il n'était pas facile de repousser l'adoration quand celle-ci était si méritée et avait tant tardé à venir.

— Fais sauter la cervelle à ce bâtard, mon gars ! hurla de sa forge le maréchal-ferrant qui examinait le sabot d'une jument. Flanque-lui une balle entre les deux yeux ! Massacre son bétail, tant que tu y seras !

Joseph lut de l'admiration — voire de l'envie

— dans les yeux de ces hommes et son cœur se dilata. Ainsi, voilà à quoi ça ressemblait d'être un héros ! S'il avait pressenti la joie que procurait cet état, il en serait devenu un depuis belle lurette !

La femme et la fille du tailleur vinrent à sa rencontre et la jolie jouvencelle lança une fleur devant son âne, accompagnant le geste d'un sourire plein de coquetterie. Joseph plongea en une profonde révérence et leva son chapeau.

Puis il se retourna et vit Danty Duff sortir en titubant du pub, serrant dans son poing une chope qu'il brandit en guise d'adieu.

— A ta santé, Joseph !

— Bénis-moi, Danty, répliqua Joseph, ressentant soudain le besoin d'être réconforté par la bénédiction d'un ancien.

— Que tes forces se décuplent durant ton voyage, Joseph, et puisse la porte ne pas se refermer sur tes fesses avant que tu ne sois de retour sain et sauf parmi nous !

— Merci, Danty Duff.

Joseph éperonna son âne et, la tête droite, quitta le village pour se mettre en quête de sa proie.

Toujours devant le pub, sa bière à la main, Danty en contempla les profondeurs ambrées et soupira.

— Ah... la soif est une maladie honteuse, dit-il en portant la chope à ses lèvres, et en voilà le honteux remède. (Après avoir bu le breuvage d'un trait, il ajouta :) Au revoir, Joseph, mon petit. Tu es le portrait craché de ton père... Paix à son âme ! Puisses-tu ne pas devenir aussi froid et mort que lui !

Joseph mena sa bête le long de la route poussiéreuse et passa devant la carcasse brûlée qui avait été naguère son foyer. La vue de la structure effondrée fit davantage pour renforcer sa résolution que l'adulation des villageois. Le landlord allait mourir. Et Joseph aurait plaisir à lui ôter la vie.

Un peu plus loin, il tomba sur une équipe de cantonniers, des hommes fatigués et crottés qui nivelaient les nids-de-poule avec des pelles. Il reconnut deux des visages crasseux et soupira en son for intérieur.

— Si ce n'est pas Zorro en personne ! cria Paddy en désignant le cavalier et sa monture étique.

— Et avec un fusil, en plus !

Le sourire sarcastique de Colm irrita les nerfs déjà à vif de Joseph. Maudits soient ses deux frères ! Personne, sauf lui, n'avait la disgrâce d'être affublé de deux méchants vauriens de cet acabit !

— Tu sais quel bout du fusil y faut pointer à l'oreille du gentleman, Joseph ?

Paddy s'appuya sur sa pelle et repoussa de ses yeux ses cheveux trempés de sueur.

Colm s'approcha de l'âne en plastronnant.

— Il va se tirer dans les couilles, je parie, et revenir à la maison en clopinant et en chialant !

Colm agrippa son entrejambe, et ses compagnons éclatèrent de rire.

Joseph sourit à ses frères avec une feinte affection.

— Je n'ai pas envie de me battre avec vous, dit-il calmement.

Le vieux signal. Cette fois, ses frères étaient prêts au combat. Ils le jetèrent à bas de sa monture et eurent tôt fait de le tabasser. Le groupe de badauds poussa des vivats ; l'échauffourée était l'événement du mois. L'ayant battu comme plâtre, Colm et Paddy eurent la politesse de remettre Joseph sur son bourricot.

Le garçon éperonna la bête qui, en réponse, lâcha un long pet frémissant. Les rires reprirent de plus belle. Colm assena une forte claque sur la croupe du pathétique animal, qui s'éloigna au trot, tandis qu'un Joseph contusionné s'agrippait à sa maigre crinière.

— Au revoir, Joseph chéri ! cria Colm dans son dos. On se reverra à ta veillée mortuaire !

Le soleil était couché depuis longtemps derrière les collines que Joseph cheminait toujours. Il longeait des clôtures de pierre, des châteaux en ruine, des églises et des tours rondes, témoins fantomatiques et silencieux de la riche et violente histoire de l'Irlande. Les fils de la vieille Érin avaient livré maintes batailles contre les Vikings et les Saxons, contre la famine et la tyrannie. Ils en avaient gagné certaines, en avaient perdu d'innombrables autres. Les poètes disaient que les prairies devaient leur viridité aux flots de sang écarlates qui avaient coulé sur le pays.

Joseph se surprit à tendre l'oreille, cherchant à distinguer les gémissements de ces âmes égarées, tandis qu'il chevauchait par les routes baignées de lune.

Il prit à main gauche pour couper à travers un large pré afin de raccourcir son périple ; avant de laisser son âne fouler la haute herbe luxuriante, il tâta sa poche pour vérifier qu'il avait bien un morceau de pain. Cette région avait été baptisée « le champ affamé » ; beaucoup de gens y étaient morts durant la terrible disette que l'on avait surnommée « la Grande Faim ». Par tradition, nul ne devait s'y engager sans un quignon de pain en poche, par respect pour les âmes qui avaient souffert de la faim et étaient mortes d'inanition.

Joseph songea à ces hommes, à ces femmes, à ces bébés qui avaient péri là à cause de la dureté de leurs landlords et il se sentit proche comme jamais auparavant de ces infortunés. Sous peu, il allait rompre une lance pour la liberté, pour son père et pour ces malheureux. Ces maudits Anglais expieraient leurs péchés par la main de Joseph Donelly.

Ses rêves de grandeur et d'héroïsme furent interrompus par le martèlement de sabots résonnant dans la quiétude nocturne. Un cavalier galopait vers lui à bride abattue.

Il se retourna, et ce qu'il vit lui coupa le souffle. Montée sur un cheval blanc, une jeune femme de toute beauté, l'allure d'une princesse tout droit sortie d'un conte de fées celtique, chevauchait comme si elle avait le diable à ses trousses.

Ses cheveux dénoués — Joseph ne pouvait en discerner la couleur — brillaient tel un nuage d'argent tissé dans le clair de lune tandis qu'ils volaient sauvagement dans la brise. Sa jupe était retroussée au-dessus des genoux et ses longues jambes bien galbées étreignaient les flancs palpitants de la bête.

L'apparition ne vit pas Joseph. Elle fixait le regard droit devant elle, le mouvement de son corps aussi fluide que celui de son magnifique cheval.

Le cœur de Joseph battait à tout rompre. Quand elle le dépassa, à peine à un jet de pierre, il entendit son rire, un rire fou, irrépressible, qui lui fit mal. Le désir nostalgique d'être aussi libre que cette déesse de la Lune, de se libérer comme elle de toutes les entraves et de galoper à travers la nuit avec le vent dans la figure et le cœur d'un aigle empoigna Joseph. Ah, goûter semblable liberté, délivré des soucis et du monde, ne fût-ce qu'un moment...

La jeune fille disparut aussi soudainement qu'elle avait surgi. Seul l'écho des sabots du cheval prouva à Joseph qu'elle n'avait pas été le fruit de son imagination.

— Un jour, je serai pareil à elle, dit-il à son âne, l'unique créature à portée d'oreille. Un jour, je chevaucherai la brise nocturne comme cette jeune fille.

L'âne grogna pour marquer son dédain, puis lâcha une nouvelle salve sonore.

— J'aurai aussi un cheval comme celui-là, un jour, poursuivit Joseph, donnant des coups de pied dans les côtes de l'âne, et tu seras sous terre, là où est ta place.

Peut-être aurai-je également une femme comme celle-là, songea-t-il l'espace d'un court instant. Il se hâta de repousser cette pensée au fin fond de son esprit. Certains rêves demeuraient inaccessibles, même pour un jeune gars aussi imaginatif et content de lui que l'était Joseph Donelly.

Semblables femmes n'existaient pas réellement. En fait, elles ne faisaient que chevaucher les pâturages baignés de lune, les membres nus, les cheveux flottant au vent... et il arrivait qu'une nuit elles croisent la route argentée et ombreuse des rêves nocturnes d'un jeune homme.

Joseph grimpa le chemin jusqu'à la petite porte d'un pub, mit pied à terre et, après s'être colleté avec son âne hargneux et tout disposé à détaler, il l'attacha à la barre. Quand il entra dans la salle, trois autochtones lui jetèrent un vague coup d'œil, puis l'examinèrent avec attention quand ils se rendirent compte que c'était un étranger.

— Que Dieu bénisse ce toit et tout ce qui s'y trouve ! marmonna Joseph, sacrifiant à la coutume.

Le cœur, cependant, n'y était pas. Pour l'heure, plus de malédictions que de bénédictions lui encombraient l'esprit.

— Soyez le bienvenu, rétorqua l'aubergiste en lui versant une bière. Je m'appelle Kevin, et ces gars, là-bas, sont Peter, Matthew et John. Ils ne valent pas tripette, tous tant qu'ils sont, ils ne possèdent pas une qualité qui parle en leur faveur, mais on leur a appris à offrir le premier verre à un homme qui n'est pas de chez nous.

— Je vous remercie de votre offre, mais je paierai.

— Ah... un gars qui refuse un verre gratis ! commenta Peter. Un étranger, en effet. Vous venez du nord ?

— Ou peut-être de l'ouest ? dit Matthew.

— Ou de l'est, si ça se trouve ? fit le troisième larron.

Joseph ne répondit pas, continuant de siroter sa bière.

— Du sud ? reprit Peter.

Joseph souhaitait qu'ils se taisent. Tout ce qu'il désirait, c'était ruminer en paix et s'emplir le ventre de cette bière brune et fraîche.

— Je préfère garder mes affaires pour moi, sans vouloir vous offenser, déclara-t-il.

— Voilà qui est sage, extrêmement sage... approuvèrent-ils en branlant du chef tour à tour.

Joseph ignora leurs gloussements moqueurs et leurs regards curieux tandis qu'ils retournaient à leurs boissons, à leurs pipes et à leurs bavardages.

Soudain, la porte s'ouvrit à la volée et un homme trapu, la cinquantaine, entra en coup de vent. Il était habillé comme un gentleman, bien que ses manières brusques ne témoignassent guère d'une éducation aristocratique.

— Que Dieu vous bénisse tous ! rugit-il en envoyant son chapeau voler dans la pièce.

A l'évidence, il avait déjà levé le coude. En dépit de sa formidable énergie, il n'était guère stable dans ses bottes.

— Comment allez-vous ? demanda le patron, qui tira une bouteille de whisky de contrebande de sous le comptoir et en versa une généreuse ration dans un gobelet.

— Je me sens oppressé, voilà le mot ! se plaignit le gentleman, bon enfant. (Il avala d'un trait le puissant alcool, suscitant l'envie des clients, Joseph y compris.) J'habite une maison qui pue l'ennui et le renfermé. J'ai une femme têtue comme une mule qui m'interdit de boire et une fille fiancée à un sot. J'ai soif d'aventures, les amis ! Si j'avais des ailes, je m'envolerais jusqu'aux étoiles !

S'il descend un second godet comme il a éclusé le premier, il n'aura pas besoin d'ailes pour voler, songea Joseph en observant les hommes qui levaient leurs chopes pour porter un toast.

— A votre santé ! A la vôtre, monsieur Christie ! s'écria Peter.

Joseph avala de travers et recracha sa bière sur le comptoir. Christie ! Ce scélérat, ce meurtrier, ce voleur, ce brûleur de maisons était là, sous son nez ! La Providence lui avait livré le bâtard à domicile !

Tremblant d'appréhension et de fureur, Joseph dissimula son visage, cependant que Daniel Christie, son ennemi juré, vidait son godet cul sec et attendait que le patron lui en serve un troisième.

A l'instant précis où Joseph pensait que tous, dans le pub, devaient percevoir les vibrations de sa rage, Christie se dirigea vers lui et lui assena une claque sonore entre les omoplates.

— Haut les cœurs, mon ami ! s'exclama-t-il. Vous êtes trop jeune pour noyer de noires pensées dans la bière. Qu'est-ce qui vous amène dans ce petit coin de l'univers ?

Comme Joseph ne répondait pas — le moyen de parler quand on a le cœur qui bat dans ses amygdales ? —, le patron prit la parole :

— Il fuit la compagnie, ce gars-là.

— Dans ce cas, de deux choses l'une, énonça Christie d'un ton sentencieux. Projets d'affaires ou histoire d'amour. S'il s'agit d'une amourette, que Dieu vous vienne en aide, frêle garçon ! L'amour est toujours voué à l'échec !

Joseph lança à Christie un regard de biais chargé d'amertume.

— Je ne suis pas amoureux, ah, pour ça, non !

— Ergo, vous êtes un homme d'affaires, comme moi. Toutefois, je vous mets en garde : ça ne m'a rapporté que des tracas. Je suis noyé dans un brouillard de tractations et de transactions. Je bazarderais volontiers tout ça pour un quart d'heure de liberté.

— La liberté est une denrée rare, dans le coin, marmonna Joseph dans sa chope.

— En effet. (Le landlord hocha gravement la tête.) En effet...

Il leva son verre à l'adresse de Joseph pour trinquer. Ses yeux pétillaient de malice ; on aurait cru un gosse dont le corps était devenu celui d'un homme, sans que son esprit eût eu envie de suivre cette métamorphose.

Un instant, Joseph fut frappé par le fait qu'il avait devant lui un être humain, un être doué de vie. Un homme qu'il projetait d'assassiner. Puis il se remémora le spectacle du cottage paternel consumé par les flammes, et sa résolution s'affermit.

— Longue et heureuse vie ! dit-il en fixant le landlord droit dans les yeux.

Il perçut nettement le sarcasme dans ses paroles. Il dévisagea Christie, pour voir si le gentleman en avait lui aussi conscience.

Mais le landlord souriait, un sourire chaleureux, cordial, débordant de générosité.

— Dieu vous bénisse ! répondit-il. Il est manifeste que vous êtes un brave garçon... d'où que vous veniez.

Deux heures et une demi-bouteille de whisky plus tard, la porte du pub s'ouvrit violemment et Daniel Christie sortit en chancelant.

— Bonne nuit, les amis ! brailla-t-il d'une voix pâteuse en titubant vers son cheval qu'il essaya d'enfourcher. Du calme, animal ! (Manquant complètement l'étrier, il perdit l'équilibre et s'effondra par terre.) Ouille, ma tête ! Ce n'est pas qu'elle me serve à grand-chose... (Il se remit debout et se massa le front qui avait heurté un sabot.) Viens, cheval ! Je vais te faire une petite gâterie, pour cette fois.

Il trouva les rênes à tâtons et emmena l'animal. Mais, tandis qu'homme et bête s'éloignaient sur la route, nul n'aurait pu dire avec certitude qui conduisait qui. Le cheval semblait avoir acquis une certaine expérience dans l'art de guider son maître et celui-ci avait toutes les peines du monde à rester stable sur ses jambes.

Peu après, la porte du pub grinça sur Joseph. Le garçon demeura un moment planté sur le seuil, observant les deux silhouettes qui disparaissaient au sein des ténèbres. Puis, levant le menton et carrant les épaules, il mit le cap sur son âne, le détacha et grimpa sur son dos.

A une allure d'escargot, il suivit le landlord hors du village. Enfin ! Il était en chasse...

A bonne distance, Joseph regardait Christie cheminer sur l'étroite route en lacet. Où était sa maison, à propos ? se demanda-t-il après qu'ils eurent trotté ce qui lui parut des kilomètres. Il avait décidé de tuer le landlord sur ses terres. Cette solution lui paraissait seule convenable. Il n'empêche que son impatience croissait et embellissait.

Pis encore, il lui fallut subir l'horrible cacophonie émise par Christie qui braillait une ballade funèbre :

> *Ô gente dame de haut renom*
> *Je ne mourrai pas en ton nom !*
> *Si les fous périssent à cause de toi,*
> *Moi je vaux beaucoup mieux que ça...*

Soudain, Joseph tira violemment sur les rênes. Christie s'était arrêté et se dirigeait vers le bas-côté de la route. Qu'est-ce qu'il fabrique ? se demanda le garçon. Aurait-il remarqué qu'il était filé ? Le landlord esquissa un singulier mouvement du côté de la ceinture de son pantalon. Allait-il sortir une arme ?

Oh non, ce n'était pas une arme ! Joseph fut si soulagé qu'il faillit rire à gorge déployée. Son Honneur déboutonnait sa braguette. Apparemment, la première vague de whisky avait besoin d'être libérée.

Joseph se glissa à bas de son âne, mit la main dans sa sacoche et en tira le fusil. Pouvait-il rêver meilleure occasion d'agir, moyen plus idéal d'expédier un vaurien dans l'autre monde ?

— Coucou, défuntes âmes ! entendit-il Christie s'exclamer. Comme je dois toutes vous décevoir !

Levant le fusil, Joseph en fixa le canon qu'il pointa sur sa cible qui urinait tranquillement au bord de la route. Sa main se mit à trembler si violemment qu'il ne put viser.

Il prit une profonde inspiration, histoire de réunir son courage et d'apaiser ses nerfs à vif.

Mais son souffle s'exhala de ses poumons par saccades. C'était un *homme* qu'il avait dans sa mire ! Un être fait de chair et de sang, qui allait mourir dans quelques secondes. Un meurtre... Il allait commettre un meurtre !

Un *landlord*. Un sale landlord qui méritait la mort. Tue-le, espèce de lâche ! se morigéna-t-il. Vas-y !

Christie continuait de soulager sa vessie, les yeux levés vers le firmament, s'adressant aux étoiles :

> *Devrais-je expirer*
> *Pour un œil de braise ?*
> *Périssent les fous à cause de toi...*
> *Moi je ne mourrai pas, lonla !*

Peu après, il reboutonna sa braguette et retourna vers son cheval. Joseph ne savait s'il devait jurer ou pleurer de soulagement. Sans se décider pour l'un ou l'autre parti, il remonta sur son âne et reprit sa filature.

Il songea aux villageois qui l'avaient acclamé le jour de son départ ; à la fierté qu'irradiait le visage de Danty Duff quand le vieil homme lui avait souhaité bon voyage. Il songea à la condescendance de ses frères et au peu de foi qu'ils avaient en lui. Il songea à la coquille calcinée qu'était désormais le cottage.

Puis ses pensées prirent un autre cours et il évoqua les yeux pleins de malice de Daniel Christie et sa cordialité lorsqu'il lui avait tapé dans le dos.

Non ! Il ne fallait pas qu'il pense à son ennemi comme à un homme, sous peine de ne pouvoir accomplir sa mission. Et il devait l'accomplir. Comment pourrait-il jamais retourner au village, revoir Danty et ses frères, s'il n'honorait pas son serment ?

Il n'avait pas le choix. Le landlord devait mourir. Et pas plus tard que ce soir-là.

Daniel Christie pénétra dans son domaine entre deux arbustes magnifiquement taillés, d'où partait un labyrinthe de haies flanquant une allée qui menait à une vaste demeure ; ce gracieux spécimen d'architecture géorgienne avait d'épais murs de pierre grise, un toit d'ardoise pentu et des contrevents blancs.

Joseph emboîta le pas à Christie, bouche bée devant tant de splendeur. N'ayant vu, de toute sa vie, que des cottages de pierre et de chaume, il n'avait pas même imaginé que pareilles demeures pussent exister sur la terre du bon Dieu. Il était incapable de concevoir la taille ou la magnificence de la maison. Elle doit avoir au moins mille pièces, peut-être dix mille, pensa-t-il. Mille pièces rien que pour un homme et sa famille !

Puis une pensée prit soudain corps dans son esprit, qui le fit trembler de la tête aux pieds ; l'angoisse vint se nicher au creux de son estomac. Une foule de gens devaient habiter un endroit pareil — outre les Christie, d'autres familles, une théorie de serviteurs... et des soldats... Des légions de soldats devaient garder un aussi vaste château.

Pour qui donc se prenait-il, en vérité, à courir ainsi après un homme de cette volée ? Un aristocrate qui vivait dans un tel palais possédait un pouvoir égal à celui d'un roi — un roi à même de faire appel à ses armées d'un simple geste du poignet. Joseph se demanda comment lui, un pauvre paysan, avait jamais pu croire pouvoir tuer un homme de ce rang et se tirer indemne de l'aventure.

Les paroles d'encouragement de Danty Duff résonnèrent dans sa tête : « Tu vas changer le cours de l'Histoire, mon gars. Et tu ne paieras jamais plus une chope de bière de ta vie. »

Des mots faciles à prononcer dans une pauvre cahute de pêcheur, mais auxquels il était difficile de croire à présent que cette demeure imposante, symbole de la puissance et de la fortune de Christie, se dressait au-dessus de lui.

A contrecœur, Joseph éperonna son âne afin de rattraper le landlord. Quand il fut suffisamment près pour tirer, il sauta à terre et leva son fusil.

Soldats ou pas, il devait passer à l'acte. Il devait venger la perte que son père et lui avaient subie. C'était une affaire d'honneur. Il tuerait le landlord, la plaie du pays. D'un instant à l'autre, le gentleman allait frapper à la porte du paradis.

Visant avec soin, Joseph posa le doigt sur la détente et commença à la presser, ainsi que Danty Duff le lui avait montré.

Le propriétaire fit halte un moment. Joseph voyait distinctement sa silhouette sombre dans la mire. Ce serait un coup rapide et propre, en plein cœur... ou en plein ventre. Joseph se demanda ce qui se passerait tout de suite après. Le landlord allait-il mourir sur-le-champ ou agoniser à petit feu dans d'horribles souffrances ?

Peu importe, se dit-il.

Une armée de soldats allait-elle se ruer hors du manoir et le pendre incontinent ?

Et après, quelle importance ? Il était investi d'une mission. Il allait changer le cours de l'Histoire.

Compte jusqu'à trois, s'intima-t-il. A trois, tu fais feu. Un, deux... Arrête de trembler ! Tu ne seras jamais foutu de tuer ce satané démon si tu sucres les fraises comme ça ! Un, d... Daniel Christie était un homme, un être fait de chair et de sang... Deux, trois...

Le fusil lui sauta des mains lorsque l'âne pivota, le bousculant de la croupe, au point de lui faire perdre l'équilibre. Puis l'animal détala en direction de la route par laquelle ils étaient venus. Joseph, n'osant pas crier, siffla le bourricot. Il s'époumona jusqu'à en avoir les lèvres brûlantes, mais l'âne prit résolument la poudre d'escampette. Son moyen de transport s'était fait la malle, emportant toutes ses provisions.

Joseph regarda sa proie s'évanouir dans la nuit.

— Enfer et damnation ! Coton, ce meurtre, ajouta-t-il en poussant un soupir à fendre l'âme.

Le landlord disparut à l'angle de la demeure ; le soulagement submergea Joseph, le disputant à la déception. Il était toujours en vie, et probable qu'il le serait encore à la fin de la nuit. A moins qu'il ne commette un acte de la dernière stupidité, il ne se balancerait pas aux branches d'un arbre quand le jour se lèverait.

Oui, mais... il resterait un humble paysan qui ne changerait pas le cours de l'Histoire, aucun barde ne composerait jamais d'épopée pour narrer ses glorieux exploits, il demeurerait un roturier condamné à payer ses chopes de bière de sa poche.

Il leva les yeux sur la somptueuse bâtisse, symbole de tout ce qu'il n'aurait et ne serait jamais. Il songea au landlord sans manières et amical qui lui avait souhaité bonne santé et bon voyage. Vue à cette lumière nouvelle, sa mission semblait puérile et dépourvue d'éclat.

Calant le fusil sous son bras, Joseph s'enveloppa plus étroitement dans sa veste. La nuit paraissait plus froide et plus sombre à présent que les flammes de la vengeance ne le réchauffaient plus.

Et maintenant ? se demanda-t-il tandis qu'il frissonnait dans les ténèbres. Au nom du ciel, que suis-je censé faire dans l'immédiat ?

3

Joseph s'éveilla en sursaut et se demanda où il était. Levant les yeux, il vit un toit qu'il ne connaissait pas, un toit bien plus haut que celui du cottage familial. Les chauds remugles d'animaux qui lui emplissaient les narines, le vif picotement du foin à travers sa chemise et son pantalon lui firent comprendre qu'il était toujours dans l'écurie de Christie où il était venu chercher un abri et une botte de paille la veille au soir.

Il voulut s'asseoir sur son séant et constata que chaque muscle de son corps était endolori ; on eût dit que l'armée tout entière de Cromwell lui était passée dessus. Baissant le regard sur l'antique fusil posé en travers de ses jambes, il sourit avec une ironie désabusée, se remémorant la honte de la nuit. Ah, que n'avait-il pu s'endormir pour toujours et ne jamais se réveiller en proie à une telle humiliation et à un tel désespoir !

Il se redressa d'un bond en entendant des

sabots résonner dans la quiétude matinale. Saisissant son arme, il jeta un coup d'œil par les interstices du mur. Son cœur fit une embardée à la vue du cavalier qui traversait la prairie à un train d'enfer en direction de la cour : c'était la déesse de la Lune à la longue chevelure qu'il avait aperçue dans « le champ affamé ».

Pourtant, bien qu'elle galopât toujours à se rompre le cou, elle composait un tableau beaucoup plus digne ce matin-là, avec son haut chapeau, sa lourde jupe d'amazone et ses bottes. Au lieu de monter à califourchon et les jambes nues comme la veille, elle était sagement juchée sur une élégante selle d'amazone, avec toute la réserve qui convenait à une jeune lady du manoir.

En approchant de la demeure, elle tira sur les rênes de son cheval, forçant la bête magnifique à prendre le petit trot. Elle longea la façade, et Joseph, empli de fascination et de crainte, admira sa grâce et ses talents de cavalière.

— De la retenue, Shannon ! cria une voix féminine pétrie de distinction d'une fenêtre du premier étage. De la retenue !

La femme d'âge mûr agita un délicat mouchoir de dentelle à l'adresse de la jeune fille.

— Oui, mère, rétorqua celle-ci.

Shannon, pensa Joseph, goûtant la saveur du prénom. Elle s'appelle Shannon...

Le nom lui allait bien, conclut-il en évoquant la beauté, l'impétuosité du fleuve Shannon qui coulait, gracieux et indompté, vers l'océan.

— Une lady doit toujours faire montre de raffinement, cria encore la femme à la jeune fille qui s'éloignait, même quand elle monte à cheval.

— Oui, mère.

— Une lady ne galope jamais.

— Non, mère.

— Ne montre pas ton pantalon, ma chère.

Soupirant, la jeune fille glissa de la selle en un seul et fluide mouvement et, l'allure compassée, mena son cheval vers l'écurie. Joseph se plaqua contre le mur. Si elle le découvrait, il aurait aussi vite fait de se passer lui-même le nœud coulant autour du cou. Comment pourrait-il expliquer sa présence en ces lieux ?

Une fois dans l'écurie, et à l'abri du regard maternel, Shannon envoya valdinguer son chapeau en un geste qui rappela à Joseph celui de Daniel Christie, la veille, au pub. L'instinct lui soufflait que cette jeune personne était la fille du landlord. Dans ses yeux pétillaient la même étincelle vive, la même lueur espiègle. Tous deux semblaient sur le point d'envoyer au diable les contraintes importunes qui les entravaient.

Avec un air de défi, elle secoua sa chevelure et Joseph retint son souffle à la vue de sa beauté. Au clair de lune, ses cheveux lui avaient paru argentés ; à la lumière dorée du matin, il s'aperçut qu'ils avaient le roux chaud et lumineux d'une bouilloire de cuivre qu'il avait vue un jour dans la forge du maréchal-ferrant.

D'un baiser sur la croupe, elle envoya son

cheval dans un box, puis elle s'assit sur une caisse de bois et défit ses vêtements. La chevauchée qu'elle venait de faire et la chaleur du soleil empourpraient son joli visage en forme de cœur. C'était la plus adorable vision qu'il eût jamais été donné de voir à Joseph ; il sentait avec acuité la jeune fille investir chaque parcelle de son corps, et cette sensation était nouvelle pour lui.

— Une lady doit toujours faire montre de raffinement, dit Shannon, répétant les paroles de sa mère sur un ton sarcastique, même quand elle monte à cheval ! Ne montre pas ton pantalon, ma chère.

Pleine d'impudence, elle saisit sa lourde jupe et la retroussa jusqu'au-dessus des genoux. Joseph jeta un coup d'œil furtif par la fissure du mur, déconcerté par le pantalon prodigieux — le premier qu'il voyait de sa vie.

Soudain, consciente sans doute qu'on l'observait, la jeune fille regarda autour d'elle. Repérant un fer à cheval sur le sol, elle se baissa vivement pour le ramasser. Joseph recula et s'adossa au mur, regrettant de ne pouvoir se faire plus petit, souhaitant ne jamais s'être embarqué dans cette mission vouée au malheur.

— Hello ? l'entendit-il dire. Il y a quelqu'un ?

Que pensait-elle que c'était ? se demanda-t-il. Un rat ? Un lion ? Le diable, peut-être ?

Peu après, le fer à cheval vola dans les airs, rebondit sur le mur, puis sur la cloison de séparation, et acheva sa trajectoire sur le bout de la botte de Joseph. Prudemment, il se pencha pour l'en ôter; au même instant, la cloison s'effondra à côté de lui dans un vacarme assourdissant. A travers le bois fendu, les dents acérées d'une fourche jaillirent à deux centimètres de son nez.

— Doux Jésus !

Faisant volte-face, il prit ses jambes à son cou, fonçant droit sur la porte de l'écurie. La rouquine lui barra la route, brandissant sa fourche avec désinvolture.

— Restez où vous êtes ! dit-elle d'une voix basse et menaçante. Pas un geste, ou je vous embroche !

Même ainsi, sous la menace d'une fourche s'agitant devant sa figure, Joseph eut la présence d'esprit d'admirer la beauté de la jeune fille. Au vrai, le feu qui brûlait dans ses yeux pervenche et le courage avec lequel elle maniait son arme éveillèrent tout ensemble son admiration et ses sens.

Pour la première fois de sa vie, Joseph prit conscience que l'essence féminine était toute de délicatesse; il nota la palpitation d'un sein qui se haussait, pudique, au-dessus du corsage, la roseur des joues, la perfection de la peau de porcelaine.

L'espace de quelques instants, il se crut devenir fou, comme si cette créature femelle lui avait dérobé ses sens — les lui avait dérobés et pourtant aiguisés. Il se remémora toutes les remarques qu'il avait surprises dans la bouche de son père, de Danty Duff, de ses frères, d'autres hommes, sur les charmes mystiques des femmes, et, tout à coup, chaque parole revêtit une signification nouvelle. Shannon était divine. Et, fait peut-être plus important, ses éclatants yeux bleus fixaient les siens avec une singulière expression qui laissait supposer qu'elle éprouvait peut-être à son endroit des sentiments identiques à ceux qu'il avait pour elle.

Il esquissa un mouvement dans sa direction, un infime geste de la main. La flamme du courage vacilla dans la prunelle de la jeune guerrière qui se mit à hurler :

— Père ! A l'aide ! Il y a là un criminel prêt à tout !

Un criminel prêt à tout ? Lui ? Ses craintes de la veille, ces horribles images de légions de soldats altérés de vengeance, déferlèrent dans l'esprit de Joseph. On allait bel et bien le pendre, finalement !

Il se rua vers la porte ; mais, d'un coup de fourche, Shannon lui transperça la cuisse.

— Ouuuuille ! braila-t-il, étreignant sa jambe. Regardez ce que vous m'avez fait, jeune femme ! Sûr que vous m'avez estropié pour de bon !

Shannon observa la blessure d'où sourdaient des ruisselets rouges, et ses joues, de pourpres, devinrent crayeuses.

— Bonté divine ! s'exclama-t-elle en portant la main à sa bouche. (Elle jeta la fourche à terre, puis sortit en trombe de l'écurie, beuglant :) Père ! A l'aide ! Un homme vient de me violenter puis de me trucider !

Daniel Christie et sa femme se ruèrent hors du manoir, la maîtresse de maison dans une envolée de sa robe de chambre, le maître de céans guère stable sur ses pieds.

— Que signifie tout ce raffut ? tonna Christie. Que t'arrive-t-il, mon enfant ?

— Dans l'écurie, père ! C'est le diable en personne ! Là !

Se cachant derrière ses géniteurs, Shannon désigna d'un index tremblant la porte de l'écurie d'où Joseph émergeait clopin-clopant, la cuisse en sang, son vieux fusil rouillé à la main.

Il vit la jeune fille, sa mère et son père... mais aucun soldat. Respirant à fond, il fit appel à toute sa fermeté. La Providence, somme toute, lui offrait une seconde chance de prouver son héroïsme. Qui était-il pour se dresser contre sa destinée ?

— Monsieur Daniel Christie ! cria-t-il d'une voix dont la force et l'assurance le surprirent lui-même.

— Oui ? répliqua le landlord.

— Mon nom est Joseph Donelly. J'appartiens à la famille Donelly... que vous avez chassée de ses terres.

— Au nom du ciel, de quoi parlez-vous ? Nous avons trinqué ensemble pas plus tard qu'hier soir !

Christie lança un coup d'œil à sa tendre moitié — qui fixait le fusil rouillé de Joseph — et la repoussa, ainsi que sa fille. Toutes deux s'écartèrent à peine, peu désireuses de s'éloigner de son aile protectrice. Shannon se dissimula de nouveau derrière sa mère, jetant des regards furtifs à Joseph, une expression de peur et d'étonnement mêlés sur son joli minois.

Parfait, pensa Joseph. A présent, il pouvait tirer en toute quiétude sur Christie sans risquer de blesser les femmes.

— Préparez-vous à payer pour vos crimes ! rugit-il.

— Faites quelque chose, Daniel ! hurla Nora Christie. Il a l'intention de nous abattre tous !

— Pas de danger. (Christie, un sourire ironique aux lèvres, examina Joseph.) Son fusil balaie toute la cour.

Exact, nota Joseph. S'il ne jugulait pas sa trouille, jamais il ne pourrait passer à l'acte.

Il inspira une profonde goulée d'air et s'efforça de recouvrer son sang-froid. Soudain, une force formidable le submergea. Le destin, pensa-t-il. Des flots d'énergie se déversèrent dans son corps et dans ses mains. Son doigt pressa la détente avant même qu'il ne fût prêt à viser. Et ce qui l'étonna plus que tout, ce fut la détonation assourdissante qui suivit.

Étourdi, il n'eut pas le temps de comprendre ce qui s'était passé quand le recul le projeta contre le mur de l'écurie. Le fusil s'éparpilla en pièces détachées sur le sol dans un cliquetis sans appel.

Joseph ne fut plus que souffrance lorsqu'il pressentit que quelque chose avait marché de travers. Le landlord était sain et sauf ; lui, en revanche, était blessé.

Le trio fondit sur lui comme un seul homme.

— Capitaine Moonlight ! marmonna-t-il avant de s'effondrer sur ses genoux. Maudit sois-tu, Danty Duff... M'être farci tout ce trajet dans le dessein d'accomplir ma vengeance et périr de ma propre main...

Sur ce, il piqua du nez et tomba face contre terre.

Avant de sombrer dans l'inconscience, il perçut encore dans sa bouche le goût graveleux, terreux, de la boue et de la poussière qu'il était en train de mordre ainsi que l'écho lointain des hurlements de Shannon. Puis des ténèbres plus opaques que la nuit la plus noire s'abattirent sur lui et le monde alentour s'estompa.

Debout au pied de son lit que paraient des flots de ruchés virginaux désormais maculés de traînées de sang, Shannon tenait une bassine d'eau à sa mère qui nettoyait, à l'aide d'un linge mouillé, le visage noirci de poudre du blessé.

— Voyez comme il a les ongles noirs, mère ! dit-elle.

Elle avait également remarqué que, sous la poudre, le visage du garçon était merveilleusement beau, mais il lui parut de meilleure politique de ne pas mentionner le fait à Nora.

— Ne t'occupe pas de ses ongles, rétorqua celle-ci. Ce n'est qu'un individu de basse extraction, un horrible pouilleux.

— Dans ce cas, pourquoi prenez-vous la peine de sauver une vie qui n'a aucune valeur ?

Nora trempa le linge dans la bassine et prit sa mine la plus sentencieuse.

— Parce que, ma chère, il est de notre devoir de lui faire recouvrer la santé et, par voie de conséquence, éprouver des remords, afin qu'il puisse entendre craquer son cou quand le bourreau le pendra haut et court.

— Naturellement, acquiesça Shannon, légèrement nauséeuse à l'idée de ce garçon se balançant au bout d'une corde.

Certes, ses ongles étaient noirs, mais il avait de magnifiques yeux verts. Jamais elle n'oublierait la chaleur du picotement qu'elle avait ressenti dans l'écurie lorsqu'elle avait plongé son regard dans le sien.

— Quand on songe qu'ils se rebellent contre des gens qui leur sont supérieurs ! poursuivit Nora. La perfection du monde volerait en éclats si ces manants sortaient de leur condition ! (Elle souleva un bout du drap de fil qui recouvrait le jeune homme.) Tourne-toi, Shannon, afin de préserver l'innocence de tes yeux.

Elle ôta le drap, découvrant le corps nu de Joseph. Shannon jeta un coup d'œil furtif entre ses doigts écartés au moment où sa mère posait une casserole retournée sur ses parties génitales.

— Choisir ce jour entre tous pour venir troubler notre quiétude ! se plaignit encore Nora. Ces dames viennent cet après-midi prendre le thé et jouer au whist.

— Ces dames ? (Shannon enleva les mains de devant ses yeux.) Oh, non, pas ces dames ! (Elle passa la paume sur son front.) Je ne me sens pas très bien.

— Reprends-toi, Shannon. Ces dames sont des parangons de bonnes manières et de savoir-vivre.

A l'aide d'une paire de ciseaux, Nora commença à couper des bandes dans un lé de lin immaculé.

Soudain, un bruit de verre brisé fit sursauter les deux femmes.

— Bonté divine! s'exclama Nora. Que se passe-t-il?

— Ce n'est rien! brailla la voix de Daniel du rez-de-chaussée.

— Rien, vraiment! fit Nora en jetant lé et bandages sur un guéridon. Ton père a repiqué à la bouteille, Shannon, ajouta-t-elle en quittant la pièce. Comment faire entendre raison à cet homme?

Mais Shannon l'entendit à peine. Le fait de se retrouver tête à tête avec le garçon gisant sur son lit, le bas-ventre recouvert d'une casserole, occupait seul ses pensées.

Et s'il se réveillait? S'il ouvrait ses yeux couleur d'émeraude et la regardait ainsi qu'il l'avait fait dans l'écurie? En se penchant pour examiner sa jolie frimousse, elle se surprit à le souhaiter presque. La peur le disputait en elle à l'envie.

Histoire de se donner une contenance, elle se mit à fredonner une comptine :

Mary, Mary, Mary Nell,
Entends carillonner tes noces...

Lançant un regard vers la porte et ne voyant aucun signe de sa mère, elle s'approcha du lit sur la pointe des pieds. Prenant délicatement la casserole par le manche, elle jeta un coup d'œil dessous. Mais, dans la pièce baignée de pénombre, rien ne lui fut révélé des mystères de la virilité.

> *Crois-tu, crois-tu qu'il t'aimera ?*
> *Le temps, le temps seul le dira.*

Sans cesser de chantonner, elle empoigna fermement le manche de la casserole, en proie à la plus vive curiosité. N'ayant jamais connu la joie — ou le malheur — d'être affublée de frères, Shannon était restée sur sa faim à mesure que les années s'écoulaient. Ses parents, en excellents chaperons qu'ils étaient, avaient préservé sa vertu avec un soin jaloux, veillant à ce qu'elle demeure dans l'ignorance de contingences aussi prosaïques.

Incapable de se dominer, Shannon souleva de nouveau la casserole ; elle faillit mourir de frayeur lorsque le blessé remua et ouvrit les yeux.

— Vous êtes en train de rêver, bredouilla-t-elle. Cette scène n'est pas du tout en train de se produire, du tout, du tout. Et je ne suis pas réellement là.

Elle replaqua la casserole sur le ventre de Joseph plus brutalement qu'elle ne le souhaitait ; le garçon glapit de douleur — et ce fut la première leçon que retint la jeune fille : certaines parties de l'anatomie mâle étaient vulnérables.

Elle lâcha l'ustensile comme si le manche lui brûlait les doigts et s'apprêta à prendre la tangente. Joseph la saisit aux cheveux et la tira auprès de lui sur le lit.

— Lâchez-moi, sauvage ! piailla-t-elle. Vous n'avez pas le droit de poser vos sales pattes sur moi. Vous n'êtes qu'un paysan !

— Fermez votre clapet, ma fille, marmonna Joseph, raffermissant sa prise sur la poignée de cheveux.

Le visage de Shannon était si près de celui du garçon qu'elle sentait sur ses joues la chaleur de son haleine. Ses yeux, plus verts que dans son souvenir, étincelaient d'une rage et d'un désespoir qu'elle n'avait jamais rencontrés chez un être humain.

— Vous êtes un terroriste, n'est-ce pas ? dit-elle, son cœur battant la chamade sous le coup de la peur et de l'excitation. (Sans doute devait-il voir sa poitrine palpitante sous son corsage.) Vous êtes un criminel en rupture de loi.

— Je me fiche de la loi comme de ma première chemise !

— Vous changerez d'avis à l'arrivée des soldats. On va vous pendre.

— Aidez-moi à fuir, ou sinon, c'est *votre* cou qui va se briser.

Shannon éclata de rire, mais elle tremblait comme une feuille. Elle ne pouvait ignorer que le garçon était couché si près d'elle. Un homme.

Un homme dont la nudité n'était voilée que par une casserole...

Joseph ferma un instant les yeux et remua la tête. Shannon s'aperçut qu'il luttait pour rester conscient. Une part secrète d'elle-même comprenait et admirait ce combat.

— Je... je veux... dit-il d'une voix faible et chevrotante en essayant de retrouver son souffle.

Shannon se contorsionna pour se libérer, mais il la tenait fermement, ses doigts enroulés autour des boucles rousses.

— Que voulez-vous donc, mon ami ? demanda-t-elle d'une voix également dépourvue d'assurance.

— Je veux... une... terre... à moi...

A peine eut-il prononcé ces mots qu'il referma les paupières, et sa tête retomba sur l'oreiller. Ses doigts s'ouvrirent et sa main s'abattit mollement sur le lit.

Une terre à lui, pensa Shannon tandis qu'elle se relevait avec lenteur. Il veut une terre à lui... désespérément. Presque aussi désespérément que moi. La jeune fille observa le garçon, en proie à un étrange sentiment. L'avoir entendu formuler le rêve qu'elle-même nourrissait la liait singulièrement à lui.

Se pouvait-il qu'ils eussent quelque chose en commun, ce paysan déguenillé et elle ? Accablée par le poids du destin, Shannon se sentit les genoux en coton. La destinée avait voulu qu'elle croise la vie de ce jeune homme... de ce paysan qui, apparemment, partageait son rêve.

Puis elle chassa cette idée de son esprit. Non, elle devait avoir mal compris.

Les paysans n'avaient pas de rêves... Ils étaient aussi différents des nobles que le Connemara l'était du Kerry. On ne pouvait avoir la moindre affinité avec un gars qui extrayait de la tourbe... eût-il les plus beaux yeux verts du monde.

En descendant l'escalier en colimaçon, Nora aperçut son mari en train de dissimuler une bouteille de whisky sous le napperon d'un guéridon du vestibule.

— Qu'y a-t-il, Daniel ? Nous avons entendu de l'étage un bruit de verre cassé.

— Rien.

Christie avait la mine d'un gamin surpris le pantalon aux chevilles et le derrière à l'air.

— Rien, en vérité ? répliqua Nora d'un ton de voix indigné de matrone.

— Un pauvre rouge-gorge égaré a brisé un carreau.

— Le beau mensonge !

Nora pénétra dans le salon et marcha droit sur le placard à liqueurs ; des tessons révélateurs brillaient sur le parquet ciré. L'air empestait le whisky.

Nora regarda son mari ; celui-ci haussa les épaules et leva un sourcil.

— J'époussetais le placard à liqueurs.

— Comme si, avec vous dans les parages, une bouteille avait le temps de prendre la poussière ! (Nora secoua la tête, accablée de tristesse.) De la respectabilité, Daniel ! Vous portez un titre. Quand allez-vous commencer à vous comporter comme un gentleman ?

— J'ai hérité de mon titre et j'ignore ce qu'il signifie, rétorqua Christie, une expression gênée et hagarde sur ses traits.

Nora leva ses ciseaux et les lui brandit au visage.

— Je ne tolérerai pas ce genre de conduite, Daniel Christie ! Vous le savez, je gage ?

— Oui, ma chère. Bien sûr, mon amour, répliqua-t-il d'un ton moqueur. Mon unique vocation, dans l'existence, est de parvenir au niveau d'excellence que m'a fixé ma gente dame.

Nora le considéra un long moment, puis quitta la pièce sur un reniflement de mépris.

Christie lui emboîta le pas et la regarda monter l'escalier. Quand elle fut hors de vue, il eut un grand sourire espiègle et, glissant la main sous le napperon, il exhuma son whisky.

— J'ai soif d'aventures, chuchota-t-il en débouchant la bouteille. (Il avala une longue rasade. Après s'être essuyé les lèvres d'un revers de main, il confia au liquide ambré :) Et j'en aurai mon content quelque jour. Mais, en attendant, tu devras me suffire, mon ami !

Nora entra dans la chambre au moment où Shannon bandait la cuisse du blessé. Scrutant sa fille avec attention, Nora, de son œil exercé de mère, nota la rougeur de ses joues et sa réticence à la fixer dans les yeux.

— Qu'est devenu l'homme que j'ai épousé ? demanda-t-elle en faisant le tour du lit, surveillant le moindre geste de Shannon qui nouait l'ultime boucle. Un inconnu l'a remplacé, qui va et vient avec son nom.

— La vie de père n'est pas un lit de roses, répondit Shannon, prenant la défense de Christie et évitant obstinément de croiser le regard de sa mère. Il aimerait mieux être un aventurier au cœur de la sauvage et sombre Afrique, ou encore un pionnier dans les déserts américains.

— Fi donc ! C'est un homme. Il ne sait pas ce qu'il veut. (Nora observa le blessé, puis considéra de nouveau les joues empourprées de sa fille.) A-t-il repris conscience, Shannon ?

La jeune fille, aussi pitoyable qu'une nonne, lui prit les ciseaux des mains et coupa les bouts du bandage.

— Je n'ai rien remarqué de tel, mère.

Nora secoua la tête et clappa de la langue pour signifier sa désapprobation. A l'image de son père, Shannon était une fieffée menteuse. Nora, toutefois, ne désirait pas confondre sa rejetonne. Il était inutile d'inciter un menteur ou une menteuse à améliorer son art. Mieux valait que leurs mensonges demeurent maladroits.

Au moins Nora savait-elle d'où soufflait le vent... et s'il sentait le purin.

Dans une protocolaire robe blanche au col de dentelle raide d'empois et aux baleines qui lui pinçaient les côtes, Shannon, cartes en main, était assise près de sa mère, son joli visage figé en un sourire poli qui masquait mal son ennui et son agacement.

Après l'agitation de la matinée, jouer au whist avec Nora et six des amies de celle-ci présentait encore moins d'attrait qu'à l'accoutumée... et, d'ordinaire, Shannon prétextait une maladie diplomatique ou inventait une excuse de dernière minute pour échapper à la corvée.

Coiffées, parfumées, aristocratiques et bavardes, les dames présentes n'avaient rien pour stimuler les talents de société de la jeune fille. S'il n'avait tenu qu'à elle, elle eût préféré rôder aux alentours des écuries, prêtant l'oreille aux cours dont son père gratifiait le palefrenier et son aide sur l'élevage des chevaux.

— En notre qualité de représentants de la noblesse, dit Nora en s'éventant délicatement de ses cartes, nous ne devons pas tolérer l'indolence de ces païens d'indigènes. En tant que membres de la minorité protestante, il est de notre devoir de comprendre que ces sauvages menacent notre vie. Il faut les empêcher de prendre l'avantage.

La femme assise à la droite de Shannon hocha sa majestueuse tête argentée.

— Ils nous tueraient dans notre lit s'ils en avaient ne fût-ce que la moitié d'une chance ! Ce garçon, à l'étage, n'aimerait rien tant que venir nous massacrer une par une.

Les femmes haletèrent, puis manifestèrent

leur approbation par un babillage échevelé. Shannon se surprit à songer que toutes ces ladies — ainsi que ses parents et elle-même — accueilleraient peut-être avec plaisir une interruption susceptible de mettre un peu de piment dans leur morne existence quotidienne.

— Ne craignez rien, les rassura Nora. Il est enfermé à double tour.

Une jeune femme, au bout de la table, soupira.

— Oh, quel dommage ! Je n'ai jamais vu de meurtrier !

— Ce garçon ne vous plairait pas, rétorqua Nora. C'est la créature la plus laide, la plus brutale sur laquelle il m'ait jamais été donné de porter les yeux. N'est-ce pas, Shannon ?

Laid ? Brutal ? Shannon songea aux yeux d'émeraude brillants du blessé et à ses cheveux de jais lustré. Le visage de sa mère se ferma ; elle devait dire quelque chose.

— Il est affreux, marmonna-t-elle.

— Vous l'avez vu ? demanda la lady aux boucles d'argent.

Shannon, repensant à la casserole, sourit et se plongea dans l'observation de son jeu, les yeux candides. Elle sentit le regard maternel se poser de nouveau sur elle.

— Oh, répondit-elle, la mine modeste, à peine !

Daniel Christie ôtait un rameau de l'une des haies parfaitement entretenues qui bordaient l'allée menant à sa demeure, quand il entendit des sabots marteler le sol. Un cavalier arrivait à bride abattue. Il n'eut pas besoin de regarder pour savoir de qui il s'agissait. Stephen Chase. A sa connaissance, Chase était le seul homme à ne jamais mettre sa monture au trot. Il galopait toujours ventre à terre, comme si sa tâche et le lieu où il se rendait étaient de la dernière importance.

Daniel soupira et envisagea de rentrer se cacher. Dieu tout-puissant, il n'avait guère de sympathie pour Stephen, en vérité, en dépit des efforts qu'il avait faits pour surmonter sa répugnance. Le garçon était fiancé à sa fille unique... grâce aux talents de marieuse de Nora. Daniel eût souhaité être aussi satisfait de son choix qu'elle. Seulement, quand il plongeait son regard dans les yeux glacés de Chase, puis considérait la vivacité de sa fille, il lui était tout bonnement impossible de manifester la moindre parcelle d'enthousiasme.

— Hello, Stephen ! s'écria-t-il lorsque le jeune homme eut arrêté son cheval à deux pas de lui.

D'un moulinet du bras digne d'un militaire, Stephen désigna l'écurie à ses deux adjoints.

— Nous sommes venus chercher votre prisonnier, monsieur Christie, dit-il avec une rigueur tout aussi martiale.

— Rien ne presse, rétorqua Christie, percevant la note d'impatience dans la voix de son futur gendre. (A le voir assis là sur son cheval, enveloppé de ses vêtements noirs, Stephen lui faisait songer à un vautour géant.) Ce pauvre diable est à l'étage, plus mort que vif.

Chase cilla à peine.

— Très bien, monsieur. (Sourcil levé, il examina Daniel ainsi que l'arbuste qu'il était en train de tailler.) Et que faites-vous, monsieur, au beau milieu de ces bosquets ?

Une lueur malicieuse dans l'œil, Daniel fourra la main dans la haie et exhuma une bouteille de whisky, qu'il brandit vers Chase.

— Vous joindrez-vous à moi ? Il y a du gin et de la bière dans le massif de rhododendrons, là-bas.

Stephen pointa le menton en signe de dédain.

— Pas quand je suis en service, monsieur.

Daniel regarda Chase tourner à l'angle du manoir et soupira derechef. Un soupir à fendre l'âme, cette fois. Ce garçon était un pisse-froid, aucun doute. Comment diantre allait-il s'y prendre pour le dégeler un peu ? Et ses efforts seraient-ils couronnés de succès ?

Dans la chambre de Shannon, Joseph remua et ouvrit les yeux. Tout d'abord, il ne sut où il se trouvait ni ce qui lui était arrivé. Puis la mémoire lui revint, et il grogna.

Son visage, ses mains lui faisaient mal. Il avait l'impression d'avoir le corps rompu, contusionné, comme si on l'avait traîné sur le ventre dans une tourbière à demi défoncée.

Où était passée la fille ? Au moment où il s'était évanoui, elle était allongée à ses côtés... ici même, sur ce lit. En se remémorant la scène, il douta de sa réalité. Ce souvenir, lui aussi, s'apparentait à un songe.

Quand finirait-il par se réveiller de ce foutu cauchemar ?

Avec effort, et au prix de souffrances plus vives encore, il s'assit sur son séant, passa les pieds par-dessus le bord du lit et s'obligea à se mettre debout. La douleur, dans sa jambe blessée, faillit lui arracher un cri. Maudite soit cette rouquine pour l'avoir transpercé ainsi de sa fourche ! Il lui ferait payer la monnaie de sa pièce !

Un instant, il envisagea de l'embrasser plutôt que de la punir, mais il se hâta de chasser cette idée de son esprit. Il avait d'autres chats à fouetter dans l'immédiat.

D'un pas mal assuré, il se dirigea vers la fenêtre et regarda au-dehors. La hauteur lui donna le vertige, et le découragement le prit. C'était beaucoup trop haut pour qu'il pût s'enfuir. S'il sautait, il se briserait à coup sûr le peu d'os intacts qui lui restaient.

Revenant au centre de la chambre, il aperçut ses vêtements posés sur une chaise et prit conscience de sa nudité. Shannon l'avait-elle vu dans le plus simple appareil ?

Gêné, il eut l'impression que la pièce se transformait soudain en une étouffante fournaise. Il se souvint vaguement d'avoir attiré la jeune fille sur le lit, se remémora leurs deux corps tout proches. Non, il devait certainement être habillé, alors...

Une fois encore, il balaya de son esprit toutes

les pensées qui avaient trait à Shannon. D'abord, c'était à cause d'elle s'il était là. C'était elle qui l'avait estropié, et c'était probablement sa chambre, à en juger par le couvre-lit à fanfreluches et les délicats tableaux de fleurs et d'animaux qui ornaient les murs.

Faisant appel à toutes ses forces vives, Joseph serra les dents et se vêtit. Il lui fallait sortir d'ici. Tout de suite. Sous peine de se balancer au bout d'une corde à la brise matinale.

Malgré l'angoisse qui l'étreignait, Joseph laissa ses pensées vagabonder un moment et se demanda s'il reverrait jamais cette furie aux cheveux roux.

Un élancement traversa sa cuisse blessée.

— J'espère bien que non! marmonna-t-il avec aigreur. Et cette engeance ferait mieux d'en souhaiter autant de son côté, car je n'en ai pas fini avec elle... Loin de là!

4

— Et où vivrez-vous, une fois mariés, vous et votre bel époux, Shannon ? (La douairière aux cheveux de neige examina ses cartes à travers des lunettes à double foyer cerclées d'argent.) Pensez-vous vous installer en ville ?

Shannon sentit sa gorge se serrer, comme toujours quand elle songeait à son mariage proche. Vivre avec Stephen... Cette pensée aurait dû l'emplir de joie et d'impatience. Ses fiançailles la rendaient formidablement heureuse, non ? Dans ce cas, pourquoi éprouvait-elle une vague nausée en entendant une tierce personne prononcer ces paroles ?

— Les villes pullulent de voyous, déclara Nora, soulignant sa remarque d'un haussement de menton péremptoire. Ils vont habiter ici avec nous ; c'est là leur place.

— Quelle agréable existence vous allez mener ! chantonna la dame, posant délicatement la main sur son avantageuse poitrine.

— Il n'est rien de plus merveilleux que le

mariage, dit sa voisine de gauche. Une femme a besoin d'un époux pour veiller à sa sécurité.

— Le monde recèle plein de dangers, reprit Nora. Les jeunes sont mieux avec les parents. Tiens-toi droite, Shannon ! ajouta-t-elle en lui donnant un coup de coude dans les côtes.

— Oui, mère, répliqua la jeune fille avec une soumission lasse.

Nora lorgna l'encolure de sa robe.

— Ton bouton, ma chère !

— Il m'étrangle.

— Plutôt s'étrangler qu'être vulgaire.

Shannon haleta quand sa mère boutonna le col tout contre sa gorge.

Une porte, en façade, s'ouvrit et se referma. Toutes ces dames sursautèrent, manquant lâcher leurs cartes et perdre leur sang-froid.

— Un bruit ! s'écria la douairière aux cheveux d'argent. Nora, j'ai entendu un bruit !

— Espérons que c'est Stephen Chase, répondit celle-ci.

Espérons que non ! rétorqua Shannon en son for intérieur. Puis elle repoussa cette malheureuse pensée. Stephen était son fiancé, son promis, son bien-aimé. En somme, elle devait se réjouir de le voir... ne fût-ce qu'un peu.

Du pas martial d'un héros, Stephen pénétra dans la pièce, silhouette fringante toute de noir vêtue. Il avait une allure royale. Les femmes soupirèrent à l'unisson.

— Ah, s'exclama Nora, quand on parle du soleil, on en voit les rayons ! Mesdames, puis-je vous présenter le fiancé de ma fille, M. Stephen Chase...

Stephen plongea en une révérence pétrie d'élégance.

— Bonsoir, mesdames.

Les femmes s'éventèrent de leurs cartes, lançant des œillades aguicheuses au nouvel arrivant. Shannon se dit qu'elle devait être fière de lui ; à l'évidence, ces perruches le trouvaient beau. N'empêche, sa présence l'irritait. Elle se demanda s'il s'en était seulement rendu compte. Non, sans doute. Stephen faisait partie de ces hommes qui ne voient que ce qui leur fait plaisir.

— Stephen est un jeune homme fort brillant, poursuivit Nora, en veine de compliments. Outre la gestion des affaires de mon mari, il étudie le droit.

— Et nous gageons, monsieur Chase, que vous savez vous servir d'un fusil, dit l'une des femmes.

— Pour l'adresse au tir, Stephen n'a point de rival. Il peut tuer un moineau à près de deux kilomètres.

Shannon se crispa, embarrassée par les flatteries ostentatoires de sa mère. Et ce qui la gêna plus encore fut de constater que Stephen se vautrait littéralement dans ce flot d'adulation.

— Allons, allons ! fit-il d'un ton apaisant. Ne vous affolez pas ! Vous êtes en sécurité et sous bonne garde. Retournez à votre coupable jeu de cartes. Tout va s'arranger. (Il se tourna vers

Shannon.) Bonsoir, ma chérie, dit-il d'une voix qui évoqua de la mélasse à la jeune fille.

Marchant vers sa fiancée, il prit sa main dans la sienne et lui baisa délicatement les doigts. Les femmes gloussèrent, faisant mine de ne pas regarder les tourtereaux.

— Votre fille a de la chance, assurément, Nora, déclara l'une d'elles.

Stephen mit un genou en terre près de la chaise de Shannon.

— J'étais si inquiet à votre sujet, ma chérie ! Ce voyou vous a-t-il effrayée ?

Elle se pencha contre son oreille et répondit dans un chuchotement :

— Si quelque chose devait m'effrayer, ce seraient plutôt ma mère et ses frivoles amies.

Stephen pressa ses doigts en manière de réconfort.

— Je suis là, à présent. Nous supporterons cette épreuve ensemble.

Les femmes continuèrent leurs levées tandis que le couple bavardait.

— Est-il vrai, Stephen, que ce garçon va mourir pour son crime ?

Stephen observa Shannon d'un œil suspicieux.

— Que vous importe ? Il a tenté de tuer votre père.

— Mais il a lamentablement échoué. Je doute qu'il ait tout son bon sens. Il n'est guère dangereux.

— C'est aux autorités de décider de son sort. Ce n'est pas votre affaire.

Shannon pressa ses lèvres contre l'oreille de son fiancé.

— Et qu'est-ce qui est mon affaire, Stephen ? Je me sens prise au piège dans cette vieille bicoque étouffante. Et regardez mes cheveux ! Ils sont tellement tirés que ça me fait mal de cligner de l'œil. Vous voyez ?

Elle lui en fit la démonstration, et il rit doucement.

— Shannon ! fit Nora d'un ton bourru.

La jeune fille sursauta.

— Oui, mère ?

— Ces dames et moi-même aimerions t'entendre jouer un morceau de piano.

— Non.

Abasourdies, les femmes tournèrent la tête comme autant d'autruches.

Nora haussa un fin sourcil.

— Je te demande pardon ?

— Je ne suis pas d'humeur à me mettre au piano.

Le visage de Nora indiqua qu'une tempête couvait à l'horizon. Stephen, toujours galant, s'empressa de venir à la rescousse.

— Allons, ma chérie, jouez-nous quelque chose ! Un joli morceau plein d'entrain.

Se sentant trahie, Shannon se leva, contrainte et forcée, et se dirigea à pas traînants vers l'instrument. Ah !... Il voulait entendre un air gai ?

Posant le bout des doigts sur les touches d'ivoire, la jeune fille se mit à interpréter la mélodie la plus lugubre qui lui vînt à l'esprit.

Elle s'harmonisait à son humeur. Peut-être ferait-elle jouer ce chant funèbre le jour de ses noces. En cet instant, il lui semblait tout à fait approprié.

Quels accents tristes et mélancoliques ! pensa Joseph tandis que la musique filtrait dans la chambre où on le gardait prisonnier. J'en ai entendu de plus joyeux lors d'enterrements ou de veillées mortuaires !

Mais cette musique, si mélancolique fût-elle, avait son utilité. Depuis une demi-heure, le garçon s'escrimait à ouvrir la porte de sa geôle et craignait que le raffut qu'il faisait n'alertât quelqu'un au rez-de-chaussée. Avec ce vacarme infernal, personne ne risquait d'entendre ses malheureux efforts.

Tripoter la poignée ne donnait aucun résultat tangible. Il était temps de passer à une autre méthode.

Joseph jeta un coup d'œil à la ronde et repéra un livre posé sur la table de chevet. C'était un exemplaire du *Voyage du pèlerin*, de John Bunyan.

Sans le moindre scrupule ni l'ombre d'une hésitation, Joseph déchira la couverture et lança l'ouvrage détérioré sur le lit. Pour lui, les livres n'avaient aucune valeur. On n'avait jamais accordé à Joseph Donelly le privilège d'apprendre ses lettres. Ce luxe était interdit aux paysans ; les traditionnelles écoles volantes, où des prêtres, au péril de leur vie, enseignaient secrètement les enfants de leurs paroisses, étaient devenues rares par les temps qui couraient.

Joseph, pour l'heure, destinait la couverture à de plus prosaïques finalités. Il eut tôt fait de la transformer en outil qu'il glissa entre la porte et le montant, s'efforçant, à grand renfort d'encouragements câlins, de faire jouer le loquet.

Pendant des minutes qui lui parurent durer des siècles, il secoua et remua le verrou, lui parla gentiment... Tout cela en pure perte. Enfin, à bout de patience, il envoya valdinguer la couverture et assena le poing contre le battant. Cela fait, il n'eut plus qu'à passer la main par le trou qu'il venait de forer, attrapa le loquet et ouvrit.

Il s'immobilisa dans le couloir, dressant l'oreille ; il n'entendit que le martèlement de son cœur, son souffle laborieux et l'infernale musique du rez-de-chaussée. Personne ne montait l'escalier ventre à terre. Apparemment, le tapage du piano avait couvert le craquement du bois.

Ne sachant ce qui l'attendait, il descendit l'escalier à pas de loup, attentif à ne pas poser trop lourdement le pied de peur de faire grincer les marches. Parvenu à mi-hauteur de l'escalier, il aperçut des femmes assises autour de la table du petit salon. Il vit Stephen, et un flot de bile amère lui monta dans la gorge. Encore ce bâtard ! Ne serait-il donc jamais débarrassé de lui !

Puis ses yeux glissèrent sur le reste du cercle

et s'arrêtèrent sur Shannon, assise au piano, belle comme le jour dans sa robe virginale. L'espace d'un instant, Joseph en oublia Stephen, en oublia tout... y compris de respirer.

Son cœur cessa de battre — la jeune fille le regardait, ses yeux pervenche écarquillés de surprise.

Il banda ses muscles, prêt à foncer. Allait-elle le dénoncer ? A coup sûr, comme elle l'avait fait le matin même. Ses yeux l'implorèrent silencieusement de l'épargner.

Soudain, Shannon interrompit la mélodie funèbre et se lança dans un autre morceau, martelant sur le clavier un rythme syncopé, tapageur, qui emplit la demeure tout entière de son tempo endiablé.

— Shannon, cria Nora par-dessus le vacarme, qu'es-tu donc en train de jouer ?

— De la musique moderne, mère. Elle vient d'Amérique.

— Arrête ! C'est épouvantable !

— Ça s'appelle du ragtime. C'est le dernier cri, à Boston, paraît-il.

Les femmes plaquèrent leurs paumes sur leurs oreilles et grimacèrent. Manifestement, le ragtime n'était pas leur tasse de thé.

Tout en faisant voleter ses doigts sur les touches, Shannon leva de nouveau les yeux et les fixa droit sur Joseph. Un dialogue muet s'engagea entre les deux jeunes gens ; Shannon dit qu'elle créait une diversion pour qu'il s'échappe et Joseph la remercia de lui sauver la vie.

Il descendit à pas furtifs, l'œil rivé tantôt sur Shannon, tantôt sur les femmes à l'arrière-plan, tantôt sur Stephen Chase, dont l'attention était concentrée sur la jolie pianiste. Joseph, absorbé comme il était sur les personnes réunies dans le petit salon, loupa une marche, se tordit la cheville et tomba tête la première dans l'escalier.

Si bruyant fût-il, le ragtime ne put couvrir le fracas causé par la chute. Un grondement de tonnerre résonna par toute la demeure, tandis que Joseph frappait marche après marche, suivi par un *boum !* formidable quand il atterrit sur le dur plancher de bois du rez-de-chaussée.

— Le terroriste ! hurla Nora en se précipitant dans le vestibule avec Stephen.

Le corps plus endolori encore qu'auparavant, Joseph rampa en direction de la porte. Il devait s'enfuir s'il ne voulait pas se balancer au bout de la corde de ce bâtard.

Stephen Chase le talonnant, il atteignit la porte ; celle-ci s'ouvrit sur les deux adjoints de Chase, suivis de près par Daniel Christie.

— Gare, mon ami, dit Stephen de son ton le plus arrogant. Votre vie ne vaut pas tripette.

— Vous êtes le salopard qui a brûlé la maison de mon père, répliqua Joseph, levant les yeux sur son ennemi, la haine flambant dans ses yeux verts telle une flamme vive.

— J'ai incendié un bon nombre de masures dans l'exercice de mes fonctions, rétorqua Chase. Suis-je censé me rappeler la vôtre ?

Joseph embrassa le vestibule d'un rapide

regard et les visages s'estompèrent, à l'exception d'un seul : celui de Shannon. La jeune fille se tenait dans l'embrasure du petit salon, les mains pressées sur ses lèvres, comme si elle allait se mettre à hurler d'une seconde à l'autre. L'idée traversa l'esprit de Joseph que, si elle parlait, ce serait pour prendre sa défense. Mais sans doute n'était-ce là qu'un désir né de son imagination.

Il reporta les yeux sur Chase, abhorrant son arrogance, sa belle redingote noire, abhorrant les pistolets polis qui, il le savait, alourdissaient ses hanches.

Il bougea la main afin de prendre un meilleur appui et sentit sous ses doigts le bord épais d'une carpette... une carpette sur laquelle était planté Stephen Chase. Agrippant le bout du tapis, Joseph tira de toutes ses forces.

Le résultat, spectaculaire, dépassa tous ses espoirs. La carpette vola sur le parquet bien ciré et, ses pieds se dérobant sous lui, Stephen Chase chut sur son pompeux postérieur dans un bruit rien moins que gracieux.

Vif comme l'éclair, Joseph se mit debout et marcha sur son adversaire à terre. Il lui écrasa la poitrine de sa botte.

— Voilà quelque chose dont vous vous souviendrez, sale... Ouille !

La douleur fusa dans sa jambe quand un des sbires de Chase assena la crosse de son fusil sur sa blessure. Puis les deux adjoints le matraquèrent à coups de poing et de crosse. Joseph crut sa dernière heure venue tandis que les horions pleuvaient sur lui. Il battit l'air de ses bras afin de parer l'assaut ; sa jambe le faisait tant souffrir qu'il ne parvenait pas à se concentrer pour ajuster son tir.

— Arrêtez ! cria Chase.

Joseph eut l'impression que l'injonction venait de très loin, le long d'un interminable boyau.

Les coups cessèrent. Les deux hommes maintinrent Joseph en position verticale, lui enfonçant les doigts dans les biceps.

De ses yeux qui enflaient à la vitesse grand V, Joseph vit Chase se baisser et essuyer sa botte à l'aide d'un gant immaculé, qu'il jeta ensuite aux pieds de Joseph dans un geste plein d'ostentation.

— Au pistolet, dit-il. Demain, à l'aube.

Sonné comme il l'était, Joseph ne comprit pas tout d'abord le sens de ces paroles. Ce ne fut que lorsque les adjoints le traînèrent à l'étage, le rossant toujours, que la lumière jaillit dans son esprit... Chase l'avait provoqué en duel !

La seule fois où il avait manipulé un fusil, Joseph avait été à deux doigts de se tuer... Le cœur serré, il pressentit que, cette fois, Stephen Chase terminerait le travail.

Joseph arpentait la pièce, jurait, secouait le loquet de la porte en travers de laquelle on avait cloué des planches depuis sa tentative d'évasion... Peine perdue. Il était bel et bien pris au piège, tel un saumon ramené dans le filet d'un pêcheur favorisé par le sort.

Il fallait qu'il sorte de cette chambre. L'aube allait poindre dans quelques heures, il croyait entendre le cri de la fée annonciatrice de la mort. Ce salopard de Chase allait lui loger une balle entre les deux yeux sans ciller. Et Joseph était bien décidé à ne pas lui faire ce plaisir s'il pouvait l'éviter.

Au fil des heures, sa peur s'estompait, cédant la place à une calme résolution. Tout être humain devait mourir un jour ou l'autre. Au moins quitterait-il ce monde en homme, affrontant la mort à visage découvert, menton levé, comme il seyait à un Donelly. Somme toute, son père l'attendait de l'autre côté. Et peut-être qu'un barde composerait une ode en son honneur. Peut-être que des jolies filles la chanteraient en foulant la prairie et, songeant à lui, verseraient une ou deux larmes sur le pauvre Joseph Donelly, fauché dans la fleur de l'âge.

Joseph s'assit un moment sur le lit afin de soulager sa jambe blessée et de se repaître de l'amertume que faisait naître son imagination. Il serait un héros, en fin de compte et, en Irlande, les héros morts étaient plus encore révérés que les héros vivants.

Soudain, un bruit, du côté de la fenêtre, interrompit le fil de sa rêverie.

— Qu'est-ce qui se passe, sapristi ? marmonna Joseph, qui se leva pour aller voir.

Se penchant au-dehors, il se trouva nez à nez avec Shannon qui escaladait hardiment une échelle appuyée contre le mur, sa longue jupe remontée quasiment jusqu'à la taille, son visage brillant d'excitation dans le clair de lune argenté.

Il s'écarta et elle passa la tête dans la chambre.

— Ch... chut, dit-elle. Je suis en cavale.

Joseph ne put prononcer un mot. Que fichait-elle là ? Au cours des vingt-quatre heures écoulées, elle avait réussi à le trahir, puis à l'aider... A présent, à quoi jouait-elle ? Assurément, les intentions des femmes étaient impénétrables.

Il recula d'un autre pas et la regarda sauter dans la chambre ; elle effectua un rétablissement avec une grâce surprenante. Elle lissa sa jupe et ses cheveux, affectant une expression désinvolte. Un je-ne-sais-quoi dans ses yeux indiqua à Joseph son agitation et sa fièvre.

— Excusez-moi, dit-elle en le dépassant pour se diriger vers sa coiffeuse. J'ai besoin de prendre quelque chose.

Joseph n'avait toujours pas retrouvé sa langue. Mais quand il esquissa l'ombre d'un mouvement vers elle, la jeune fille bondit telle une souris qui vient de repérer un serpent à sonnettes.

— Peut-être vous demandez-vous pourquoi je m'enfuis, poursuivit-elle en déplaçant la coiffeuse du mur, légèrement agacée de devoir fournir pareil effort.

Joseph devina qu'elle brûlait de l'entendre l'interroger. Il décida de la faire mijoter dans son jus. A quoi bon exprimer le fond de sa pensée quand on a déjà un pied dans la tombe ?

— Eh bien, je vais satisfaire votre curiosité,

reprit-elle avec impatience. Je m'enfuis parce que je suis une fille moderne.

De derrière la coiffeuse, elle exhuma une boîte à bijoux. La posant sur le lit, elle se mit à fourrager à l'intérieur, sortant des photos, des brochures illustrées de navires voguant sur les flots et un minuscule drapeau rouge, blanc et bleu.

— Je suis une fille moderne, reprit-elle, et je pars dans un pays moderne. Il n'y a pas que vous qui soyez enfermé. Si je reste ici, ma mère aura tôt fait de me transformer en une copie conforme d'une de ses amies parfumées. Très peu pour moi ! Je suis fort intelligente et ultra-moderne. Voilà tout ce que vous avez besoin de savoir à mon sujet.

A dessein, Shannon plaça une brochure sur le lit, l'arrangeant de façon que Joseph pût bien la voir. Un mot barrait le haut du papier : TERRE. Joseph ne voulut pas regarder cette feuille qui ne signifiait rien, puisque les caractères d'imprimerie demeuraient pour lui une énigme.

— Peut-être vous demandez-vous où je vais, fit Shannon. Regardez !

Elle mit le papier sous le nez de Joseph. Il loucha puis le balaya du regard, feignant de lire.

Il vit une lueur de compréhension poindre dans les yeux pervenche et l'humiliation lui empourpra les joues.

— Vous ne savez pas lire ! Je me trompe, mon ami ? (Elle clappa de la langue d'une façon qui le rendit furieux. Elle pouvait garder sa sympathie, il n'en voulait pas, maudite rouquine !) Que c'est pathétique ! (Elle pointa l'index sur le mot de cinq lettres écrit en majuscules :) C'est écrit : TERRE.

— Terre ?

Le mot éveilla l'intérêt de Joseph et il ne put dissimuler sa curiosité.

— Oui, terre, répondit Shannon, manifestement ravie qu'il eût retrouvé sa langue. Ils en ont tant qu'ils la donnent gratis.

— Qui ça ?

— *Eux*... Les Américains. (Elle le scruta, guettant un signe d'intelligence. Joseph lui retourna un regard dénué d'expression.) Vous avez entendu parler de l'Amérique, n'est-ce pas ? Au-delà de l'océan ? C'est un pays très moderne et...

Joseph lui arracha le prospectus des mains.

— Où avez-vous eu ce papier ?

— C'est un homme à moustache qui me l'a donné.

Joseph grogna et lança la brochure sur le lit.

— Le fait, assurément, confère beaucoup de poids à ce document. Vous êtes folle, jeune fille. On ne donne aucune terre où que ce soit dans le vaste monde.

— En Amérique, si, assura-t-elle, récupérant l'opuscule et le pliant avec soin. Je ne puis posséder de terre en Irlande, mais, outre-Atlantique, j'en aurai une à moi. J'y élèverai des chevaux que je monterai comme il me plaira.

Joseph se moqua d'elle. Bien qu'il admirât son courage, force lui était d'admettre qu'elle avait été touchée par les fées.

— Vous n'irez jamais en Amérique. Regardez-vous... Vous n'êtes que rubans et fanfreluches !

Elle haussa un sourcil délicat et fit un pas dans sa direction, les mains posées sur sa taille de guêpe.

— C'est un ruban, peut-être, ou une fanfreluche qui vous a transpercé la cuisse ? déclara-t-elle avec une fatuité qui le piqua au vif et raviva la douleur dans sa jambe.

— Non, rétorqua-t-il. C'était une gamine effrayée avec la cervelle farcie d'idées oiseuses. La liberté ? De la terre ? Qu'avez-vous besoin de terre ? Vous possédez la moitié de l'Irlande — les vôtres nous l'ont volée, sans se préoccuper des effusions de sang et des souffrances qu'ils ont provoquées.

— Ce n'est pas *moi* qui l'ai prise !

— En effet. Vous, vous vous êtes contentée de vivre dans le luxe que vous procuraient les fermages et les échines brisées !

Il se détourna, mais, du coin de l'œil, il surprit sur les traits de la jeune fille une expression fort proche de l'admiration.

Elle vint vers lui et leva légèrement les doigts, comme si elle allait lui effleurer le bras. Puis elle joignit les mains.

— Si c'est de la terre que vous voulez, mon ami, murmura-t-elle, venez avec moi.

Joseph pivota et la regarda comme si elle eût perdu l'esprit.

— Que je vienne avec vous ?

Adoptant les façons d'un homme d'affaires, elle se dirigea vers le lit et choisit la photo d'un bateau qu'elle mit sous le nez de Joseph.

— De grands navires appareillent de Dublin ou de Liverpool, mais une femme n'ose se risquer à voyager seule. J'ai besoin de votre protection.

— De quoi une fille aussi extravagante que vous a-t-elle besoin d'être protégée ? Emportez donc votre fourche, vous serez parée !

— Ce n'est pas si simple. A bord de ces paquebots, neuf femmes sur dix se font violer, et la dixième assassiner à cause de sa résistance. Vous êtes brave, dit-elle sans le regarder. J'ai eu l'occasion de voir des preuves de votre courage. Vous n'hésitez pas à mettre un homme en joue, à immobiliser un adversaire sous votre botte quand la situation l'exige. Vous pourriez m'être d'un concours très précieux.

— Précieux ? Vraiment ?

Cette pensée emplit Joseph d'une mâle importance. Il s'imaginait déjà repoussant des assaillants prêts à molester la jeune fille. Il serait son héros, et, débordante de reconnaissance, elle...

— Oui, reprit-elle. Vous pourriez être mon domestique.

Joseph, les yeux étrécis, secoua gravement la tête.

— Je vois. Devrais-je cirer vos bottines ?

Shannon haussa les épaules, puis opina.

— Un coup de cirage par-ci, par-là ne leur ferait pas de mal.

— Et je pourrais aussi vous préparer une tasse de thé ?

— Quand il sera l'heure d'en boire, en effet.

Joseph la saisit aux épaules et l'attira à lui. Elle haleta.

— Je vous lancerai la tasse à la figure et pisserai sur vos bottines de luxe avant de servir un de vos pareils !

Elle le fixa sans ciller, bien que la peur se reflétât dans ses prunelles.

— Je vous paierai trois pence par jour.

Il la repoussa.

— Fichez le camp ! J'ai un rendez-vous à l'aube et je compte bien l'honorer.

Ramassant sa boîte à bijoux, il la lui jeta.

— Vous ne sortirez pas vainqueur de ce duel contre Stephen. Nous avons tous vu comment vous teniez un fusil, dit-elle.

— Jamais je ne me serais fracassé le crâne si cette pétoire n'avait pas été défectueuse !

— Oh, du calme ! Même si vous gagnez, vous serez condamné à la pendaison pour avoir tenté de tuer mon père. Je vous offre la liberté, mon ami.

Pour toute réponse, il la poussa vers la fenêtre.

— Je ne m'expatrierai pas dans un pays lointain. Je suis irlandais. Et je resterai en Irlande jusqu'au jour de ma mort !

Calant sa boîte et ses brochures sous son bras, Shannon rassembla les plis de sa jupe et escalada la fenêtre. Après avoir descendu deux barreaux, elle s'arrêta et déclara sur un ton qui glaça le sang de Joseph :

— Jusqu'au jour de votre mort, dites-vous ? Eh bien, mon cher garçon, vous n'en avez plus que pour cinq heures ou à peu près.

Parvenue en bas, Shannon ôta l'échelle du mur et s'efforça de l'empêcher de heurter le sol afin de ne pas réveiller toute la maisonnée. Elle ne réussit qu'à se meurtrir le tibia et à renverser sa boîte à bijoux.

— Enfer et damnation ! jura-t-elle, ravie de proférer en toute liberté des mots interdits à une lady.

Elle lança un coup d'œil alentour et ne remarqua rien d'anormal. La fenêtre, au-dessus, était vide, elle aussi, et Shannon se sentit soulagée à l'idée que ce misérable extracteur de tourbe n'eût pas été témoin de sa maladresse.

Elle alla remiser l'échelle dans un des communs de la cour de derrière, dissimula la boîte à bijoux et les brochures sous de la paille dans le box de son cheval, puis rentra.

Elle traversa la cuisine sur la pointe des pieds et aperçut son père qui, dissimulé dans l'office, buvait un coup en catimini. Elle sourit, se sentant des liens avec lui ; chacun avait maintes fois surpris l'autre en train de rôder. Son père était aussi rusé qu'elle et tous deux se prenaient parfois mutuellement sur le fait au beau milieu d'une frasque ou d'une espièglerie.

Elle vint s'asseoir à ses côtés. La lampe brillait sur les boucles cuivrées de la fille et sur les fils d'argent clairsemés du père.

Shannon posa la main sur celle du vieil homme.

— Vous êtes l'image de la solitude, père. A quoi donc pensez-vous quand vous êtes assis ainsi, seul ?

— Au brouillard, répliqua-t-il d'une voix lointaine, ses yeux fixant le vide.

— Au brouillard ?

— Oui, mon enfant. Ma vie n'est qu'un long brouillard lénifiant. Les terres que je possède, j'en ai hérité, et elles se débrouillent toutes seules avec leur propre logique brumeuse. J'ignorais tout de la famille de ce garçon et de leur éviction. Leurs souffrances me navrent le cœur.

Shannon prit la bouteille sur la table et emplit le verre paternel. Le lui tendant, elle inspira un grand coup et dit :

— Si je vous avouais, père, que je vais... peut-être... m'enfuir, quand bien même je suis censée épouser Stephen... me mépriseriez-vous d'avoir une telle pensée ?

Les yeux de Daniel Christie pétillèrent d'un étrange éclat. Il effleura la joue de Shannon, le visage empreint d'affection.

— J'ai choisi de te faire porter le nom du fleuve Shannon, mon enfant. Si tu le descends, tu découvriras pourquoi. Son cours est impétueux et il n'en fait qu'à sa tête.

Les yeux de la jeune fille s'embuèrent et elle les cligna coup sur coup.

— J'ai conscience de n'être qu'une femme, père. Mais mon appétit est énorme.

Daniel Christie se pencha et ses yeux fixèrent avec intensité ceux de sa fille. Il posa la main sur la sienne et la pressa.

— Je vais te donner un conseil, ma chérie, et un seul : satisfais ton appétit. Quel que soit le prix à payer... satisfais-le !

Shannon étreignit sa main, comprenant, au-delà des mots, ce qu'ils signifiaient réellement. Si fort que son père pût la chérir, si fort pût-il avoir besoin d'elle, il la laissait partir avec sa bénédiction.

Les larmes qui lui voilaient les yeux roulèrent sur ses joues. Elle ne savait que dire ; elle se tut donc. Tandis que père et fille étaient assis dans un affectueux silence sous la lampe, Shannon prit conscience que c'était la dernière nuit qu'elle passait sous le toit paternel. Son enfance allait s'achever cette nuit-là.

Elle eut l'impression que son cœur se brisait, alors même qu'il chantait d'allégresse.

Joseph était assis au bord du lit, les coudes sur les genoux, les mains jointes, la tête inclinée. Il n'avait pas fermé l'œil de la nuit. La peur, âpre et glacée, l'avait tenu éveillé. Peur de ce qu'il verrait peut-être s'il fermait les paupières. Peur des cauchemars d'un condamné qui risquaient d'être pires que la réalité qu'il allait devoir affronter sous peu.

Son esprit dévidait la même scène sans relâche. Dût-il survivre au duel, dût-il, par quelque miraculeuse intervention du destin, parvenir à tirer et à tuer ce bâtard de Stephen Chase, il ne sauverait sa peau de la mort par balle que pour se balancer au bout d'une corde.

Quel effet cela faisait-il de sentir se resserrer le nœud coulant autour de sa gorge ? se demanda-t-il, préférant penser à la pendaison, dont l'éventualité paraissait un peu plus lointaine que la mort par balle. Serait-il un de ces veinards dont le cou se brisait et qui rendaient l'âme sur le coup ? Ou, à l'instar de tant d'autres qu'il avait vus pendus avant lui, danserait-il la gigue macabre du paysan irlandais ?

La rouquine, folle à lier comme elle était, éprouverait-elle un peu de compassion pour lui ou bien sourirait-elle à l'égal de ce maudit Chase ?

Des pas traînants se firent entendre audehors. Joseph se redressa et tendit l'oreille. Peu après, il perçut d'étranges bruits rythmés, qui lui semblèrent familiers mais qu'il ne réussit pas à identifier.

Il alla à la fenêtre et scruta les ténèbres. L'aube n'allait pas tarder à poindre. Il discernait déjà à l'horizon une pâle lumière qui filtrait, grisâtre, au-delà des collines.

Dans un pré proche de la demeure, il devina trois silhouettes. Son cœur cessa de battre quand il comprit qui étaient ces hommes et à quoi ils s'affairaient.

Des fossoyeurs... et qui creusaient un trou de deux mètres dans cette terre qui, à l'évidence, était appelée à recueillir les restes de Joseph Donelly.

— Tu me manques, p'pa, chuchota-t-il. Depuis que tu es parti, je brûle de te revoir.. Sauf que je n'envisageais pas de le faire si vite.

Soudain, la porte s'ouvrit à la volée dans son dos et les deux adjoints de Chase pénétrèrent dans la chambre.

— Suis-nous, mon gars, dit l'un d'eux, l'empoignant sans ménagement par le bras. On t'emmène prendre un copieux repas. Le dernier.

Une demi-heure plus tard, les deux hommes menèrent Joseph dans le pré derrière la maison où il avait vu s'activer les fossoyeurs. Le brouillard, humide et glacé, était si bas et si dense que Joseph eut l'impression de marcher dans un cauchemar dont il ne se réveillerait jamais.

Daniel Christie surgit à sa droite, légèrement éméché et titubant comme à l'accoutumée.

— Bonjour, fiston, dit-il. (Joseph resta comme deux ronds de flan quand il se rendit compte que c'était à lui que s'adressait le landlord.) Votre petit déjeuner vous a plu ? Tout était-il à votre convenance ? La saucisse ? Les scones ?

Joseph comprit que la sollicitude de Christie était sincère et il se sentit un instant en veine de gentillesse envers lui. Cet accès, toutefois, ne dura guère. Au fond, c'était la faute de cet homme s'il allait mourir.

— C'est le meilleur repas que j'aie fait de ma vie, répondit-il avec franchise.

— Parfait, répliqua Christie, hochant le menton en signe d'approbation. Bon... je vais vous servir de témoin dans cette pratique barbare.

— Je vous en remercie, monsieur, dit Joseph, bien qu'il n'eût pas la moindre idée de ce que le landlord entendait par là.

Bah, quelle importance ? L'offre sonnait à ses oreilles comme une nouvelle marque de sympathie et, pour l'heure, il avait bien besoin de toute l'aide du monde.

De la fenêtre du salon, Shannon regarda Joseph disparaître dans l'épais brouillard. Elle fut prise de nausée. Il allait mourir, aussi sûr que deux et deux font quatre. L'unique question, désormais, était de savoir si sa mort serait miséricordieusement rapide ou s'il souffrirait les affres d'une lente agonie.

— Tu t'inquiètes pour lui ? demanda une voix dans son dos.

Shannon fit volte-face et regarda sa mère.

— Pour lui ?

Nora posa la main sur l'épaule de sa fille en manière de réconfort.

— Bien sûr que tu t'inquiètes ! Mais Stephen est un homme d'honneur, et c'est grâce à l'honneur que notre classe s'est constituée et a survécu. (Shannon ne répondant mot, Nora la caressa légèrement.) Allons, ne te tracasse pas ! Dans quelques minutes, ce païen crasseux aura ce qu'il mérite : une balle entre ses hideux petits yeux noirs.

Shannon n'entendit pas le reste du discours maternel. Une seule pensée habitait son cœur et son esprit : ses yeux ne sont ni noirs ni hideux ! Ils sont aussi verts qu'un champ de trèfle d'Irlande, et magnifiques, qui plus est. Et bientôt ils seront clos, et il sera mort.

Cependant, ce qui l'embêtait le plus, c'était de se dire qu'elle ne reverrait jamais plus Joseph Donelly.

Sous un chêne à la large frondaison, l'adjoint qui servait de témoin à Stephen Chase ouvrit un coffret de bois ouvragé, révélant deux longs pistolets.

— Dans ce pays bourré de superstitions, déclama Stephen sur le ton d'un tribun, nous autres, minorité protestante, représentons la civilisation face à l'indolence de ces indigènes sauvages...

— Voyons, voyons, mon garçon, s'écria Daniel Christie, l'heure n'est pas aux discours !

Chase n'hésita qu'un fragment de seconde.

— Ces armes appartenaient au père de mon père, confia-t-il à Joseph qui, près de lui, s'efforçait de refouler la nausée qui le prenait à la vue de ces pistolets dont il n'avait jamais vu les pareils.

Daniel Christie se pencha pour lui chuchoter à l'oreille :

— Le père de son père était un fieffé crétin ! Croyez-m'en... Je l'ai bien connu !

Le témoin de Chase tendit la boîte à Joseph. Le garçon devina qu'on lui accordait la faveur de choisir le premier. Ça lui faisait une belle jambe ! Compte tenu de son habileté à manier les armes à feu, il aurait tout aussi bien pu affronter Goliath avec un lance-pierres. Du moins le pistolet était-il une belle pièce d'orfèvrerie et il ne risquait pas de lui exploser à la figure !

Il prit la première arme qui se présentait, la sortit de son logement et la pointa sous les yeux de Chase.

Les deux garçons se fixèrent un long moment, puis Chase déclara :

— En ma qualité d'homme civilisé, mon ami, je préférerais respecter les règles.

Bien qu'il ne connût pas le premier mot desdites règles, Joseph abaissa brusquement son pistolet et tenta d'afficher une expression aussi arrogante que celle de son adversaire.

— Éloignez-vous chacun de quinze pas, dit le témoin de Chase.

Christie, prenant Joseph aux épaules, le poussa dans le brouillard, s'efforçant de s'écarter de la ligne de tir.

— Je veux que vous sachiez, mon petit, marmonna-t-il d'une voix empâtée par l'ivresse, que j'ignorais tout de l'éviction de votre famille. Je compatis sincèrement aux souffrances que vous avez endurées. Je comprends pourquoi vous êtes venu avec l'intention de me tuer, fiston, et ne vous en tiens absolument pas rigueur.

Il sembla à Joseph que les paroles du landlord lui parvenaient de très loin et qu'elles étaient hors de saison. Il avait conscience que Christie lui présentait des excuses, et une partie engourdie de son cerveau se rendait compte que si son interlocuteur s'excusait, c'est parce qu'il savait que Joseph serait un homme mort d'ici peu. Plus que dix pas... Et Christie ne voulait pas avoir la mort d'un de ses semblables sur la conscience.

Joseph songea à prononcer quelques mots de pardon, mais le temps était compté. Dix pas... Quatre... Encore un. Trop tard !

— Tournez-vous ! cria le témoin. Tournez-vous tous les deux et tirez !

Christie se volatilisa comme un trait. Joseph pivota. Et paniqua.

— Je ne vois rien ! hurla-t-il. Eh, attendez ! Je ne vois rien dans ce foutu brouillard !

— Moi si.

La remarque l'atteignit en plein cœur à travers la froide obscurité. Dans quelques secondes, ce serait une balle.

Pris de frénésie, il agita le pistolet de droite et de gauche, distinguant un mouvement dans la purée de pois, mais pas de cible. Il attendit le coup, le corps tendu et tremblant, s'apprêtant à être déchiré par l'impact. Il ne vint aucune balle.

Peu à peu, il perçut un bruit venant dans sa direction — le cliquetis des roues d'un attelage, assourdi par l'épais brouillard. De la brume laiteuse surgit un buggy à deux places tiré par un immense cheval noir que menait Shannon. Les cheveux roux de la jeune fille tombaient sur ses épaules en cascade, aussi sauvages que la nuit où il l'avait vue chevaucher au clair de lune.

Parvenue à sa hauteur, elle fit stopper son cheval. L'arrière du véhicule était bourré à craquer de valises et de malles.

— Mesurez votre stupidité, mon ami, dit-elle sur un ton qui fit voir rouge à Joseph. De la terre à volonté... ou une balle dans la tête.

— Allez-vous-en, jeune femme ! cria-t-il en réponse.

Elle haussa les épaules.

— A votre guise !

Elle leva son fouet pour en frapper le cheval. Se retournant, Joseph vit Stephen et ses adjoints émerger du brouillard au pas de charge, l'air sinistre et résolu.

— Attendez ! brailla-t-il.

Jetant le pistolet, il se rua vers le buggy, gêné par sa jambe blessée.

Tandis qu'il s'y hissait tant bien que mal, Stephen Chase rejoignit l'attelage, hésita. Il leva les yeux sur Shannon, et son expression sévère se transforma en ahurissement.

— Shannon, déclara-t-il d'un ton calme, nous nous efforçons de mener un duel à bien.

Elle le considéra, une ombre de tristesse sur sa jolie frimousse.

— Adieu, Stephen !

— Adieu ?

Shannon se tourna vers Daniel Christie qui, légèrement en retrait, contemplait sa fille avec un regard empli de fierté.

— J'ai soif d'aventures, père.

Pour toute réponse, Christie sourit et lui adressa un signe de tête.

Shannon leva son fouet, l'abattit, et le buggy fit une embardée. Joseph perdit l'équilibre et s'effondra sur le monceau de bagages.

Nora se précipita hors de la maison dans une envolée de jupe.

— Arrêtez-les ! cria-t-elle en agitant les mains. Stephen, remuez-vous un peu ! Votre fiancée vous quitte. Daniel, faites quelque chose ! Ce misérable est venu ici pour vous tuer et le voilà à présent qui enlève notre fille !

— Il a insufflé une bouffée d'air frais dans cet endroit étouffant, répliqua calmement Daniel, voilà tout son crime.

Nora reporta son attention sur Stephen.

— Allez-vous rester comme une bûche, l'air d'avoir été frappé par la foudre ?

Stephen, complètement médusé, n'esquissa pas le moindre geste. Nora fondit sur lui et, lui arrachant son pistolet des mains, tira un coup en l'air.

Le brouillard absorba le rugissement de la détonation, la muant en un *couac !* de pétard mouillé. Joseph n'entendit pas plus le claquement de l'arme que les vociférations de Nora. Ses oreilles n'étaient pleines que du grincement du buggy qui s'éloignait à toute allure et du rire de Shannon, aussi fou et spontané que dans le clair de lune. Le rire d'un être libéré de ses entraves.

Peu après, Joseph s'entendit rire, lui aussi,

aussi follement et aussi spontanément que Shannon.

Lorsque le brouillard commença à se dissiper et que le paysage irlandais se déploya, or et vert, sous leurs yeux à la lumière du soleil, Joseph reprit conscience. Il se tourna à demi sur son siège et observa la jeune fille assise près de lui. Ses cheveux voletaient dans tous les sens, ses joues étaient rose vif et ses yeux brillaient d'une lueur démentielle.

— Dieu du ciel, marmotta-t-il comme s'il s'éveillait d'un profond sommeil, qu'est-ce que je fiche avec vous ?

— Vous êtes à mon service, mon brave, que ça vous plaise ou non. Taisez-vous, faites montre d'obéissance... et laissez-moi les rênes !

— Cela me déplaît souverainement, espèce de foldingue ! Nous sommes des ennemis-nés.

— Vous m'accompagnez en Amérique. Vous serez mon domestique.

— Jamais de la vie ! Vous êtes la plaie de mon pays. Une fille folle à lier... une excentrique...

— Rubans et fanfreluches, hein ? Je vous ai sauvé de la pendaison, espèce d'ingrat pouilleux ! Vous me devez obéissance et servitude. C'est le moins que vous puissiez faire. J'ai risqué ma vie pour vous.

Joseph rumina quelques instants en silence. Enfin, il secoua la tête et fixa ses mains qui reposaient sur ses genoux.

— Ne me regarde pas, p'pa, chuchota-t-il. Je t'ai trahi... ainsi que tout le peuple d'Irlande. Que le ciel me vienne en aide !

5

Sur le pont du splendide schooner, Shannon Christie et ses compagnons de première classe, à l'abri d'un dais festonné de toile ivoire voletant au vent, buvaient à petites gorgées thé ou champagne, écoutaient la musique de deux violonistes, s'emplissaient les poumons de l'air que soufflaient les brises océanes.

De la fumée de cigare flottait, parfumant l'air salé, cependant que les messieurs évoquaient leurs affaires en Amérique et en Europe. Les dames, protégées du soleil par des ombrelles en dentelle, papotaient du dernier cri de la mode française tout en grignotant des pâtisseries.

L'indolence pleine de charme de l'après-midi fut gâchée par Joseph Donelly. Il se tenait debout derrière le fauteuil de Shannon, emprunté dans une veste et une cravate, une théière à la main, une serviette de lin blanc drapée sur le bras.

Avec une délicatesse tout aristocratique,

Shannon tapota le bord de sa tasse. L'impression d'être un chien savant dressé à faire des tours dans les foires locales, Joseph se pencha et l'emplit de nouveau.

— Merci, mon ami, dit-elle.

— Ne m'appelez pas « mon ami » !

Il heurta légèrement le coude de la jeune fille quand elle leva sa tasse et quelques gouttes de thé se répandirent dans la soucoupe.

— Sucre !

Il posa bruyamment la théière, belliqueux.

— Je sais.

Déployant moins d'adresse et de grâce encore, il versa une cuiller à café de sucre dans la tasse.

— Deux, fit Shannon sur un ton qui donna envie à Joseph de l'assommer.

Il obtempéra et laissa tomber la cuiller dans la soucoupe. Plusieurs femmes tournèrent la tête vers eux et se mirent à chuchoter derrière leurs éventails.

— Vous pourriez faire montre d'un zeste de gratitude, eu égard au prix que m'a coûté votre passage. Car c'est *moi* qui ai payé, si vous me permettez de le souligner.

— Comment vous marquer de la gratitude quand je n'en éprouve aucune ?

— Un domestique est tenu de *feindre* la gratitude, Joseph. Vos sentiments *réels* n'entrent pas en ligne de compte.

Joseph baissa les yeux sur le petit nez impertinent au retroussis plein d'arrogance. Un coup léger... moins fort que ceux qu'il flanquait à ses frères... et elle perdrait un peu de sa superbe !

Joseph jugula son envie. Il n'avait jamais battu une femme de sa vie, et il n'allait certainement pas commencer maintenant, si mérité le châtiment fût-il.

— Je vous ai donné ma parole de vous servir jusqu'à la fin de la traversée, dit-il, mais ce foutu océan n'en finit pas. On se croirait en prison.

Shannon rit et fit tournoyer son ombrelle.

— Nous ne voyons pas les choses de la même façon. Pour vous, c'est une prison, pour moi, c'est une route qui conduit à l'avenir : majestueuse, accueillante, courtoise, aimable... l'Atlantique m'apparaît comme un ami plein de bienveillance.

— Dans ce cas, allez donc y faire quelques brasses !

Raillerie proférée en pure perte, car, au même moment, un homme pimpant, portant une barbe noire taillée en pointe, croisa alentour. Aussitôt, Shannon fixa son attention sur lui.

— Pardonnez-moi d'être importun, fit l'inconnu, mais vous plairait-il de m'accompagner pour une petite promenade sur le pont ?

Joseph mit son grain de sel.

— Elle boit son thé.

— Inutile, Joseph, de formuler l'évidence, répliqua Shannon d'un ton condescendant.

L'étranger sourit, découvrant deux rangées de dents étincelantes, et inclina le buste.

— Je m'appelle McGuire. J'habite Boston, dans le Massachusetts.

— Vous êtes américain ? s'écria Shannon, manifestement aux anges.

— Je suis irlandais de naissance. De retour au pays... euh... pour raisons personnelles. A présent, je regagne les États-Unis.

Shannon bondit sur ses pieds.

— Je serai enchantée de faire quelques pas en votre compagnie, monsieur McGuire.

Passant le bras sous celui de l'inconnu, elle s'éloigna sous le regard furieux de Joseph.

D'abord, elle me demande de la protéger des importuns à bord, pensa-t-il, puis elle part se balader avec l'un d'eux, s'accrochant à son bras comme si elle craignait qu'il ne joue des flûtes ! Très bien ! Elle m'a prié de la protéger, elle va être servie !

Joseph se hâta à leur suite et se mit à marcher à un pas derrière eux. Shannon, agacée, tenta de le repousser de la pointe de son ombrelle. La dentelle voleta au visage du garçon, ce qui accrut sa fureur. Cette péronnelle était impossible !

— L'Amérique est terre de progrès, n'est-ce pas, monsieur McGuire ? dit-elle d'une voix minaudière qui rendit Joseph plus malade qu'il ne l'avait été lors de son premier jour de traversée. Je l'imagine comme un endroit merveilleusement moderne.

— On ne peut plus moderne, rétorqua McGuire en jetant un regard irrité par-dessus son épaule à Joseph qui avait quasiment le nez sur le col de son élégant costume. Les gens, la civilisation, l'industrie — tout

116

y est un hymne à l'espoir et à la prospérité.

Joseph écarta l'ombrelle de sa figure.

— Et la terre ?

— Je vous demande pardon ?

— Cette fille s'est mis dans la tête qu'on y donnait de la terre pour rien.

— C'est exact. En Oklahoma. L'Ouest est en train de s'ouvrir.

Shannon adressa un regard plein de fatuité à Joseph.

— Je vous l'avais bien dit, mon ami.

— Peuh... répondit l'intéressé en faisant la moue. Ça m'étonnerait que ce soit de la *bonne* terre !

— La plus belle qui soit au monde. Les semences y prospèrent et les bêtes qui y paissent sont de la taille des éléphants.

L'air suffisant, Shannon repoussa de nouveau Joseph d'un coup d'ombrelle.

— Comment s'y rend-on, monsieur McGuire ? Le territoire se trouve-t-il près du débarcadère ?

— Oh que non ! Il vous faudra parcourir quelque deux mille kilomètres. Ne vous attardez pas à Boston. Dès que possible, achetez-vous des chevaux, un chariot et des vivres. (Il s'interrompit en remarquant la mine soudain chagrine de la jeune fille.) Je suis désolé. Vous aurais-je contrariée ?

— Je n'aurais jamais imaginé que l'entreprise fût si compliquée, répliqua Shannon dans un soupir.

— Avec de l'argent, on vient à bout de toutes les difficultés.

Brusquement circonspecte, Shannon fit halte et se tourna de gauche et de droite. Elle balaya le pont du regard pour détecter d'éventuelles oreilles indiscrètes.

— Joseph, annonça-t-elle, j'aimerais m'entretenir seule à seul avec M. McGuire.

Les yeux de Joseph s'étrécirent. De quoi ? Elle lui demandait son aide, puis le renvoyait d'un geste comme l'on fait d'une vieille mule à la fin des labours !

— Et pourquoi cela ? s'exclama-t-il, ulcéré.

— Parce que j'ai *décidé* de lui parler tête à tête, de la même façon que vous avez *décidé* d'être mon domestique.

Joseph la dévisagea un long moment avant de secouer la tête.

— Que ne me suis-je battu en duel pour en finir une bonne fois ?

Il tourna les talons et s'éloigna. Bougonnant, il arracha sa cravate. Un couple le croisa, le nez hautain. L'homme et la femme pincèrent les narines à sa vue. Le garçon leur agita sa cravate au visage, comme un serpent. Sur un regard soupçonneux, ils pressèrent le pas.

D'un revers du poignet, Joseph balança la cravate par-dessus bord.

Maudite rouquine ! Ses ancêtres nouaient des cordes autour du cou de ceux de Joseph depuis des siècles. Que Dieu le damne s'il la laissait l'étrangler à son tour !

Shannon suivit Joseph des yeux. Que les hommes peuvent se montrer parfois immatures ! songea-t-elle. Avec sa lèvre inférieure saillant ainsi, Joseph avait tout du gamin boudeur. Elle s'empressa de reporter son attention sur M. McGuire ; elle avait déjà conclu qu'il pourrait lui être utile dans les jours à venir. C'était un homme aimable et il paraissait bien connaître l'Amérique.

— Monsieur McGuire, dit-elle, penchant la tête vers lui, j'ai de l'argent... mais sous forme de petites cuillers.

Il la dévisagea quelques instants, la mine perplexe.

— Des petites cuillers ?

— Anciennes, en argent massif. Je souhaite les vendre dès mon arrivée à Boston.

McGuire approuva d'un hochement de tête.

— Je puis vous recommander une ou deux boutiques où on vous traitera avec honnêteté.

— Je vous suis infiniment obligée, monsieur.

— Tout le plaisir est pour moi.

McGuire fit une courtoise révérence. Quel gentleman ! pensa Shannon. Rien de comparable avec ce voyou qu'elle avait traîné à bord à sa suite. Se souvenant brusquement de Joseph, elle jugea qu'il valait mieux ne pas le laisser trop longtemps livré à lui-même. Dieu seul savait quelle bêtise il risquait de commettre !

— Excusez-moi, monsieur McGuire, dit-elle en posant délicatement la main sur le bras de l'Irlandais. Notre conversation a été des plus agréables et des plus enrichissantes, mais je dois retourner à ma table.

— Je vous sais gré de m'avoir tenu compagnie, répliqua McGuire en levant son chapeau melon.

Ah, quel plaisir de bavarder avec quelqu'un de son milieu ! songea Shannon en rejoignant le guéridon où elle avait pris le thé. Mais sa bonne humeur fit long feu quand elle aperçut Joseph sur sa chaise, sans cravate et la chemise déboutonnée. Pis encore, il était en train de bâfrer le morceau de gâteau au chocolat auquel elle n'avait pas touché. Et, qui plus est, avec ses mains.

— Puis-je vous demander ce que vous faites là ? s'enquit-elle en lançant un coup d'œil alentour pour voir si quelqu'un avait été témoin de cette situation scandaleuse.

— Je mange votre part de gâteau au chocolat, répondit Joseph sans formuler la moindre excuse.

L'arrogance de ce vulgaire extracteur de tourbe ! Shannon réprima son irritation.

— Je vois. Et qu'avez-vous fait de la cravate de mon père ?

— Elle m'étranglait. Je l'ai jetée aux poissons.

Avec une délibération étudiée, Shannon ferma son ombrelle et s'assit sur la chaise en vis-à-vis. Elle poussa une fourchette dans la direction de Joseph, espérant qu'il comprendrait le message. Bernique !

— Vous êtes agacé de constater que tout ce que je vous ai raconté est exact, dit-elle d'un air suffisant qu'elle ne parvint pas à dissimuler tout à fait.

Joseph grogna et enfourna une autre bouchée de gâteau.

— Des bêtes aussi grosses que des éléphants ! A d'autres ! Je sais, moi, ce que veut ce bonhomme, même si vous êtes trop stupide pour vous en rendre compte.

— Expliquez-vous !

Joseph souleva la nappe et pointa l'index sur les pieds de Shannon.

— Vous pourriez au moins avoir la décence de couvrir vos chevilles.

Elle rit. Il était jaloux ! Elle trouva la réaction touchante et un rien flatteuse... même de la part d'un paysan de basse extraction.

Elle lui tapota la main — celle qui n'était pas maculée de chocolat.

— Nous voguons vers une terre d'espoir et de promesses, Joseph. Vous et moi y trouverons le bonheur. Vous trouverez le vôtre, moi le mien... quand nous irons chacun notre chemin.

Elle avait pensé les réconforter tous deux par ces paroles ; or, elle s'aperçut qu'elles ne faisaient que l'attrister. C'était sot. Pourquoi éprouver de la mélancolie à l'idée de prendre congé d'un domestique ?

La perspective, toutefois, lui parut insupportable.

Elle rapprocha encore la fourchette de Joseph. Cette fois, il remarqua son manège et fixa l'ustensile un long moment. Puis il regarda

Shannon, les yeux flamboyant de colère et de révolte.

Prenant le morceau de gâteau qui restait, il n'en fit qu'une bouchée.

Que c'est écœurant ! songea Shannon en voyant Joseph mastiquer, bouche ouverte. Mais qu'espérer d'autre d'un ramasseur de tourbe ?

— Pour l'amour du ciel, vous êtes parmi des gens civilisés ! s'exclama-t-elle en jetant à la ronde un regard dépourvu d'assurance. Où sont vos bonnes manières ?

— Il n'en est pas besoin pour s'envoyer de la nourriture dans le ventre, rétorqua-t-il avec un sourire barbouillé au chocolat.

— Joseph...

Elle lui transperça la main avec une fourchette.

— Ouille ! Que représentent donc fourches et fourchettes dans votre vie, jeune femme ? Vous m'avez blessé à mort.

— Oh, taisez-vous ! Vous n'avez pas même une égratignure ! Grâce à vous, tous les yeux sont braqués sur nous, à présent !

— Excusez-moi... dit une voix grave et péremptoire.

Shannon se retourna. Un steward se tenait à hauteur de son épaule gauche ; son expression sévère présageait des ennuis.

— Oui ? fit Shannon avec modestie.

— Vous voyagez en première classe, je suppose ?

Le ton sarcastique de l'officier fit bouillonner le sang de la jeune fille. Joseph se contenta de lui adresser un sourire tandis qu'il s'essuyait la bouche d'un revers de manche.

— Une personne de ma condition pourrait-elle voyager ailleurs qu'en première classe ? répliqua-t-elle en s'efforçant de prendre une mine indignée.

— Et ce gentleman ?

L'officier indiqua Joseph de la pointe du menton.

— Ce n'est pas un gentleman. C'est mon domestique.

Joseph se renfrogna aussitôt ; Shannon éprouva un bref sentiment de satisfaction.

— Je ne suis le domestique de personne, décréta le garçon, ulcéré, en repoussant l'assiette. Et surtout pas le sien !

Patatras ! pensa Shannon. Ce rustaud borné a tout fichu en l'air !

A travers une brume, elle vit l'officier faire signe à deux serveurs qui se précipitèrent à la rescousse.

— Puis-je voir vos billets, s'il vous plaît, m'dame ?

Le cœur serré, Shannon regarda Joseph. Le garçon allait peut-être avoir un trait de génie, quelque idée brillante allait peut-être lui venir à l'esprit. Grâce à son ingéniosité et à son charme, peut-être allait-il les sauver de l'horrible destin qui semblait hélas inévitable...

Mais Joseph, que ne touchait apparemment pas la moindre lueur d'intelligence, bourrait fébrilement ses poches de côtelettes de mouton.

A fond de cale, dans le ventre du grand navire, les paysans s'entassaient par petits groupes apeurés, en proie au mal de mer. Privés comme ils l'étaient de l'air marin, du champagne et des violons dont bénéficiaient les passagers de première classe, leur traversée s'apparentait davantage à un supplice qu'à une croisière d'agrément.

Les craquements incessants du schooner se mêlaient aux cris des bébés et aux voix tremblantes des enfants. Les paroles de réconfort que prononçaient les mères emplissaient l'atmosphère confinée de ce lieu sombre qu'aucune lanterne au kérosène n'éclairait.

Un vieux prêtre, assis au milieu de ses ouailles, égrenait son bien-aimé chapelet.

— Père céleste, priait-il, veille sur ces pauvres pécheurs au cours de leur périple...

Sa supplique fut interrompue net par l'ouverture d'une écoutille. La lumière rose doré du soleil couchant se déversa à flots, accompagnée d'une fraîche bouffée marine. Un instant plus tard, deux jeunes gens furent propulsés dans la cale et l'écoutille se referma bruyamment.

Shannon se releva la première, jeta un coup d'œil alentour et gémit à la vue des lieux maussades.

— Nous voilà dans les entrailles de l'enfer ! s'écria-t-elle, frappant Joseph à la jambe du bout de sa bottine. Grâce à vous. Je les avais complètement roulés dans la farine.

— Tu parles, Charles! Ce n'était qu'une question de temps. Au moins ai-je eu la présence d'esprit de me remplir les poches et le ventre. (Il sortit une côtelette de mouton graisseuse de sous sa veste.) J'ai volé la noblesse.

Méprisante, Shannon survola la vaste cale du regard et repéra ses bagages près de la poupe. A pas prudents, elle se fraya un chemin entre les paillasses, les hamacs et les havresacs, sans compter ses nouveaux compagnons de voyage. L'odeur des déjections humaines et le mal de mer lui soulevaient le cœur, mais elle refoula la bile qui lui obstruait la gorge.

— Quand je pense que je vous ai sauvé la vie! lança-t-elle par-dessus l'épaule à Joseph qui fonçait vers les bagages. J'ai renoncé au luxe de la première classe pour payer votre billet. Et que m'a rapporté mon sacrifice? De l'insolence! (Elle lui saisit le bras, le forçant à demeurer en retrait.) Ne marchez pas devant moi! Votre place est derrière!

Il l'agrippa aux épaules; Shannon prit sur elle pour ne pas crier de douleur.

— Encore une fois, jeune femme, je ne suis pas votre domestique!

— Non? Dans ce cas, expliquez donc au bon père, là-bas, qui vous êtes.

Elle parlait suffisamment fort pour que le prêtre l'entende. L'homme de Dieu leva un sourcil. Certains passagers se turent tout à coup, prêtant l'oreille à ce divertissement nouveau.

— Nous sommes frère et sœur, déclara Joseph en gratifiant le prêtre d'un de ses fameux sourires Gibbs.

— Frère et sœur ? Notre sang n'est déjà pas à la même température, pour commencer !

Joseph s'arrêta brusquement et pivota pour faire face à Shannon.

— Vous voulez que tout le monde sache que vous êtes protestante ? siffla-t-il. Ils vont vous balancer à la mer.

Shannon jeta un regard à la ronde pour évaluer la situation et se hâta d'adresser un sourire tout sucre tout miel au groupe le plus proche.

Parvenus à quelques pas du tas de bagages, les deux jeunes gens piquèrent un sprint. Ils touchèrent au but ensemble et se laissèrent tomber sur les valises, se bousculant pour s'approprier l'espace — une denrée rare dans des lieux aussi surpeuplés.

Souriant à Shannon de toutes ses dents, Joseph défit encore un bouton de sa chemise.

— Je suis content d'être débarrassé de la cravate de votre père, claironna-t-il. Ce sale truc m'étranglait.

— Eh bien, du moins avait-elle son utilité.

Autour d'eux, les passagers se dévêtaient, étalaient des couvertures élimées, se préparant à dormir. Shannon songea à la confortable couchette de la cabine de luxe qui avait abrité son sommeil la nuit précédente et soupira. Sa vie, assurément, avait changé pour le pire depuis sa rencontre avec ce rustre.

A gestes lents, elle commença à déboutonner sa robe.

— Ne me regardez pas, ordonna-t-elle à Joseph qui lançait un coup d'œil furtif dans sa direction.

— Je ne vous regarde pas ! Plutôt observer un porc en train de se vautrer dans une flaque de boue que reluquer des gens de votre espèce ! Mais ce sale type, là-bas... (il désigna du menton un homme avec une barbe hirsute)... il vous zyeute tout ce qu'il sait, mâchoire pendante, même.

— Laissez-le baver, répliqua Shannon, ravie de son accès de jalousie. Son air enamouré est le seul moyen dont je dispose pour juger de mon apparence... puisque je n'ai pas emporté de miroir. A présent, tournez la tête, vous dis-je !

Joseph resta de trois quarts et Shannon décida de faire avec les moyens du bord. Elle roula sa robe en boule après l'avoir ôtée à l'abri de son manteau, puis se couvrit de celui-ci.

Quelle indigence ! C'était plus fort qu'elle — elle songea à son ancien lit de plume garni de draps de fil frais repassés. Allons, au diable sa couche douillette ! Les rêves, on ne les avait pas pour rien. On devait payer le prix quand on avait des aspirations aussi élevées que les siennes.

Joseph s'installa auprès d'elle plutôt mal que bien, se servant de sa veste comme oreiller. Shannon faillit lui offrir la moitié de son manteau, puis se ravisa. Elle n'avait déjà que trop conscience de la proximité de son corps. Bien qu'ils ne se touchassent pas, elle sentait la chaleur de sa jambe sur la sienne à travers leurs vêtements.

A l'occasion, quand il remuait, elle percevait la tension de ses muscles qui gonflaient l'étoffe et se demandait s'ils étaient aussi durs qu'ils en avaient l'air. Faut-il le dire ? Elle se hâtait de chasser ces pensées, à peine lui venaient-elles à l'esprit. Il n'était pas convenable qu'une lady songeât à des choses de ce genre. Et encore moins quand elles avaient trait à un vulgaire paysan aux ongles crasseux, qui mangeait du gâteau au chocolat avec ses doigts, analphabète de surcroît. Sans compter que, n'eût été lui, elle serait pour l'heure allongée sur sa couchette luxueuse de première classe, là où était sa place, parmi ses pairs, et non dans cette cale d'enfer, en compagnie de paysans malodorants, dont les cheveux grouillaient probablement de vermine.

Quelque chose bougea près de son pied ; elle scruta la pénombre, s'attendant à découvrir quelque rat répugnant... Elle plongea le regard dans les yeux écarquillés d'une fillette, au visage sale et aux cheveux emmêlés, mais qui avait un doux sourire empreint de la timidité de l'enfance. La gamine dormait avec son frère et elle avait heurté le pied de Shannon en changeant de position dans son sommeil.

Un instant, la jeune fille eut honte de ses pensées méprisantes. Au fond, cette gosse n'était peut-être pas si commune, ni puante, ni couverte de vermine. Sous la crasse — et il suffisait d'un brin de toilette pour la faire disparaître —, se cachait une enfant ravissante qui eût fait honneur au salon de n'importe quels aristocrates.

Tandis que Shannon révisait son opinion, un couple se mit à faire l'amour, à l'abri d'une mince couverture qui ne laissait pas grande latitude à l'imagination.

Les joues rouge pivoine, Shannon se détourna, feignant de ne pas remarquer cette criante manifestation de vulgarité. N'avaient-ils pas honte ? Jamais, de toute sa vie, Shannon n'avait surpris sa mère et son père s'embrassant sur la bouche. Et voilà que ces paysans se comportaient comme des animaux en rut au vu et au su de tous !

Elle lorgna vers Joseph. Le garçon, lui aussi, paraissait gêné et mal à l'aise. A mesure que leur parvenaient soupirs assourdis, ahanements, souffles laborieux et grognements, Shannon percevait la proximité de Joseph avec une acuité grandissante. Elle crevait de chaleur sous son manteau, mais n'osait le repousser, peu désireuse de se montrer dans ses sous-vêtements.

Ces sons étranges l'effrayaient et l'excitaient en même temps — ils étaient mystérieux, inquiétants, mais incontestablement érotiques. Il semblait que l'acte amoureux ne prendrait jamais fin. Shannon et Joseph, immobiles comme des souches, respiraient à peine, l'air d'ignorer ce qui se passait.

Enfin, le couple en termina. Shannon était au bord de l'explosion.

— Ne pourriez-vous pas vous pousser un peu ? s'écria-t-elle, agacée.

— Il n'y a pas de place, avec tous ces bagages ! rétorqua Joseph sur un ton d'égale irritation. (Il écarta quelques valises, manquant enterrer Shannon dessous. A cet instant, le navire tangua, précipitant la jeune fille contre lui.) Lâchez-moi ! s'exclama-t-il en la repoussant.

Comme si elle avait fait exprès de se rapprocher de lui, de le toucher ! Pour qui se prenait-il ? Tout d'un coup, Shannon se sentit prise de claustrophobie.

— Je ne supporte plus ce maudit bateau ! brailla-t-elle. Cet océan n'en finit pas ! Et je veux le gâteau au chocolat que *vous* avez mangé !

Au lieu de lui dire un mot de sympathie, Joseph, moqueur, éclata d'un rire chaleureux, retentissant, qui se répercuta en écho à travers toute la cale. Shannon, confuse, sentit ses joues devenir aussi rouges que ses cheveux.

Je pourrais vraiment le prendre en horreur, se dit-elle.

Dans un accès de mauvaise humeur, elle lui décocha un coup de pied à la jambe. Joseph, loin de hurler de douleur, se mit à rire de plus belle. Shannon, aussitôt, arrêta son opinion : c'était chose faite, elle le détestait déjà. Maudit extracteur de tourbe !

Peter, Matthew et John, plantés au bord de la route, contemplaient un bien singulier spectacle dans le champ dépourvu de clôture : un homme, assis sous un arbre devant une petite table, griffonnait avec fièvre.

— Voici un triste exemple de ce qui arrive à l'aristocratie, commenta Peter avec philosophie. Ce jeune homme a été naguère le meilleur tireur d'élite d'Irlande. Plein de promesses, qu'il était.

— Oui-da, l'était capable de tuer un moineau en plein vol les yeux bandés, ajouta Matthew.

— Les temps changent. Rixes, tueries et j'en passe. Certains disent que la domination des protestants touche à son terme. (John siffla entre ses dents et prit une expression pensive.) Je me demande s'il bouffait les piafs qu'il abattait... M'est avis qu'un oiseau de cette taille devait être réduit en charpie.

— Typique de la noblesse, ce gars, reprit Peter. Sans labeur honnête à accomplir, y sont bien forcés de s'inventer des tas de trucs pour trouver à quoi s'occuper.

— Si quelqu'un veut me verser une rente, je m'essaierai volontiers au tir aux moineaux, déclara John.

— Ah, voilà le landlord lui-même ! (Matthew indiqua du menton un cavalier qui avait quitté la route et se dirigeait vers l'homme assis sous l'arbre.) Il va prendre la situation en main, pour sûr !

— Oh oui ! Il va la redresser !

— Non, répliqua John. Rien sous le soleil de Dieu ne peut remettre ce type-là d'aplomb. Il a définitivement sombré dans le crétinisme.

Hors de portée d'oreille et, partant, privé du bénéfice de ces judicieuses observations, Daniel Christie se frayait un chemin parmi le troupeau de moutons ébouriffés qui paissaient sans se soucier de lui, grignotant la luxurieuse herbe verte. Cavalier et monture arrivèrent au milieu du pré où se dressait un gros chêne, haut et splendide, depuis l'époque des druides.

Cet arbre plusieurs fois centenaire abritait une bizarre silhouette, que le landlord avait observée quelques minutes, formant l'espoir que ses yeux le trompent.

Hélas ! Il n'y avait pas à s'y méprendre. C'était bel et bien Stephen Chase qui, la tête penchée sur sa feuille de papier, faisait courir follement sa plume, comme si sa vie en dépendait.

Quelle singulière vision ! Daniel secoua la tête. Aucun doute — le garçon avait perdu la raison que le bon Dieu lui avait accordée.

En arrivant à sa hauteur, Daniel tira sur la bride de son cheval.

— Je... hum... j'hésite à vous demander si vous allez bien, Stephen.

Chase leva les yeux. Ses longs cheveux bruns, habituellement coiffés et noués en catogan par un ruban, étaient emmêlés, son costume, à l'ordinaire impeccable, fripé, ses yeux tourmentés.

132

— J'écris une lettre à votre fille, monsieur. Bien que j'ignore où l'adresser. (Il prit la feuille et la brandit au-dessus de sa tête.) Vole ! Prends ton essor ! cria-t-il, une lueur démente dans la prunelle. Envolez-vous, mots, jusqu'à ma bien-aimée !

Il jeta les feuillets dans l'air ; ils s'éparpillèrent à la brise.

Christie contemplait la scène, l'air incrédule. Ce garçon avait indéniablement perdu l'esprit. Sûr qu'il avait une araignée au plafond.

— Vous êtes fort agité, fiston. (Cherchant à réconforter Stephen, Daniel fouilla dans ses fontes.) Tenez ! Je vous ai apporté une pomme, dit-il en la lui lançant.

Stephen ne réagit pas et fixa d'un regard vide le fruit tombé à ses pieds.

— Adam et Ève ont mangé la pomme, déclara-t-il avec une extrême gravité. Et ce fut la fin du paradis terrestre.

— En effet. (Daniel hocha la tête, comme s'il méditait ces paroles avec soin.) Mais, après la chute, ils ont continué à vivre, mon garçon. Et vous devez faire de même.

— Elle m'a piétiné le cœur.

Pour illustrer son propos, Stephen posa le talon sur la pomme et la réduisit en purée.

— Certes, mais elle ne l'a pas broyé à ce point. (Se penchant sur sa selle, Daniel mit la main sur l'épaule de Stephen. Soudain, il éprouvait pour lui de la compassion. Peut-être que ce garçon avait un cœur, en fin de compte, si celui-ci pouvait être brisé.) Je ne supporte pas de voir un être aussi jeune ravagé et égaré par le chagrin. Le soleil brille. Allons boire un verre au pub, ajouta-t-il, offrant à Stephen sa panacée personnelle aux maux de l'existence.

Stephen ne bougea pas, fouillant l'horizon de ses yeux torturés.

— Où est-elle, monsieur Christie ? Je courrais la rejoindre si je le savais !

— Nous n'avons reçu aucune nouvelle.

— Mon âme ne connaîtra aucun repos tant que je ne l'aurai pas serrée dans mes bras.

Reprenant sa plume, Stephen se remit à noircir une feuille vierge.

Daniel fit volter son cheval et se dirigea seul vers le pub. Il ne pouvait plus rien pour Stephen Chase. Le garçon avait sombré dans la démence.

Curieux. Il l'avait toujours cru si courageux, si invincible, si effrayant, même, eu égard à son jeune âge. Ah, il est vrai que l'amour avait réduit à rien des hommes beaucoup plus forts, se rappela Daniel, qui se mit à chanter :

Ô gente dame de haut renom
Je ne mourrai pas en ton nom !
Si les fous périssent à cause de toi,
Moi je vaux beaucoup mieux que ça...

Une heure et deux verres de whisky de contrebande plus tard, Daniel Christie glissa la main dans sa poche et en retira une lettre en piteux état. Jetant un coup d'œil à la ronde pour s'assurer qu'il était seul avec le patron, il déplia la feuille de papier et l'étala sur le comptoir.

Mon cher papa,
  Ce billet vous est destiné, et à vous seul. Je
le cache dans le massif de rhododendrons... Je
gage que vous aurez tôt fait de l'y découvrir.

Daniel sourit et essuya une larme tandis qu'il poursuivait sa lecture.

  Je vais à Boston, et, à vous, je peux bien avouer
mon appréhension. Mais je vous ai toujours
entendu parler de liberté, et c'est de liberté que j'ai
soif. Vous me manquerez, papa, mais vous serez
avec moi en pensée quand je débarquerai en Amé-
rique et que tous mes rêves se réaliseront...
  Votre fille très affectionnée,

SHANNON

Daniel replia la lettre et la plaça dans sa poche de poitrine, tout contre son cœur. Combien elle lui manquait déjà, avec son sourire radieux, sa beauté et son charme ! C'était comme si une lumière, la plus vive qui fût, avait disparu de sa vie.

Il prit son verre et avala une rasade de whisky, appréciant la brûlure à saveur de fumée que laissait l'alcool dans sa gorge. Shannon, assurément, lui manquait plus que la vie ; mais il l'aimait. Et suffisamment pour se réjouir de la savoir enfin libérée de ses entraves.

6

Le navire accosta les rivages de l'Amérique sous l'orage. Le tonnerre grondait dans le port de Boston, des éclairs aveuglants sillonnaient le ciel chargé de nuages noirs et il tombait une pluie diluvienne.

Des heures plus tard, les passagers, trempés et glacés, formaient d'interminables files à l'intérieur du bâtiment de l'immigration, remorquant leurs bagages, l'esprit plus ruisselant encore que leurs vêtements à tordre.

Dans le sillage de Shannon, Joseph halait tant bien que mal les innombrables malles et valises de la jeune fille, tandis que la procession avançait à une allure d'escargot.

Enfin, alors que ses bras allaient se déboîter de leurs articulations, ce fut à leur tour d'affronter les officiers de l'immigration.

— Eh bien, Shannon, où est donc passé votre cher ami, M. McGuire ? demanda-t-il, le cœur battant la breloque.

Que feraient-ils s'ils étaient refoulés ? Où

iraient-ils si ces officiers à la mine sévère ne les jugeaient pas dignes de fouler le sol de l'Amérique ?

— M'est avis que ce respectable gentleman nous a complètement laissés tomber.

Joseph se souciait comme d'une guigne de dissimuler son mépris sarcastique pour ce bellâtre qui avait promis à Shannon de les guider dans le dédale de la bureaucratie.

Shannon, sans lui répondre, entreprit de se pomponner, tentant de discipliner ses boucles rebelles en un chignon bas sur la nuque.

— Avancez, jeune femme ! s'écria-t-il. Dépêchez-vous !

— Je veux avoir l'air présentable pour parler à l'officier. L'apparence compte énormément, figurez-vous.

Joseph jeta un coup d'œil alentour ; une bonne demi-douzaine d'hommes observaient la jeune fille. Son sang ne fit qu'un tour.

— Auriez-vous perdu l'esprit ? Tous ces types vous fixent de façon éhontée. Avancez, vous dis-je, à moins que vous ne vouliez encore juger de votre tournure.

— Là ! s'exclama Shannon en pointant l'index sur un guichet à l'autre bout de la salle. C'est M. McGuire ! Il nous fait signe. Venez, Joseph ! Pressons-nous !

— Maudite bonne femme ! marmonna Joseph.

Se colletant avec la montagne de bagages, il suivit Shannon jusqu'au guichet où McGuire les attendait en compagnie d'un officier de l'immigration ; ce dernier, vêtu d'un uniforme bleu orné de boutons de cuivre, faisait une moue on ne peut plus sévère sous sa moustache en guidon de vélo.

— Shannon ! Joseph ! les héla McGuire. Où diantre étiez-vous fourrés ? Je me suis occupé de vos papiers. Dites à ce monsieur votre nom de famille.

— Donelly, répondit Joseph, hors d'haleine, en jetant les bagages aux pieds de McGuire.

— M. et Mme Donelly ? demanda l'officier, griffonnant quelque chose sur son papier.

— Non ! brailla Shannon. N'écrivez pas cela !

— Ils sont frère et sœur, intervint McGuire à la hâte en exerçant une légère pression sur le bras de la jeune fille.

— Un instant ! Nous...

Une nouvelle vague d'immigrants se rua brusquement en avant et les paroles de Shannon se perdirent dans le tohu-bohu de voix. L'officier fourra deux attestations dans les mains de Joseph — les précieuses cartes de débarquement.

McGuire s'éloignait déjà au pas de course, Shannon sur ses talons. Joseph soupira, considéra les bagages et maudit la gent féminine dans son ensemble... ainsi que lui-même, assez sot pour se retrouver dans une posture aussi humiliante. A l'évidence, il n'était pas venu au monde pour être le larbin d'une rouquine écervelée. Sûr et certain que, dans ce pays si riche de promesses, il allait rencontrer son destin.

Et, ce jour-là, il dirait à cette bégueule de porter ses bagages elle-même... jusqu'à l'enfer et retour.

Une fois hors du bureau de l'immigration, Joseph fut assailli par mille et une images, mille et une odeurs, mille et un bruits et sensations. Une pluie glacée lui cinglait le visage, lui picotant le menton et lui brouillant la vue. La foule le bousculait tandis qu'il s'efforçait de suivre Shannon et McGuire dans la rue qui pullulait d'immigrants désorientés, de coursiers et de vendeurs — ces derniers profitant sans vergogne de la confusion des premiers.

Un camelot brandit deux ou trois prospectus sous le nez de Joseph.

— Demandez des guides ! Comment trouver un job ! Un hôtel !

Un autre sautilla devant lui, agitant toutes sortes de chapeaux et de casquettes.

— Chapeaux ! Achetez-vous un couvre-chef américain ! N'ayez pas l'air de débarquer du bateau ! Chapeaux à vendre !

Joseph, qui rêvait depuis toujours de posséder une élégante coiffure, s'arrêta pour examiner les modèles présentés. McGuire lui cria de loin :

— Suivez-moi, mes enfants ! Je les connais, ces vautours ! Ils vous voleront comme au coin d'un bois si vous n'y prêtez garde !

Il fendit la foule, entraînant Shannon. Joseph leur emboîta le pas, remarquant malgré lui que, même trempée, les cheveux lui tombant

140

dans la figure, Shannon était ravissante avec ses joues empourprées par l'excitation et la pluie glaciale.

— Me voici en Amérique, Joseph, dit-elle, voguant dans une hébétude béate. J'ai réussi, finalement. Je suis arrivée à bon port.

Joseph, pour toute réponse, grommela, équilibrant une valise pesant un âne mort sur ses épaules.

— En effet, approuva McGuire, alors que ses compagnons étaient à deux doigts de la commotion. Et vous feriez bien de vous rappeler qu'ici on vit en accéléré. Allez, venez, Shannon. Je vais vous conduire à un hôtel convenable. Remettez-vous-en à moi.

Un adolescent d'une quinzaine d'années, de petite taille et la mine grognonne, s'approcha de McGuire et le tira par la manche. Joseph n'avait vu gamin si dépenaillé et sale dans toute l'Irlande. La crasse qui l'encroûtait n'était pas le résultat d'une dure journée de labeur passée à extraire de la tourbe — la peau de ce gars-là n'avait pas connu les bienfaits de l'eau et d'un gant de toilette depuis des mois, voire des années.

Joseph se sentit tout ensemble envahi par la pitié et le dégoût. Quel genre de gens étaient donc ces Américains ?

L'adolescent se colla contre McGuire, s'accrochant à sa manche.

— Hé, m'sieur, dit-il, vous cherchez un job ? Je peux vous emmener chez le Boss.

McGuire secoua le bras pour faire lâcher prise au gamin.

— Va estamper un autre gogo, mon bonhomme ! Ouste, du balai !

Mais le garçon s'agrippait. De sa main libre, il empoigna Joseph.

— Et vous, m'sieur ? Vous voulez du travail ? Un logement ? Vous ne dégoterez rien sans le Boss. C'est le caïd de Boston !

Perdant l'équilibre, il tomba sur les genoux, ne cessant pas pour autant d'étreindre le bras des deux hommes. Force fut à Joseph de respecter la détermination du gamin qui oscillait entre McGuire et lui, se traînant à genoux dans la gadoue.

Enfin, McGuire s'arrêta et, le saisissant à la gorge, l'envoya bouler dans le caniveau ; puis il reprit sa route, comme si de rien n'était.

Joseph se retourna. L'adolescent s'était relevé de la fange et se précipitait sur un nouveau groupe d'arrivants. Joseph secoua la tête. Semblables zèle et ténacité forçaient l'admiration.

Il rejoignit ses deux compagnons et nota que Shannon regardait McGuire avec des yeux langoureux de chatte amoureuse.

— Quelle chance, pour nous, de vous avoir, monsieur McGuire, dit-elle d'une voix pantelante en lui agrippant la main. Que ferions-nous si vous n'étiez pas là pour nous servir de guide !

— Que ferions-nous... chantonna Joseph sur un ton moqueur en les fixant tous deux d'une prunelle enflammée.

Ils s'engagèrent dans une rue beaucoup

moins encombrée et Joseph fut soulagé de voir McGuire ralentir un peu l'allure. La rue, à l'image du gamin qui les avait sollicités, était sale et mal entretenue. On aurait dit que personne ne s'en souciait, que personne n'aimait ce coin de l'univers.

Joseph considéra avec stupéfaction les murs noircis de suie, les bouts de papier, les guenilles et les déchets pourrissants qui obstruaient le caniveau le long des deux trottoirs. Même au sein des plus pauvres bourgades d'Irlande, chacun nourrissait de l'amour pour son pays, du respect pour chaque route, chaque chemin. Même les plus misérables des chaumières avaient leurs portes et leurs fenêtres repeintes de frais dans de vives couleurs de rouge, de bleu ou de vert.

Or, les gens qui se blottissaient contre les bâtiments pour échapper à l'averse glaciale semblaient en proie au plus profond désespoir ; ils étaient trop las pour se préoccuper des rues, des maisons ou d'eux-mêmes. Tous étaient trempés et transis ; certains étaient affamés. D'autres, ivres morts, brandissaient des bouteilles à demi pleines de gin d'une main et, de l'autre, un baluchon renfermant leurs maigres possessions.

Ce n'était pas normal. Une sonnette d'alarme retentit dans la tête de Joseph. L'Amérique, n'était-ce pas le pays de cocagne ? Pourquoi comptait-elle tant de sans-abri si terre et logements étaient distribués pour rien ?

Il jeta un coup d'œil à Shannon, afin de vérifier si elle était aussi troublée que lui. Elle le regarda, et il vit sa propre peur et ses propres doutes se refléter dans ses yeux pervenche.

Fugacement, il songea à lui glisser une parole de réconfort à l'oreille, pour tenter de la convaincre qu'ils y arriveraient, quelles que soient les difficultés qui les attendaient dans ce Nouveau Monde si déconcertant.

Puis il se mordit la langue. Shannon était fière. Beaucoup trop fière pour son bien. Jamais elle n'admettrait qu'elle avait peur et il se sentirait idiot. A quoi bon s'embêter pour elle ?

Que McGuire la réconforte si elle avait besoin de réconfort. Après tout, il lui tenait déjà la main.

Soudain, leur cicérone se figea sur place, fixant l'espace droit devant lui. Joseph cligna des yeux, tentant de distinguer quelque chose à travers le rideau de pluie. Deux gangsters, campés au beau milieu de la chaussée, leur barraient le passage. A côté d'eux, le gamin qui avait roulé dans le caniveau paraissait tiré à quatre épingles. Et l'expression de leur visage évoqua à Joseph les chiens sauvages qui tuent davantage pour le sport que pour se nourrir.

L'un d'eux fit un pas vers eux.

— McGuire ! cria-t-il.

L'interpellé lâcha la main de Shannon. Instinctivement, Joseph posa les bagages à terre et empoigna la jeune fille pour la mettre derrière lui.

— Oui ? répondit McGuire avec circonspection.

Joseph perçut la peur dans sa voix.

— Bienvenu de nouveau parmi nous, dit le second malfrat.

Le rictus, sur sa laide figure balafrée, démentait la bienveillance de ses salutations.

En un clin d'œil, les deux gangsters sortirent des revolvers de sous leurs vestes et tirèrent sur McGuire à bout portant. Étreignant sa poitrine, celui-ci s'effondra face contre terre sur la chaussée.

Shannon se mit à hurler et agrippa le bras de Joseph.

— Joseph ! Ô mon Dieu, faites quelque chose !

L'esprit du garçon se mit à carburer à plein régime. Il envisagea une douzaine d'actions, puis les écarta. Il n'y avait plus rien à faire pour McGuire ; il était mort. Son sang coulait parmi les rigoles d'eau qui dévalaient la rue.

Les tueurs se volatilisèrent comme par enchantement. Aussitôt, une demi-douzaine de clochards se ruèrent à l'assaut et dépouillèrent le corps tels des vautours. Déchirant la veste, ils fouillèrent le cadavre tandis que Shannon et Joseph les contemplaient, paralysés par l'horreur.

— Mes cuillers ! hurla Shannon quand elle les vit tomber des poches déchirées et cliqueter sur les pavés dans une gerbe d'éclaboussures.

Elle s'élança dans la boue pour tenter de les récupérer. Joseph bondit à sa suite au milieu de la mêlée et distribua deux ou trois coups de poing. Mais les voleurs, passés maîtres dans leur métier sordide, avaient l'avantage de la rapidité. En un rien de temps, les cuillers d'argent disparurent et la vermine humaine détala comme une meute de rats retournant dans leur trou.

Joseph se remit debout tant bien que mal et tenta en vain d'ôter la boue de son visage avec sa manche.

— Venez, Shannon, dit-il en lui tendant la main.

La jeune fille demeurait inerte dans la fange, le regardant fixement sous l'effet du choc et de l'incrédulité.

— Mes cuillers ! Ils m'ont volé mes cuillers... Je n'ai plus un sou, à présent. C'est Dieu qui me punit, Joseph !

Lui saisissant la main, Joseph remit Shannon sur ses pieds et la soutint par les épaules. La jeune fille tremblait de tous ses membres.

— Pourquoi ? Pourquoi Dieu vous punirait-Il, jeune femme ? demanda-t-il avec une gentillesse inaccoutumée.

— Je... je... sanglota-t-elle en s'accrochant à lui. Je les ai dérobées à ma mère le matin de ma fuite.

Pour ajouter à l'horreur, la pluie redoubla soudain de violence. La foule bouscula les deux jeunes gens enlacés, des chevaux manquèrent les renverser.

Un instinct protecteur, animal, s'éveilla en Joseph. C'était lui, l'homme. Shannon l'avait

146

engagé pour la protéger. Désormais, le moment était venu de passer à l'action. Oui, mais que faire ?

Il scruta la foule, cherchant il ne savait quoi. Brusquement, il repéra le gamin que McGuire avait envoyé dans le caniveau. Légèrement en retrait de la bousculade, il les regardait d'un air méfiant.

Bien qu'il s'efforçât d'afficher l'expression d'un dur, il sauta en l'air quand Joseph pointa l'index sur lui.

— Toi ! cria Joseph parmi le brouhaha de la foule et le crépitement de la pluie torrentielle. Approche !

— Ne lui faites pas confiance, Joseph, dit Shannon avec crainte.

Depuis la perte de ses cuillers, elle avait perdu de son entrain et de son assurance. Joseph, ignorant sa mise en garde, continua de faire signe au garçon de les rejoindre.

Celui-ci s'avança vers eux sans enthousiasme, les pieds traînants et roulant des mécaniques, les mains enfoncées dans ses poches.

— Ouais ? Qu'est-ce que vous m'voulez ?

— Quel est ton nom, mon gars ?

— Dermody.

— Je m'appelle Joseph Donelly et voici Shannon... Donelly, ajouta-t-il après un instant d'hésitation. (Shannon se renfrogna sous ses larmes.) J'ai deux ou trois questions à te poser. Tu ferais bien d'ouvrir grandes tes esgourdes.

— Qu'est-ce que vous voulez savoir ?

— Seulement ceci : un, qui est ce fameux Boss et, deux, où peut-on le trouver ?

Une fumée à couper au couteau, des lumières tamisées, des relents de bière éventée et de sueur, un boucan infernal... l'antre du mal, se dit Shannon quand Dermody la conduisit avec Joseph dans le club plein à craquer de buveurs, de danseuses et d'Irlando-Américains sanguinaires qui entouraient deux boxeurs en train de se battre à mains nues aux milieu de l'immense salle.

Dermody indiqua à ses compagnons le gros costaud qui pulvérisait son adversaire pour la plus grande joie de la foule bagarreuse.

— C'est lui, dit-il. Le Boss. Il s'appelle Mike Kelly. Et le type qu'il affronte, c'est Gordon. Tous deux sont des boxeurs redoutables.

Prenant Shannon par le coude, Joseph, désireux de l'éloigner des combattants, voulut l'entraîner à l'autre bout de la salle.

— Shannon, il vaudrait mieux que vous m'attendiez là-bas.

Elle se dégagea d'une secousse.

— Ne me couvez pas, Joseph ! Ce n'est qu'un match de boxe. Je connais tout sur ce sport barbare, mais fascinant.

Se sentant beaucoup mieux que quand elle gisait dans la rue boueuse, Shannon avait repris du poil de la bête. Elle voulait faire ventre de chaque détail de son nouvel environnement, accueillir toute expérience neuve. Jouant des coudes, pour se mettre au premier rang, elle regarda, ravie, le boxeur que Dermody avait appelé Mike Kelly décocher un autre direct à la face balafrée et tuméfiée de son adversaire.

— Je n'aurais pas cru que vous étiez si bien renseignée dans ce domaine, maugréa Joseph d'un ton sec.

— Savoir lire présente certains avantages, rétorqua-t-elle avec suffisance.

Soudain, quelque chose d'humide et de chaud lui gicla au visage. Affolée à l'idée qu'il pût s'agir de la transpiration des boxeurs, elle prit son mouchoir et s'essuya la joue. Un horrible liquide rouge souillait le fin coton. Du sang ! Elle avait été éclaboussée du sang de Gordon !

Elle hurla et sentit ses jambes se dérober sous elle.

Tous les yeux se tournèrent dans sa direction tandis qu'elle poussait des cris d'orfraie. Les lutteurs eux-mêmes s'interrompirent pour la considérer. Mike Kelly la contempla avec stupéfaction. Le poing vigoureux de Gordon jaillit comme une fusée et s'écrasa sur sa mâchoire.

Kelly s'effondra sur ses genoux, fixa un moment Shannon de ses yeux vitreux, puis tomba tel un orme abattu sur le sol, où il demeura immobile.

Gordon s'agenouilla auprès de lui, plus inquiet que jubilant.

— Désolé, Mike, marmonna-t-il en secouant l'homme à terre par les épaules.

Un silence anormal s'abattit dans la salle, chargé de peur. A l'unisson, tous les hommes se tournèrent pour observer Shannon. Embarrassée, la jeune fille jeta un coup d'œil à Joseph, qui semblait aussi perplexe qu'elle, puis à Dermody.

Celui-ci haussa les épaules et esquissa un piètre sourire anxieux.

— Ah... Mike n'est pas jouasse quand il perd, expliqua-t-il.

Un barman ventripotent se dirigea vers le boxeur K.-O. et lui lança un seau d'eau froide au visage. Tout le monde effectua un prudent repli. Le costaud grogna et, se redressant à quatre pattes, se traîna parmi les rangées de bottes jusqu'à se retrouver à deux pas de Shannon.

La jeune fille eut un léger mouvement de recul, puis elle se campa fermement sur ses jambes. Elle refusait de céder à l'intimidation, bien qu'elle tremblât comme une feuille.

— Vous m'avez distrait, dit Kelly dans une bouillie sanglante tandis qu'un filet écarlate suintait de sa bouche sur son menton.

Shannon demeura interdite. Avant qu'elle n'eût pu concocter la moindre réplique, Joseph se jeta entre le costaud et elle.

— Vous manquiez totalement de concentration, fit-il sur le ton de la constatation.

Plusieurs hommes, y compris le barman, restèrent bouche bée devant sa témérité. Apparemment, peu de gens donnaient leur avis à Mike Kelly, le Boss.

L'homme se redressa; Shannon retint son souffle. Elle dévisagea Joseph et reprit du cœur au ventre en ne lisant nulle trace de peur sur ses jolis traits. Elle ressentit un zeste de fierté à l'idée qu'il lui servît d'escorte.

Kelly fourra les doigts dans sa bouche, en sortit une dent qu'il balança d'une chiquenaude avec indifférence.

— Un p'tit gars plein de cran du Connemara, dit-il en examinant Joseph de la tête aux pieds. Suis-moi.

Il se hissa sur ses pieds et s'éloigna en boitillant, Joseph sur ses talons. Quand Shannon s'apprêta à leur emboîter le pas, Kelly fit volte-face.

— Pas vous, jeune péronnelle. J'ai perdu une dent à cause de vous.

Shannon se redressa de toute sa hauteur et leva le menton.

— Là où Joseph va, j'y vais aussi...

— Mon nom est Mike Kelly! brailla le Boss à son adresse, la faisant sursauter. On ne discute pas avec moi! (Il se tourna vers Joseph.) Qui est cette greluche excitée... Ta femme?

— Certainement pas! s'exclama Shannon, indignée à cette seule pensée.

— Alors, qui diantre êtes-vous, jeune effrontée, pour oser fréquenter mon club?

Shannon ouvrit la bouche, mais aucune parole ne franchit ses lèvres. Elle jeta un regard désespéré à Joseph; le garçon souriait, aux anges.

— C'est ma sœur, répondit-il.

Kelly secoua la tête et partit d'un rire tonitruant.

— Une sacrée enquiquineuse, pas vrai ? grogna-t-il. (Puis, se tournant vers la salle bruyante et bondée, il beugla :) Faites vos paris, messieurs !

Il s'éloigna. Joseph s'élança à sa suite. Shannon l'agrippa par le bras. Il était grand temps de mettre un terme à cette mascarade avant que la situation ne lui échappe des mains.

— Voulez-vous, *s'il vous plaît*, cesser de répéter à tout bout de champ que je suis votre sœur ! Je n'ai aucune envie de crier sur les toits que je suis apparentée à un extracteur de tourbe de votre espèce !

Joseph se hérissa. Penchant la tête vers celle de Shannon, il chuchota :

— Shannon, nous sommes ici parmi *les miens*. Et *les miens* n'ont aucune tendresse pour *les vôtres*. Au vrai, ces gens-là vous haïssent jusqu'à la moelle.

Shannon jeta un regard furtif alentour. Elle ne désirait pas encourir la colère de cette racaille sans foi ni loi.

— Or, poursuivit Joseph, pour quelque raison obscure que je ne démêle pas, je souhaite maquiller la vérité en votre faveur. A vous de choisir : soit je mens pour vous couvrir, soit nous leur disons sur-le-champ que vous êtes une riche protestante... A votre gré ! Ce serait peut-être drôle de voir leur réaction s'ils l'apprenaient.

Pour la première fois de sa vie, Shannon se fit l'effet d'être une étrangère, détestée et indésirable. Et elle n'apprécia guère cette impression-là.

Mais du moins avait-elle les pieds sur terre. Elle appartenait à la race de ceux qui survivaient. Elle était dotée de la force et du bon sens qui lui permettaient de faire le nécessaire quand les circonstances l'exigeaient.

— Non, Joseph, chuchota-t-elle en retour. Il est inutile de les mettre au courant. Pour le moment, vous serez mon frère.

Une expression triomphante illumina le visage de Joseph, traduisant la victoire qu'il venait de remporter sur Shannon. Celle-ci, à cette vue, eut envie de le gifler.

— Attendez-moi, ordonna-t-il. Et tenez votre langue de snob si vous ne voulez pas qu'elle nous précipite dans d'autres ennuis.

En le regardant s'éloigner, Shannon se jura qu'elle lui ferait payer un jour cet affront d'une gifle retentissante. Après, elle se sentirait beaucoup mieux.

Tandis qu'il talonnait Mike Kelly, Joseph ne put s'empêcher d'éprouver une bouffée de suffisance. Quelle satisfaction d'avoir le dernier mot, avec cette maudite fille, pour changer ! Ici, en Amérique, du moins dans ce tripot ce soir-là, c'étaient *ses* pareils qui détenaient l'autorité, et c'était *elle* qui se retrouvait minoritaire.

A proximité d'un piano déglingué, Joseph, captivé, aperçut trois jeunes personnes seulement vêtues de culottes fantaisie et de guêpières moulantes. A cette vue, il faillit se faire un croche-pied. Jamais, au grand jamais, il n'avait vu pareil étalage de seins pigeonnants et de chair dénudée.

Les trois grâces, outre qu'elles avaient le plus cruel besoin d'habits décents, fumaient des cigarettes. Le fait, également, était nouveau pour Joseph et il dut prendre sur lui pour ne pas béer d'étonnement.

Ses frères parlaient à voix basse de ces femmes qui arpentaient les rues écartées de Dublin ou de Limerick, et ces histoires chuchotées avaient obsédé les nuits de Joseph, tandis qu'il reposait sur sa couche, à s'en remémorer chaque bribe fragmentaire mais chargée d'érotisme.

Une des filles, une petite brune aux seins énormes qui menaçaient — ou promettaient — de jaillir d'un instant à l'autre de leur prison de dentelle, lui adressa une œillade, assortie d'une moue dont il n'avait jamais vu la pareille, mais pour laquelle point n'était besoin d'interprète.

Une chaleur moite envahit son entrejambe et Joseph se sentit aussitôt mal à l'aise. Peut-être son père avait-il eu raison de le mettre en garde contre de telles créatures. Celle-ci avait tout l'air d'être le genre de femme à le mener droit dans les flammes de l'enfer... s'il en jugeait par la brûlure de son bas-ventre.

— Ne va pas dépenser ton oseille avant de l'avoir gagnée ! s'écria Kelly dans un gloussement. Je ne t'ai pas encore trouvé de job.

Renonçant aux filles et à la tentation, Joseph se dirigea vers le bureau derrière lequel s'était assis le Boss, un grand registre étalé devant lui.

— Comment tu t'appelles ? demanda-t-il sans même lever les yeux sur Joseph qui prenait place en face de lui.

— Joseph Donelly, répondit le garçon avec fierté.

Kelly, apparemment pas impressionné pour deux sous, inscrivit le nom dans le registre.

— C'est mon Domesday Book, Donelly, dit-il. Une fois que tu y figures, tu m'appartiens. Si tu as des ennuis, tu viens me trouver. Si tu m'en causes, c'est moi qui viens te trouver. Pigé ?

Joseph n'apprécia pas des masses, mais il n'était pas en position de négocier — pour l'heure, il n'avait ni argent, ni toit, ni travail.

— Je ne souhaite pas m'installer à Boston. Je veux m'en aller dans l'Ouest pour avoir de la terre.

Un rugissement de rire se répercuta en écho dans la salle, coupant net sa réplique à Kelly, et Joseph entendit une voix familière hurler :

— Bas les pattes, ou je vous arrache les yeux !

Il aperçut Shannon entourée d'une bande d'ivrognes conduite par Gordon. Tous rigolaient, égrillards, tandis que le boxeur soulevait l'ourlet de sa robe avec une queue de billard.

Parmi les rires gras, il chanta :

C'était un petit trottin.
Elle s'ap'lait Biddy McMack.

Elle mène maint'nant une vie de rupin
A tapiner gaiement pour son mac.

Rapide comme un trait, Joseph fendit la foule, arracha la queue de billard de la main de Gordon et la brandit de façon menaçante à la figure du costaud.

— Je vous prierai de laisser cette jeune fille tranquille, dit-il, pointant le menton vers Shannon toujours adossée à une table de billard, le teint crayeux, les yeux dilatés.

— Eh bien, ne vous gênez pas, priez-moi, répliqua Gordon, moqueur.

— Je n'ai pas envie de me battre avec vous, riposta Joseph.

Gordon ricana.

— Il n'a pas envie de se...

Dans un son mat, Joseph écrasa son poing sur la mâchoire du boxeur. C'était parti !

Environnée d'hommes braillant des encouragements et des paris, Shannon se couvrit les yeux de sa paume lorsque Joseph essuya un coup sévère à la face. Mais le garçon accusa le choc et riposta par un direct du droit, puis un autre, et encore un autre.

Il ne fallut guère plus de deux minutes aux observateurs pour comprendre que Joseph était le plus agile et le plus talentueux des deux boxeurs... sans parler de sa hargne.

— Approche donc, âne bâté ! persiflait-il, que je te tape dessus !

En professionnel inspiré, il poursuivit Gordon à travers la salle, le matraquant d'uppercuts et de crochets. Les spectateurs étaient en extase. Le nouveau venu avait un style qui différait radicalement de celui de tous les boxeurs qu'ils avaient eu l'occasion de voir. Respectant les règles du marquis de Queensbury, les combattants demeuraient généralement de part et d'autre de la ligne, envoyant des droites au corps jusqu'au knock-out qui terminait le round. Ils frappaient à la face, en particulier sur le nez et la bouche, s'efforçant d'éviter le reste de la tête, afin de ne pas se briser les phalanges. Leurs coups étaient directs et pleins de mordant.

Chaque boxeur avait son style, mais aucun n'esquivait les coups. Joseph, lui, sautillait çà et là, tournait autour de son adversaire, plaçant ses swings et ses crochets, parant ceux de Gordon.

En retrait du cercle des badauds, Dermody et quelques autres esquissaient des mouvements dans l'air, essayant de reproduire ceux de Joseph.

Enfin, Joseph accula un Gordon exténué et désorienté contre un baricaut de bière. Un autre coup, et le costaud y tomba fesses les premières, ses bottes gigotant dans le vide.

Joseph fit volte-face, jubilant d'avoir défait son adversaire, les poings levés pour remettre ça si nécessaire, et se retrouva face à face avec Mike Kelly.

— Bien, fit celui-ci, se caressant pensivement le menton. Tu as mis K.-O. le type qui m'avait mis K.-O. Je ne suis pas certain d'apprécier... (Puis il cria à l'adresse de la foule:) Faites vos paris, messieurs!

Les hommes se pressèrent autour de Joseph, tous parlant à la fois, transportés par la qualité du combat auquel ils venaient d'assister, ébahis par ce jeunot et son étrange technique. Joseph se pavanait comme un paon.

Du coin de l'œil, il vit la plantureuse brunette descendre de la scène et se diriger nonchalamment vers lui, histoire de le regarder de plus près.

Malgré lui, Joseph ne tenait plus en place. C'était simplement trop merveilleux. Toute cette attention! Toute cette vénération! Il esquissa une gigue triomphale.

Shannon elle-même, malheureuse jeune fille qu'elle était, affichait une expression de respect toute neuve, voire d'adulation. La tête haute, elle s'avança d'un pas désinvolte vers Gordon, toujours coincé dans sa barrique.

— Cela vous apprendra! s'écria-t-elle en lui enfonçant l'index dans la poitrine.

Le boxeur entreprit de sortir du tonneau, pareil à une baleine faisant surface pour respirer. Poussant un couinement de souris, Shannon se replia vers Joseph et lui agrippa le bras.

— Dermody! brailla Mike Kelly du sein de la foule.

Le garçon maigrichon apparut aussitôt.

— Oui, m'sieur Kelly!

Le Boss lui lança une pièce de monnaie.

— Il est temps de mettre les bouts. Prends

les bagages. On va emmener ce bagarreur et la fille chez Molly Kay.

Un logis ! Un toit au-dessus de sa tête, et c'était seulement sa première nuit en Amérique ! Joseph sourit jusqu'aux oreilles. Oui, vraiment, c'était ce qui ressemblait le plus à un moment parfait dans l'existence qu'il avait vécue sur la bonne terre de Dieu !

7

Avec tout l'apparat digne d'un Boss, Mike Kelly descendait la rue, traînant son escorte en remorque.

— 'soir, les gars ! Salut, Tim ! criait-il, gratifiant ses électeurs de larges sourires et de poignées de main à vous broyer les doigts. Content de vous voir, les amis !

A la place d'honneur, le dernier héros en date du cercle de boxe irlandais le talonnait, Joseph Donelly lui-même, Shannon toujours suspendue à son bras. Le petit Dermody lambinait derrière, peinant sous la montagne de bagages de la jeune fille.

— Vous savez boxer, m'sieur, pour sûr, dit-il, légèrement haletant. Où vous êtes-vous entraîné ?

Joseph bombait le torse, mettant à rude épreuve les boutons de sa chemise, laquelle chemise semblait avoir rétréci depuis le matin.

— Mes frères me battaient comme plâtre, en Irlande, expliqua-t-il. Jusqu'à présent, je n'avais jamais eu l'honneur de ne combattre qu'*un* homme à la fois. C'est la première fois de ma vie que je goûte à la douceur de la victoire.

Kelly tourna la tête et jeta par-dessus l'épaule :

— La victoire est l'unique saveur qui ait cours ici, Donelly. Un bagarreur hors pair de ton espèce est promis à un bel avenir. Ça te dirait de vivre de la boxe ?

Joseph réfléchit un moment à la proposition. La gloire, l'argent, les beautés pulpeuses se battant sur scène pour être aux premières loges afin de mieux le voir... Puis il secoua la tête.

— Non, merci. Ce n'est pas dans ma nature de me battre pour du fric.

Shannon, qui était restée silencieuse anormalement longtemps, ne put tenir sa langue davantage. Joseph avait suffisamment eu la vedette, c'était son tour.

— J'ai l'intention, monsieur Kelly, déclara-t-elle, d'aller dans l'Ouest pour avoir de la terre.

— Shannon, s'écria Joseph en lui lançant un regard désapprobateur, n'embêtez pas ce monsieur avec ça !

Le toisant, elle poursuivit :

— J'aurai un ranch et j'y élèverai des chevaux.

— Voûs ? Espèce de petite pionnière à la noix ! (A son humiliation, Kelly l'écarta d'un geste sans même l'honorer d'un coup d'œil.) Vous feriez mieux de rester avec votre frère.

Il a les mains noires et calleuses d'un homme qui connaît la terre. Ce sont des gars comme lui qui ouvriront ce pays. Salut, Jake, comment va ?

Furibarde, Shannon regarda Joseph et le vit rayonner sous l'éloge. D'un geste brusque, elle libéra son bras et s'écarta de lui, froissée. Cet insupportable vantard, ce sale bouseux arrogant, ce... ce plébéien égoïste ! Sa mère l'avait bien jugé. Ces gens-là ne méritaient pas l'air qu'ils respiraient ni la terre qu'ils foulaient. Ils n'avaient d'autre finalité que de rendre l'existence plus agréable aux aristocrates.

Du coin de l'œil, elle observa Joseph qui, la pupille ronde de fascination, examinait les rues sales, les bâtisses miteuses et décrépies.

— Quelle ville, hein, Shannon ? s'exclama-t-il. Quelle animation ! Il se passe quelque chose partout où on porte le regard !

— Peuh ! marmonna-t-elle, la lèvre pincée par le dédain.

Soudain, trois jeunes Irlandais surgirent d'une venelle voisine, poursuivis par quatre adolescents au teint mat qui les couvraient de jurons et de menaces en italien. Shannon poussa un cri de Mélusine et agrippa derechef le bras de Joseph.

En un éclair, Mike Kelly s'était jeté au milieu de la mêlée.

— Fichez le camp, sales Ritals ! cria-t-il. (Avec ses moulinets de bras et ses trépignements, il était fort impressionnant et les agresseurs s'enfuirent dans la ruelle.) Maudits

Italiens ! rugit-il en crachant par terre. Ils débarquent comme les vagues et prennent les boulots des Irlandais. Boston est une ville irlandaise... et elle le restera, foi de Kelly !

Joseph et Shannon assistèrent à cet accès de colère en proie à un mélange d'admiration et de crainte. Quel pouvoir détenait cet homme ! Quel formidable ennemi il devait être ! Ils pouvaient s'estimer heureux qu'il les ait pris en amitié...

Comme s'il changeait constamment de masque, Kelly poursuivit sa route et tendit la main au premier homme qu'il rencontra, son air renfrogné cédant la place à un sourire de triomphe.

— Hello, Frank ! Salut, les gars...

Joseph et Shannon suivaient, tels les enfants charmés par le légendaire joueur de flûte de Hammeln.

— C'est un type joliment fort, ce Mike Kelly, chuchota Joseph à l'oreille de Shannon. Et il m'a à la bonne. Il m'a appelé bagarreur.

— Peuh !

Ce ne pouvait être leur destination, pensa Shannon, tandis que Mike Kelly les conduisait, Joseph et elle, ainsi que le petit Dermody — qui se coltinait toujours les bagages —, à la porte d'une maison miteuse et branlante. L'endroit, jadis, avait dû être très beau, à en juger par les arabesques tarabiscotées qui couraient le long des chevrons et au-dessus du linteau. Mais les jours de gloire de la demeure avaient vécu et, avec sa peinture écaillée et ses volets de guingois, elle n'était plus que le pâle reflet de sa splendeur passée.

Au moment où Kelly s'apprêtait à pousser le battant, celui-ci s'ouvrit à la volée sur une femme d'âge mûr. A l'instar des lieux qu'elle habitait, elle n'était plus de la première jeunesse, mais des vestiges de sa joliesse subsistaient. Avec ses cheveux d'or terni et le réseau de rides qui marquait le coin de ses yeux bleu vif, elle paraissait avoir davantage souri que boudé.

Shannon examina d'un coup d'œil les vêtements voyants et se demanda s'il était convenable de porter du satin écarlate et pourpre. Mais elle en resta là dans son appréciation quand elle vit ce que la femme avait à la main : un énorme rat qu'elle tenait par la queue. La bête était hideuse, ses yeux noirs en bouton de bottine toujours ouverts, ses dents dénudées sur un rictus macabre, sa robe pelée souillée du sang du piège.

Shannon sentit son cœur cesser de battre, puis elle poussa un cri perçant et manqua s'évanouir.

Les hommes se moquèrent d'elle, ajoutant l'humiliation à la peur.

La femme haussa un sourcil et dit d'un ton sarcastique :

— C'est aussi déplaisant pour vous que pour moi, ma choute.

Et, d'un revers du poignet, elle lança la créature flasque au milieu de la rue.

Était-ce ce à quoi ressemblaient les Américaines ? pensa Shannon, alarmée. C'était une chose d'être moderne, mais une femme devait avant tout rester une lady. Et une lady ne touchait pas un rat mort; encore moins le balançait-elle négligemment sur la chaussée.

Mike Kelly pénétra dans la maison sans attendre d'y être convié. Joseph voulut lui emboîter le pas. Shannon le retint. Il était hors de question qu'elle mette le pied dans cette maison sinistre qui servait d'asile à des rongeurs de cette taille.

— Voilà un gentil petit couple, Molly, dit Mike Kelly en désignant Joseph et Shannon. Ils ont besoin d'une chambre.

Molly examina les deux jeunes gens avec l'œil avisé d'une femme d'affaires. Son regard s'attarda sur Shannon, la jaugeant.

— Vous avez de la chance, dit-elle. Nous avons eu un suicide pas plus tard que ce matin.

L'estomac de Shannon, guère solide, se révulsa. Cette femme voulait leur donner une chambre où quelque pauvre être infortuné s'était ôté la vie ? On allait voir ce qu'on allait voir !

— Venez, ordonna Mike Kelly, leur faisant signe d'entrer. J'ai d'autres chats à fouetter.

Molly tint la porte ouverte, s'attendant manifestement que Shannon et Joseph suivent le mouvement.

— Je *n'entrerai pas* ici ! siffla Shannon au bénéfice du seul Joseph.

Le garçon pencha la tête vers la sienne.

— Comment ? Et pourquoi cela ?

— Il y a... des rats... et... et cette femme a l'air d'une créature de... de mauvaise vie.

— Des rats, il y en a certainement de plus maousses dans les caniveaux et les ruelles de cette ville doivent regorger d'assassins patentés... Et c'est là que nous passerons la nuit si vous vous entêtez dans votre stupidité !

Shannon médita un moment ces paroles, évoqua les rues qu'ils venaient de prendre et conclut que Joseph parlait d'or. Seigneur, qu'elle le détestait d'avoir si souvent raison !

A contrecœur, elle laissa Joseph la traîner jusqu'à un vestibule sombre. Une fumée, épaisse et rance, saturait l'atmosphère, rendant l'air irrespirable. D'autres odeurs, humaines et aigres, aggravèrent la nausée de la jeune fille. Quel taudis ! Cela ne correspondait pas du tout à l'idée qu'elle s'était faite de son premier gîte en Amérique. Mais, aussi bien, rien, jusqu'alors, dans ce pays n'avait convenu à son attente.

Molly les conduisit au fond de la maison. Shannon ne put s'empêcher de remarquer les tableaux fort abîmés sur les murs. Ils représentaient des femmes en tenue plus que légère, aux silhouettes beaucoup plus charpentées et arrondies que la sienne. Elle piqua un fard à cette vue et s'obligea à détourner le regard. Mais elle vit Joseph lorgner les peintures avec le plus vif intérêt et la colère qui montait en elle lui donna envie de lui bourrer les côtes de coups de coude.

— A l'origine, expliqua Molly, cette maison était un bordel.

De nouveau, Shannon nota la curiosité de Joseph et sa colère ne fit que croître et embellir. Deux portes s'ouvrirent tandis qu'ils enfilaient un corridor sombre. Deux filles parurent ; à côté de la leur, la tenue de Molly semblait un modèle de décence et de chasteté. L'une portait une camisole sale et un pantalon, l'autre un mince déshabillé.

— Un bordel ? répliqua Joseph, les yeux rivés aux filles qui appréciaient manifestement son intérêt. Vraiment ?

— Ouais. Et ça l'est toujours.

Shannon manqua défaillir. Ces filles étaient des... des prostituées ? Dieu tout-puissant ! Si sa mère savait où se trouvait sa rejetonne, elle en mourrait sans doute d'une crise cardiaque sur-le-champ.

Désemparée, Shannon regarda Joseph, espérant puiser quelque réconfort sur son beau visage. Il avait été son sauveur une fois déjà ce jour-là. Peut-être allait-il encore venir à sa rescousse.

Mais, à sa grande horreur, elle vit qu'il était tout à fait satisfait de leur sort... ravi, même.

— Y a-t-il des clients, là-dedans, mesdemoiselles ? demanda Kelly aux jeunes femmes sur leur seuil. Comment vont les affaires, ce soir ? Dermody, fais une annonce.

Le gamin respira un bon coup, rejeta la nuque en arrière et brailla :

— Le BOOOSSS !

168

Aussitôt, des hommes se ruèrent hors des chambres en remontant leurs pantalons et en rentrant les pans de leurs chemises. Des femmes dévêtues les suivirent; aucune ne paraissait avoir la moindre vergogne pour ce qui avait trait à son costume ou à son occupation. L'humiliation de Shannon était consommée.

Molly posa la main sur le bras de Kelly.

— Pas de campagne électorale, Mike! Pas chez moi, et aux heures de boulot, qui plus est!

— Du calme, Molly! Ces hommes-là attachent plus d'importance à la politique qu'au sexe.

Molly grogna et repoussa une mèche d'or terni derrière l'oreille.

— Mon œil! (Elle se tourna vers Joseph et Shannon.) Je m'excuse pour ce parfum de scandale, mes enfants, dit-elle avec un fonds de sincérité. Je ne suis pas fière de ma vie de turpitude, mais... mon mari m'a quittée pour une couturière.

Shannon pensa que les remords de Molly étaient, au mieux, douteux; pour une fois, cependant, elle se garda d'ouvrir la bouche.

Kelly saisit une chaise branlante dans une chambre, se percha dessus et prit une pose majestueuse.

— Dieu vous pardonne! beugla-t-il. Bonsoir, les gars! Est-ce que Jimmy Dunne est là? (Le dénommé Dunne recula vers la porte tout en ajustant ses bretelles.) Hello, Jimmy! J'ai taillé une petite bavette avec ta femme pas plus tard qu'aujourd'hui...

Pendant que Kelly pontifiait, jetant dans l'embarras chacun des hommes à tour de rôle, Molly entraîna Joseph et Shannon dans le couloir. Joseph souriait jusqu'aux oreilles à l'adresse des prostituées qui le dévoraient de leurs yeux outrageusement fardés. Shannon, furibarde, contenait sa rage à grand-peine.

Molly indiqua une porte fort éraflée qui, comme le reste de la demeure, avait bien besoin d'un coup de peinture.

— La salle de bains, fit-elle. Ne vous y éternisez pas. C'est la seule de la maison. Et voici votre chambre.

Molly ouvrit le battant du coude. Shannon sentit la panique bouillonner dans sa gorge.

— Vous ne voulez pas dire que nous allons *partager* cette chambre, j'espère ? demanda-t-elle, redoutant la réponse.

Tout était allé de travers depuis qu'ils avaient débarqué de ce maudit navire ! Pourquoi les choses s'arrangeraient-elles ?

— Bien sûr que non, riposta Molly. Vous n'avez pas à la partager, mon chou. Vous l'aurez pour vous tout seuls.

— Non, non et non ! Il nous faut *deux* chambres ! s'écria Shannon, s'efforçant de ne pas hurler.

— Je n'en ai pas d'autre. Mais c'est suffisant pour un jeune couple qui débute.

— Nous ne sommes pas mariés !

Choquée, Molly barra l'entrée de la pièce.

— Tiens donc ! Eh bien, écoutez-moi ! Je n'ai pas jeté *tous* mes scrupules aux orties. Si vous

souhaitez habiter sous mon toit, vous avez intérêt à vous dégoter un prêtre vite fait !

Joseph gloussa et serra Shannon dans une
étreinte fraternelle.

— J'ai peur que vous ne vous mépreniez,
Molly, ma chère, dit-il de son ton le plus char-
meur. Shannon est ma douce et tendre sœur.

Molly sourit, manifestement soulagée.

— Ah ! Et si rapprochés en âge... Vous avez
dû vous chamailler depuis le berceau. Eh bien,
mes enfants, il va vous falloir supporter les
désagréments de la vie de famille, je le crains.

Shannon maîtrisa sa panique.

— Mais... mais je *dois* avoir ma chambre.
Vous ne comprenez pas...

— Je n'ai que celle-là. (Molly se détourna et
cria à travers le corridor :) Mike ! Qu'est-ce que
tu m'as amené là ? Cette fille n'arrête pas de
ronchonner à propos de...

Joseph saisit Molly par le bras et l'obligea à
lui faire face.

— La chambre est parfaite, Molly. Nous la
prenons. Et nous vous en sommes infiniment
reconnaissants, vraiment, ajouta-t-il en foudroyant Shannon du regard.

Molly succomba incontinent au charme
Donelly.

— Ah, voilà qui me fait plaisir ! (Elle
s'appuya tout contre Joseph.) Votre sœur est
une enfant gâtée, hein ?

Gâtée ? Elle ? Shannon attendit que Joseph
prenne sa défense, mais il n'en fit rien. Il restait planté là, à sourire à cette... à cette... catin !

— Dans ce cas, déclara Shannon avec un mouvement hautain de la tête, jamais je ne...

— Ça, l'interrompit Molly en gloussant, je le crois ! Mais si vous demeurez ici, vous le ferez avant longtemps... comme nous toutes.

Molly pirouetta sur son talon de bottine et s'éloigna dans le corridor, balançant les hanches et adressant à Shannon, par-dessus son épaule, un irritant sourire d'autosatisfaction.

— Avez-vous entendu... Avez-vous entendu ce qu'elle m'a dit ? bégaya Shannon en tirant le bras de Joseph. J'ai cru comprendre que je pourrais un jour... que je pourrais...

Elle ne put se résoudre à prononcer le mot. Elle ne parvenait pas même à y penser. En fait, elle se demandait si elle l'avait jamais *entendu*.

— Bah, à votre place, je ne me tracasserais pas pour si peu, dit Joseph, riant sous cape tandis qu'il faisait entrer Shannon dans leur nouveau logis. Elle ne voulait sûrement rien dire de spécial. Les femmes parlent souvent à tort et à travers.

Sans avoir le temps de s'indigner à propos de ce commentaire antiféministe en diable, Shannon aperçut la chambre qui allait être son chezelle. Elle en eut la respiration coupée.

La pièce, minuscule, était abominable, bien pire que le réduit de la plus misérable servante sur le domaine de son père. Ah ! Même son cheval était logé mieux que ça !

Pour tout ameublement, il n'y avait qu'un paravent branlant orné de dessins fanés de femmes légèrement vêtues et un lit boiteux qui avait l'allure d'un vieux chien tenant à peine sur trois pattes, après avoir perdu la quatrième lors d'un infortuné combat contre un molosse plus costaud.

Les murs, naguère tapissés d'un papier pailleté rose et lilas, étaient maculés et l'on voyait le plâtre là où la tapisserie avait été arrachée, se cloquait ou pelait. L'unique fenêtre était cassée, et ce qu'il restait du carreau était si sale que seule une lumière tamisée filtrait à travers la crasse. Le plafond était auréolé d'un large cercle sombre, percé d'un trou en son centre, par où passait la pluie.

Shannon se tourna vers Joseph, prête à lire la même horreur sur son mâle visage. Mais — ô stupeur ! —, il semblait extatique.

— Somptueux ! s'exclama-t-il en se dirigeant vers le lit et en touchant le marchepied de fer gauchi. Tout bonnement somptueux ! Il faudra faire un ou deux colmatages ici et là, mais mes frères et moi partagions en Irlande une chambre qui n'était pas moitié aussi grande que celle-ci. (Il alla à la fenêtre, remit fièrement d'aplomb un rideau grisâtre et loqueteux.) Regardez ! On a une fenêtre ! Quel luxe, hein, jeune femme ? (Shannon ne répondant pas, il tourna la tête vers elle et la scruta avec attention.) Ah, vous êtes déçue ! (Puis il se remit à regarder audehors.) Pourquoi ne repartez-vous pas par ce bateau pour retourner chez vous ? Il est manifeste que tout cela n'est pas votre tasse de thé. En ce qui me concerne, l'Amérique me convient à merveille. *Je suis un homme moderne.*

Shannon se hérissa.

— Ne m'échauffez pas les oreilles, mon ami ! Si vous sous-entendez que je suis incapable de supporter quelques rigueurs temporaires, vous vous trompez lourdement. Allez chercher mes bagages et défaites-les. Je vais me débarbouiller dans la salle de bains.

Le menton levé, l'image même de la détermination, Shannon sortit bruyamment de la chambre, faisant claquer la porte derrière elle. D'un pas aussi résolu, elle prit le corridor, feignant d'ignorer les prostituées gloussantes qui la scrutaient au passage.

Elle ouvrit la porte de la salle de bains à la volée et se faufila dans la pièce avec la grâce d'une princesse. Une fois le battant refermé, cependant, tout courage l'abandonna. Parmi des bouilloires sifflantes et des sous-vêtements en train de sécher, elle s'effondra sur un banc et, se couvrant le visage de ses mains, se mit à pleurnicher comme un chiot perdu.

— O mon Dieu, qu'ai-je fait ? gémit-elle. Dans quel pétrin me suis-je fourrée ? Comment me tirer de ce guêpier ?

Ce fut le pire moment de sa vie. Au bout de tant d'années d'espoirs et de projets, elle avait enfin réalisé son rêve. Et celui-ci était un cauchemar.

Soudain, par-dessus le bruit de ses violents sanglots, elle perçut un clapotis d'eau. Cessant immédiatement de pleurer, elle jeta un œil entre ses doigts au grand tub de cuivre installé contre le mur opposé. Un homme... un homme costaud et affreux... un homme costaud, affreux et *nu* sortait de la baignoire en tirant sur un barreau de chaise.

— Coucou, ma mignonne ! dit-il en la regardant lascivement. La jolie petite traînée que voilà ! *Vous* ai-je déjà eue ?

Avec un sourire d'ogre affamé, il se dressa hors de l'eau, et il ne fallait pas être grand clerc pour deviner ses intentions.

Shannon fut incapable de hurler. Elle avait une frousse du diable et l'air avait fui ses poumons. Poussant un minuscule piaulement terrifié, elle détala en direction de la porte.

Cette fois, elle ne prêta aucune attention aux filles tandis qu'elle se ruait vers sa chambre. Elle ne les vit même pas. Elle ne voulait qu'une chose : être à des lieues de ce monstre en costume d'Adam et retrouver Joseph.

Elle referma la porte avec fracas et s'adossa au battant. Joseph, agenouillé près du lit, réparait le pied cassé. Il la regarda.

— Resalut, dit-il avec un sourire qui la revigora bien plus qu'elle ne voudrait jamais l'admettre. Vous avez fait fissa. (Il se releva et épousseta ses paumes.) Que préférez-vous — le lit ou le plancher ?

Shannon ne prit pas même le temps de réfléchir.

— Le lit, cette question !

Il sourit, puis, tendant la main vers le matelas, attrapa une punaise entre le pouce et l'index. Avec une nonchalance étudiée, il écrasa la bestiole et la lança dans la chambre.

— C'était la réponse que j'attendais.

Joseph était couché sur le plancher, avec, pour toute literie, la couverture dont il s'était enveloppé. Mais elle n'avait pas de trous et le plafond, pour l'instant, ne fuyait pas, ce qui, l'un dans l'autre, constituait une amélioration insigne de sa situation par rapport à sa vie en Irlande. Shannon était allongée à l'autre bout de la pièce; d'instinct, Joseph sentait que le corps de la jeune fille était aussi tendu et raide que les planches sur lesquelles lui-même reposait. Il songea au moelleux matelas de plume et aux draps de fil qu'elle avait quittés dans sa chambre à fanfreluches et rit sous cape. C'était une enfant gâtée... Il était temps qu'elle apprenne une ou deux petites choses.

Il ne doutait pas une seconde que, ce soir-là, Shannon Christie s'était déshabillée pour la première fois de sa vie dans la même chambre qu'un homme fait. En toute honnêteté, c'était aussi la première fois que lui-même s'était dévêtu en présence d'une femme.

Ils étaient convenus d'un arrangement: Joseph devait regarder l'est et Shannon l'ouest; apparemment, aucun des deux n'avait transgressé la règle établie. Mais — faut-il le dire? —, la mâle curiosité de Joseph avait eu le dessus... sauf que, juste au moment où il avait cru apercevoir quelque chose d'intéressant, Shannon avait plongé sous ses couvertures.

Depuis qu'ils avaient éteint, Joseph avait tenté à plusieurs reprises de nouer conversation. Il en avait été pour ses frais. A présent, il était certain que la jeune fille avait sombré dans le sommeil. Lui, en revanche, ne pouvait même pas songer à dormir, tellement il était excité par les nombreux événements qu'ils avaient vécus ce jour-là. Son corps était légèrement endolori des suites du combat au club ; mais, surtout, Joseph était on ne peut plus satisfait de lui et de son sort.

Un bruit, soudain, troubla sa tranquillité d'esprit... Des ressorts grinçaient derrière la cloison ; les grognements qui ne tardèrent pas à suivre finirent par lui taper sur les nerfs bien davantage que les cris et les bruits de lutte qui venaient de quelques ivrognes dans la rue. Il pensa à Shannon, si proche et pourtant si lointaine, si douce et si jolie, et pourtant d'une froideur si hautaine. Il serra les dents et ferma très fort les paupières, s'efforçant de ne pas voir les images — floues, certes, mais embarrassantes — qui défilaient dans sa tête.

Un coup de pistolet retentit et les cris audehors s'interrompirent un moment. Il entendit Shannon sursauter et haleter.

— Vous êtes réveillée, Shannon ? demanda-t-il, brûlant d'engager la conversation.

N'importe quoi pour chasser cette inexplicable pulsion sexuelle de sa cervelle et de son corps.

— Pas du tout, Joseph, je dors comme un loir. Qu'y a-t-il ? ajouta-t-elle, l'air mi-irritée, mi-effrayée.

Il glissa un bras sous la nuque et contempla le plafond taché d'humidité.

— J'aime l'Amérique, je crois, avoua-t-il, baissant momentanément sa garde.

— Ah oui ?

— Nous voilà dans ce pays depuis un jour à peine et voyez l'accueil que nous avons reçu ! Vous voulez du travail ? Par ici ! Une chambre ? Par là ! De la terre ? Achetez-vous un cheval et servez-vous !

— Ainsi, vous me croyez, à présent, pour la terre ?

Heureux comme il l'était à propos de son nouveau foyer, Joseph ne s'irrita pas du ton suffisant de Shannon.

— Eh bien, s'ils la bradent, je ne cracherai pas sur un petit lopin, reconnut-il.

— M. Kelly a laissé entendre que l'entreprise risquait d'être ardue.

— Pour vous, pas pour moi. Il m'a à la bonne, ce type. Peut-être est-ce mon destin ? Car, au fond, je suis un fermier. Sur son lit de mort, mon père m'a parlé de terre. Je me demande si son esprit n'est pas à côté de moi, en ce moment, en train de me guider.

Shannon eut un reniflement de mépris.

— S'il tombe sur M. McGuire, dites-lui qu'il soit assez gentil pour récupérer mes cuillers.

Joseph rit doucement et s'assit, drapant la couverture autour de son torse, plein de pudeur pour ce qui avait trait à sa propre nudité.

— Vous m'imaginez, moi, Joseph Donelly,

sur mon bout de terre ? Qu'est-ce que j'y planterais, par exemple ?... De l'avoine ? Du maïs ? Des pommes de terre ? O Dieu, non, pas de patates ! Peut-être du blé. Oh, Shannon, j'en rêve, à présent ! De vastes champs de blé aussi loin que porte le regard !

— Ambitieux projets pour un extracteur de tourbe, riposta Shannon, douchant son enthousiasme. Et vous comptez vous y prendre comment ?

— Mon père m'a toujours conseillé de mettre de côté un penny par jour. Sauf qu'on n'avait jamais un penny à économiser... Mais la chose paraît possible en Amérique. Pour avoir de la terre, il nous faut un chariot et un cheval. Si nous mettons nos économies en commun...

— Non.

Le refus brutal de Shannon vexa Joseph.

— J'essayais juste de nous faire gagner du temps, répliqua-t-il d'un ton blessé.

Elle se tourna sur le flanc et, à la faible lueur qui filtrait à travers la vitre cassée, Joseph vit son sourire condescendant.

— Vos propos sont frappés au coin du bon sens, Joseph, déclara-t-elle avec onctuosité. Mais seulement dans les étroites limites de votre cerveau de primaire. Pour vous, un penny par jour constitue un progrès, mais moi, je vais trouver un raccourci.

Joseph eut un rire amer.

— Espèce de gamine pourrie gâtée ! Vous croyez peut-être que dame Fortune va venir droit à vous et s'asseoir sur vos genoux ?

— J'en suis sûre.

Exaspéré, il soupira.

— Bonne nuit, Shannon Christie, et rêvez donc ! Grand bien vous fasse ! Dans des mois d'ici, vous serez encore perdue parmi vos songes, alors que moi, tout primaire que je suis, je contemplerai mon lopin de terre aussi loin que portera ma vue.

— Peuh... Rengainez vos fanfaronnades ! Si cela ne tenait qu'à moi, vous ne seriez pas là !

— Et si cela ne tenait qu'à moi, vous seriez morte dans la rue, ou encore ces brutes avinées du club auraient eu raison de vous ce soir.

Furieuse, elle lui jeta son oreiller à la tête.

— Extracteur de tourbe ! Je n'ai pas besoin de *vous* pour survivre ! Et en ce qui concerne la terre de l'Oklahoma — ce qui était d'abord *mon* idée —, j'en aurai ma part bien avant que vous ne sachiez lire une carte.

— C'est ce qu'on va voir !

— Rendez-moi mon oreiller !

— Vous pouvez toujours courir !

Bouillant de colère, Joseph mit l'oreiller sous sa tête et tourna le dos à Shannon.

Qui, avec une égale fureur, se coucha face au mur. Dans les minutes qui suivirent, on n'entendit plus dans la pièce que leur souffle bruyant.

Las ! Le reste de la maisonnée n'était pas aussi tranquille. Le vieux boxon ne cessait de gémir, de grincer, de cliqueter, de bouger et de taper au rythme d'une copulation effrénée.

— Enfer et damnation ! marmonna Joseph dans son oreiller, tentant de se cacher les oreilles. Maudite bonne femme !

Il se souvint de ce que son père lui avait dit un jour :

— Il y a trois sortes d'hommes infoutus de comprendre les femmes : les jeunes, les vieillards et les hommes d'âge mûr.

Eh bien, il avait une certitude en ce qui concernait cette fille dont il était affligé : sa langue, à coup sûr, ne rouillerait ni ne se couvrirait jamais de mousse. Il aurait tout donné pour qu'elle ne fût pas aussi jolie, n'eût pas de si doux cheveux de cuivre et ne fût pas étendue à demi nue dans un lit à deux pas de lui.

Et ce qui le rendait fou furieux, c'était de penser qu'elle était trop bien pour lui — un extracteur de tourbe, ainsi qu'elle l'appelait. Il avait connu nombre de femmes plus gentilles, plus aimables, plus belles... Euh, plus belles, peut-être pas. Mais qu'elle fût la plus jolie fille qu'il eût jamais vue ne changeait rien au fait que c'était assurément la plus entêtée.

Sapristi, ces filles et leurs clients allaient-ils bientôt cesser leur infernal raffut !

Il se souvint d'une remarque de Danty Duff :

— Sans femme, ton zizi devient flasque.

Tandis qu'il se tournait et se retournait sur sa paillasse, luttant contre le désir qui faisait bouillonner son sang, Joseph ne trouva plus si drôles les paroles du vieil ami de son père. Elles ne semblaient que bien trop vraies.

8

La demeure des Christie paraissait singulièrement désolée avec ses rares lumières brillant aux fenêtres et sans l'affairement habituel de ses nombreux domestiques. Naguère le haut lieu des événements mondains du comté, la maison, désormais, était silencieuse et lugubre.

Nora Christie avait perdu beaucoup de sa pétulance. Assise avec roideur sur une chaise tapissée de velours bordeaux, elle faisait cliqueter ses aiguilles à tricoter. Daniel avait pris place en face d'elle dans un fauteuil de cuir, ses pieds bottés posés sur un tabouret, un livre ouvert devant lui. Depuis une demi-heure, il n'avait pas tourné une page.

Il se leva.

— Ce livre m'agace.

Il se dirigea vers une étagère et échangea son roman contre un manuel de chasse. Il avait dissimulé un cocktail derrière sa collection d'ouvrages spécialisés. Le dos tourné à sa femme, il avala promptement le breuvage, puis regagna son siège d'un pas nonchalant.

Nora continua son tricot, imperturbable.

— Croyez-vous réellement me duper, Daniel ? demanda-t-elle sans même lever les yeux.

Il la fixa en silence un long moment. Une douzaine de réponses, des dénégations pour la plupart, lui traversèrent l'esprit. Il renonça à les dire. Il était inutile de mentir à Nora. Sa femme avait des yeux derrière la tête, capables de transpercer un homme.

— Vous plairait-il que je proclame mon indépendance et boive ouvertement ?

Nora cessa de tricoter et réfléchit mûrement avant de rétorquer :

— Non. J'aime mieux notre système actuel.

Elle reprit son ouvrage et les aiguilles cliquetèrent de plus belle.

Daniel l'observa, soucieux de l'indifférence qu'elle manifestait depuis le départ de leur fille. Il préférait de beaucoup les jours anciens où elle lui rabâchait sans cesse la même antienne à propos de sa conduite irresponsable, quand elle faisait la loi telle une poule naine pleine de fougue, et n'était pas ce vieux volatile fatigué aux plumes traînant dans la boue.

— Que tricotez-vous ? demanda-t-il avec un intérêt feint.

Elle soupira.

— Aucune idée ! Au départ, c'était une chaussette, ensuite, c'est devenu un pull-over et, à présent, c'est un hybride des deux. La vérité, c'est que je tue seulement le temps en attendant qu'on vienne me trancher la gorge.

Christie haussa ses sourcils broussailleux.

— Qui ça, « on » ? Pas moi, j'espère ?

— Les fermiers, Daniel, répondit-elle d'un ton brusque. Ils reprennent du poil de la bête et annexent le pays. Toute cette politique, toute cette violence... Je trouve le monde instable, maintenant. J'ai peur qu'il n'éclate.

— Je suis surpris de vous entendre parler ainsi, Nora. Cela ne vous ressemble pas de vous sentir menacée et effrayée.

Tout à coup, Nora perdit contenance ; sa lèvre inférieure se mit à trembler. L'espace d'un instant, Daniel revit la jeune fille qu'il avait aimée et courtisée tant d'années auparavant à Galway. Une créature beaucoup plus douce et gentille que la duègne revêche avec laquelle il vivait désormais.

— Comment peut-elle avoir la cruauté de nous laisser sans nouvelles ? dit-elle en refoulant ses larmes. Je préférerais apprendre le pire plutôt que de vivre dans cette incertitude !

Jetant son tricot à terre, Nora sortit un mouchoir de dentelle de sa poche. Empli de tristesse, Daniel la regarda se tamponner le coin des yeux.

L'heure avait sonné de lui avouer la vérité. Il ne pouvait tout bonnement pas la laisser souffrir ainsi.

— Elle est en Amérique, Nora, dit-il avec douceur.

Nora, étonnée, leva les yeux de son mouchoir.

— Quoi ? Que dites-vous ?

Christie quitta son fauteuil et se dirigea vers le piano. Soulevant le couvercle, il exhuma un petit paquet de lettres qu'il tendit à sa femme.

— Vous me les cachiez ? murmura-t-elle en évitant de croiser son regard, exprimant sa blessure par le ton de sa voix, tandis qu'elle examinait le cachet de la poste.

— A la demande de Shannon. Lisez-les... (il vit sa main trembler comme elle dépliait la première missive et se mettait à la lire. De nouveau, une vague de tendresse, mêlée de compassion et de sympathie pour sa souffrance, le submergea)... bien qu'elles risquent de ne vous apporter aucun réconfort, ajouta-t-il dans un murmure.

Au-dehors, au sein des ténèbres, des ombres se déplaçaient furtivement dans la cour ; léger bruissement de silhouettes sombres se fondant prestement dans la nuit, murmure de voix étouffées, respirations difficiles d'hommes dont le sang bat dans les veines.

La porte de l'écurie s'ouvrit dans un grincement et le palefrenier parut. Après avoir assujetti une barre de fer en travers du battant, il s'étira, les bras au-dessus de la tête. Une main gantée le bâillonna, un gourdin s'abattit sur son crâne. L'homme tomba sans connaissance sur les graviers.

En un clin d'œil, une douzaine de torches, telles de minuscules luciolés, émergèrent des haies et voletèrent en direction de la demeure. L'âcre fumée de leurs extrémités imbibées de pétrole polluait le suave air nocturne.

Le visage des porteurs de gourdins embrasés était dissimulé par des cagoules d'étoffe. Ils convergèrent tous vers leur chef et écoutèrent ses instructions chuchotées.

Après avoir donné toutes ses directives, il marmonna le mot de code : « Capitaine Moonlight. »

Le groupe se dispersa pour cerner la maison.

— Vous avez entendu, Daniel ?

Nora se redressa, l'oreille aux aguets, les lettres de Shannon toujours étalées sur ses genoux.

Daniel tira sur sa pipe.

— Quoi donc ?

— Je n'en suis pas certaine. Toutefois, je jurerais avoir entendu...

La fenêtre vola en éclats dans son dos, l'aspergeant d'une pluie de verre. Nora mit les mains sur sa tête et hurla.

— Nora !

Daniel bondit de son fauteuil et se précipita vers sa femme, qui se leva. Les lettres s'éparpillèrent sur le sol.

Peu après, une torche traversa la vitre brisée et atterrit sur les lettres, qui s'embrasèrent aussitôt. Tombant à genoux, Nora voulut les rassembler. Daniel la saisit par le bras.

— Venez, Nora, dépêchez-vous !

Tous deux s'enfuirent en direction du vestibule ; au bout du couloir, un mur de flammes bloquait la porte. Terrorisés, ils rebroussèrent chemin à la hâte et coururent dans la cuisine. Au même moment, une seconde torche s'écrasa sur le sol, allumant un brasier dans la pièce.

De partout dans la maison, retentissaient le fracas de bris de verre, le grondement de la fournaise et des vociférations.

Nora agrippa son mari par la manche.

— Mon Dieu, Daniel, que faire ? Nous allons brûler vifs !

— Cela n'est pas encore dit ! hurla Daniel avec plus d'assurance qu'il n'en éprouvait. Pas encore, sapristi !

Soudain, par-dessus le tumulte, ils entendirent le martèlement des sabots d'un cheval lancé au galop sur les graviers de la cour située derrière la maison. Des cris de fureur. Des coups de feu. Des pas sourds battant en retraite.

Daniel regarda fébrilement alentour tandis que l'incendie resserrait son étau. Les flammes léchaient le plafond, gagnaient les placards, rampaient à leurs pieds sur le sol. La chaleur leur roussissait la peau ; la fumée les prenait à la gorge, les suffoquant de ses noires vapeurs mortelles.

Il tira Nora par le bras jusqu'à l'office.

— Par ici ! cria-t-il.

Ils claquèrent la porte derrière eux et se blottirent dans un coin. La fournaise et la fumée s'intensifiaient de minute en minute.

Tenant Nora étroitement embrassée contre lui, Daniel songea à la vie téméraire qui avait été la sienne. Plusieurs fois, il avait marché à la rencontre de la mort et serré sa main décharnée. Il avait toujours pensé qu'il mourrait jeune à cause de sa sottise.

Mais pas ainsi ! Il refusait de se laisser rôtir comme un porcelet dominical sur une broche de sa propre demeure !

— Daniel, je crois que je suis en train de mourir, haleta Nora, la bouche pressée contre son oreille.

— Taisez-vous, mon amour. Vous ne devez pas penser des choses pareilles, encore moins les dire !

— Mais c'est la vérité. J'ai peine à respirer.

Avant que Daniel n'eût pu la réconforter davantage, la porte s'ouvrit dans un craquement et une haute silhouette mince se profila contre l'éclat du brasier.

— Au feu ! cria Nora à l'adresse du bienvenu intrus.

Remarque qui suscita une réponse sardonique :

— En effet.

— Stephen ! brailla Daniel. Quelle joie de vous voir, mon garçon ! Sortez-nous de cet enfer !

— Suivez-moi.

Le jeune homme, les saisissant tous deux brutalement aux épaules, les remit sur leurs pieds. Les guidant et les tirant à demi à travers la cuisine, il prit une chaise et la lança par une fenêtre.

Il poussa d'abord Daniel dans l'ouverture, puis Nora. Des domestiques aidèrent le couple à se recevoir. Enfin, Stephen se rua tête la première par la fenêtre au moment où la pièce explosait dans de gigantesques flammes.

Ils s'éloignèrent de la maison en trébuchant et se laissèrent tomber sur l'herbe au bout de la pelouse. Incrédules, les Christie contemplèrent leur foyer qui s'effondrait sous leurs yeux dans un enchevêtrement de poutres ardentes.

— Les chiens ! s'exclama Daniel, des larmes ruisselant sur ses joues. C'était la maison de mon père, et de son père avant lui. Que ces chiens soient maudits !

Pris de remords, il se rappela fugacement ce qu'avait dit le garçon à propos des hommes de Christie qui avaient brûlé la chaumière de son père.

Il ferma les yeux pour ne plus voir la destruction de son toit. Mais, derrière ses paupières serrées, il vit brûler un humble cottage, et ses larmes coulèrent de plus belle.

Le lendemain matin, Nora, Daniel et Stephen sortirent de l'écurie. Impitoyable, le soleil levant illuminait les décombres carbonisés ; une âcre odeur de fumée flottait dans l'air et un calme sinistre enveloppait le théâtre du chaos de la nuit.

Nora ôta quelques brins de paille de ses cheveux qui, pour la première fois de sa vie, pendouillaient autour de son visage.

190

— Dieu du ciel ! murmura-t-elle. Regardez ce que ces païens ont fait de notre foyer !

Daniel, hébété, fixait le carnage sans le voir.

Stephen lissa ses cheveux en arrière et rajusta sa cravate, l'air d'un survivant dont la dignité est demeurée intacte.

— C'est la ruine de toute votre vie. Voilà toute votre existence anéantie. Je suis sincèrement désolé de votre perte, dit-il avec une gentillesse que Daniel ne lui connaissait pas.

— Dois-je comprendre que nous sommes ruinés ? Sommes-nous pauvres, à présent ?

Stephen lança un regard sceptique à Christie et, à cet instant seulement, celui-ci se rendit compte qu'il ignorait tout de l'état de sa fortune, que ce garçon en savait plus sur ses biens que lui-même. Et l'idée lui traversa l'esprit qu'il s'était peut-être conduit par le passé de façon irresponsable vis-à-vis de sa richesse.

— Non, monsieur, expliqua patiemment Stephen. Vous n'êtes pas pauvres à proprement parler. Vous avez encore la terre et vos fermes.

Il alla ramasser dans la cour un des pistolets qu'il avait laissé tomber lors de la mêlée nocturne. Il le glissa dans sa ceinture avec l'aisance d'un soldat rompu. Il l'en retira aussitôt en entendant un grognement derrière l'écurie. Il s'élança, Daniel et Nora sur ses talons. Tous trois découvrirent un homme gisant à côté d'un abreuvoir, la tête dissimulée par une cagoule.

Stephen leva son arme, prêt à tirer. Daniel, de la main, arrêta son geste.

— Non, dit-il. Il y a déjà eu suffisamment de destruction comme ça. Voyons un peu qui est mon ennemi.

S'agenouillant auprès de l'homme, il enleva la cagoule. Le rebelle était le ramasseur de varech, Danty Duff.

— Qu'est-ce que ça a donné ? marmonna-t-il, secouant la tête afin de reprendre ses esprits.

Daniel Christie regarda sa femme, puis sa demeure ravagée.

— Je dirais que vous avez réussi, renégat, répliqua-t-il d'un ton brusque.

Nora tourna les talons et s'éloigna, une lueur de détermination remplaçant le chagrin dans ses yeux. Tandis qu'elle se dirigeait vers les décombres, Daniel lui cria :

— Où allez-vous, ma chère ? Faites attention, vous allez vous brûler les pieds sur les cendres.

— Madame Christie, de grâce, arrêtez ! ajouta Stephen, courant après elle.

Mais Nora, étrangement concentrée, fouillait les ruines fumantes, envoyant valser les débris du pied.

— Ah ! Ah ! s'écria-t-elle.

Elle tira son mouchoir de sa poche, le plia en huit et s'en servit pour ramasser une petite boîte en acier.

Avec précaution, elle ouvrit le couvercle qui lui brûlait les doigts. Des pièces d'or étincelaient à l'intérieur, préservées du brasier, aussi brillantes et prometteuses que le jour où elle les avait serrées dans sa commode.

— Que tenez-vous donc là, ma chérie ?

demanda Daniel, se frayant un chemin parmi les poutres calcinées et les cendres.

— Notre avenir. (Se redressant, Nora embrassa l'horizon du regard. Pour la première fois depuis que sa maison s'était effondrée dans la fournaise, ses yeux étaient noyés de larmes.) Ce n'est plus l'Irlande où je suis née, le beau pays d'émeraude de mon enfance. Tout a changé, désormais. La beauté, la grâce, la noblesse... tout s'en est allé.

— Je sais, ma chérie.

Daniel s'avança et entoura de son bras l'épaule de sa femme, dans un geste de réconfort.

Soudain, le visage de Nora s'illumina sous l'effet du courage retrouvé.

— Notre fille court à sa perte, Daniel. Nous devons aller la rejoindre.

— Shannon ? (Stephen, debout à la limite des décombres, eut une expression ahurie.) Vous pouvez la rejoindre ? Vous savez donc où elle est ?

Évitant de croiser le regard du jeune homme, Daniel lui donna l'information qu'il gardait depuis si longtemps par-devers lui.

— Elle est à Boston, mon garçon.

Sans paraître indigné d'avoir été tenu dans l'ignorance, Stephen eut un sourire épanoui, ses yeux brillèrent comme ceux d'un homme qui vient d'être visité par les Muses.

— Dans ce cas, c'est là que nous la retrouverons !

Daniel lut un égal optimisme et une égale détermination dans le regard de Nora.

— Oui, dit-il, rien ne nous retient ici, désormais. Nous allons de ce pas nous embarquer pour l'Amérique.

Grande première dans sa vie de jeune aristocrate oisive, Shannon Christie avait un travail. « Tu gagneras ton pain à la sueur de ton front »... L'idée, en soi, ne manquait pas de romantisme, mais elle ne tenait guère le choc face à la réalité.

Debout devant une chaîne de montage, parmi des douzaines de femmes coiffées d'un fichu et d'une flopée de gamins dépenaillés, Shannon plumait des poulets. Les plumes lui causaient d'horribles démangeaisons, les volatiles morts puaient abominablement et la transpiration lui dégoulinait sur la figure, formant des gouttes au bout de son petit nez retroussé.

Dégoûtée, elle s'arrêta un instant pour s'essuyer le visage de sa manche.

— Au travail ! braille une voix impérieuse à quelques centimètres de son oreille.

Le contremaître la frappa d'un coup sec sur la tête avec son crayon.

Se mordant la langue, Shannon retourna à sa volaille, qui lui parut encore plus puante et plus laide. Les corps flasques et froids ne ressemblaient guère aux poulets rôtis, dorés et croustillants à souhait, que la cuisinière lui servait chez son père. Désormais, elle ne pourrait jamais plus manger une aile ou une cuisse sans imaginer ces carcasses répugnantes.

Jetant un coup d'œil au bout de la chaîne, elle aperçut Joseph qui, parmi un groupe d'hommes, s'affairait à ébouillanter les poulets dans une énorme cuve. Elle entendait leurs rires rauques et leurs plaisanteries paillardes, et pareil entrain aggrava d'autant sa mauvaise humeur. Comment Joseph osait-il plaisanter et rire dans des circonstances aussi lamentables ?

— Tous les hommes ont une queue, hein ? dit un des hommes à côté de Joseph. En les mettant bout à bout, jusqu'où elles iraient, à ton avis ?

Joseph réfléchit mûrement à la question.

— Elle est raide, celle-là !

Les hommes éclatèrent de rire et Joseph parut odieusement content de lui.

— Je dirais jusqu'en France, fit un ouvrier.

— Et elles prendraient sacrément leur pied, là-bas ! ajouta Joseph.

Shannon rougit comme une pivoine, honteuse et furieuse de la truculence du garçon. Il n'y avait qu'un extracteur de tourbe sans éducation pour faire des plaisanteries aussi vulgaires à portée de son oreille !

— Regardez les femmes, fit le voisin de Joseph. Il s'en passe, des choses, sous leurs tabliers !

— Oui, acquiesça Joseph, les nichons à eux seuls valent le détour.

Les hommes se payèrent une bonne pinte de rires. L'un d'eux, qui n'avait cessé de reluquer Shannon pendant toute la matinée, dit :

— M'est avis que la plus jolie fille du lot, celle qui a les plus beaux yeux et les plus beaux cheveux, c'est la sœur de Joseph.

Le sang de Joseph ne fit qu'un tour.

— Fais gaffe, mon vieux ! s'écria-t-il en regardant le bavard comme s'il s'était rendu coupable de haute trahison. Ça ne me plaît guère que tu causes de ma sœur derrière mon dos.

L'homme haussa un sourcil.

— Derrière ton dos ? Je suis en face de toi, Joseph !

— Oh, arrête ton char ! rugit Joseph, le visage enflammé par la colère.

Tous les hommes s'esclaffèrent derechef et certains lui lancèrent des poignées de plumes. Shannon observa la scène avec un intérêt non dissimulé, essayant d'ignorer les deux harengères, Olive et Glenna, qui travaillaient à ses côtés.

— Les hommes ont la vie belle, remarqua Glenna. Même au lit, ils prennent leur plaisir et s'endorment.

— Et, dans le cas de mon mari, au milieu d'une pétarade de flatulences, ajouta Olive.

Les femmes gloussèrent. Shannon fit la grimace. Quelle vulgarité ! Et dire qu'elle devait passer ses journées en pareille compagnie ! L'espace d'un instant, elle regretta presque les ennuyeuses parties de whist de sa mère.

Vexées par l'expression hautaine de Shannon, Olive et Glenna lui brandirent des poulets à la figure avec force gestes obscènes. Shannon piailla et voulut s'enfuir. Le contremaître la repoussa à sa place d'une bourrade.

— Au travail ! hurla-t-il en lui pinçant le bras.

— Otez de moi vos pattes dégoûtantes, immonde créature ! cria Shannon.

Un silence de mort s'abattit sur l'usine. Sous les dizaines de paires d'yeux qui se tournaient vers elle, Shannon sentit ses joues s'embraser.

Le contremaître enfonça la pointe de son crayon dans sa gorge.

— Cela vous coûtera un jour de salaire.

Elle ouvrit la bouche pour répliquer.

— Continuez ! dit-il. Insultez-moi !

D'une petite voix, elle souffla :

— Pourceau !

— Demain, conclut-il avec un sourire sarcastique. D'accord ?

Shannon jeta un coup d'œil à la ronde. Joseph l'observait de l'autre bout de la chaîne. Leurs regards se croisèrent et, du pouce, il lui signifia de retourner au travail. Il avait raison, bien sûr. Ils avaient le plus grand besoin de leurs paies.

Mais son orgueil et sa colère l'emportèrent.

— Décomptez-moi aussi vendredi ! s'exclama-t-elle. Chiffe molle !

Furieuse, elle se remit à l'ouvrage. Aiguillonnée par la rage, elle doubla sa cadence. Il lui sembla qu'Olive et Glenna la regardaient avec circonspection et davantage de respect. L'algarade pouvait bien lui coûter son gagne-pain, elle était sacrément contente d'avoir tenu tête à ce porc !

Après tout, elle était une Christie, et les Christie ne toléraient ce genre de comportement de personne.

Certes... mais c'était à une époque où ils n'avaient pas besoin de travailler pour vivre. Shannon ne savait plus très bien quelle était sa place dans cet étrange Nouveau Monde. Tout, apparemment, avait changé. Elle y comprise.

Shannon remontait à pas lourds la rue boueuse, trop lasse, presque, pour mettre un pied devant l'autre. Joseph, en revanche, marchait avec entrain, débordant d'énergie.

Maudit soit-il, pensait-elle, regrettant de ne pas connaître quelque juron bien senti susceptible d'exprimer son dépit. Comment pouvait-il être aussi fringant et plein de punch quand il lui semblait avoir été piétinée par l'armée de Cromwell ?

Joseph riait sous cape, ajoutant à son irritation.

— Ah, çà, vous êtes quelqu'un, Shannon Christie ! s'exclama-t-il. Quel phénomène ! Vous n'avez pas la moindre idée de la manière dont va le monde.

— Si on était en Irlande, j'aurais pu faire fusiller ce misérable.

Elle ôta une plume de ses cheveux et secoua les doigts pour s'en débarrasser.

— Quel moment, hein, quand vous l'avez traité de pourceau ! Vous divertissez toute l'usine. Dommage ! Vous nous manquerez quand vous aurez votre mise à pied.

— Je *déteste* ce travail ! Je ne suis pas née pour être maquillée à la graisse de poulet ! Je ne suis pas née pour *travailler* ici-bas, encore moins dans un endroit aussi sordide !

Joseph arbora sa mine de philosophe qui agaçait Shannon au plus haut point.

— On n'a rien sans travailler, dit-il du ton de qui s'adresse à un débile profond ou à un très jeune enfant. Regardez cet homme ! (Il indiqua un type barbouillé de suie portant un hérisson et un seau. Le ramoneur menait par la bride un magnifique cheval.) Comment croyez-vous qu'il ait eu cette bête splendide ? Hep, monsieur ! Combien coûte un cheval comme le vôtre ?

— Aucune idée, rétorqua l'homme. J'l'ai volé.

Shannon n'essaya même pas de dissimuler son contentement de soi. Tandis que Joseph et elle regardaient l'homme monter en selle et s'éloigner, la jeune fille ôta une autre plume de ses cheveux.

— Peut-être devrais-je me faire chapardeuse, déclara-t-elle avec brusquerie.

Joseph posa la main sur son épaule.

— Vous aurez un jour un cheval à vous, jeune femme. Ne vous tracassez pas.

Shannon soupira.

— Quand je pense que j'avais naguère toute une *écurie* !

Ils pénétrèrent dans la pension. L'escalier et le vestibule fourmillaient de prostituées et de clients. Une des filles souleva sa jupe et montra son pantalon à Joseph.

— C'est jour de paie, Joseph ? demanda-t-elle.

Joseph la fixa, subjugué.

Shannon lui prit le bras et, l'entraînant dans le couloir, le mena dans leur chambre.

— Qu'est-ce qui vous prend, mon ami ? s'exclama-t-elle, les mains aux hanches, ses yeux pervenche étincelant de fureur. Votre mère ne vous a donc jamais mis en garde contre les ruses des femmes de mauvaise vie ?

Joseph haussa les épaules.

— Je n'ai pas connu ma mère. Elle est morte à ma naissance.

Shannon resta momentanément interdite.

— Oh... Eh bien, si elle avait vécu, elle vous aurait recommandé d'éviter les créatures pernicieuses dans le genre de celles du vestibule.

— Mais cette fille me montrait son pantalon ! Le moyen, pour un homme, de résister à pareil spectacle, je vous le demande ?

— Un homme *comme il faut* aurait détourné la tête.

— Un homme *comme il faut* dans le style du crétin auquel vous étiez fiancée ?

— Stephen n'était pas un crétin ! C'était un gentleman, lui ! Il aurait détourné les yeux et évité la tentation.

— Ah oui ? Laissez-moi vous dire ceci, Shannon Christie ! Si une femme souhaite me montrer son pantalon, je regarderai ! Je ne crois pas que le fait porte préjudice à qui que ce soit. Au moins, c'est une fille gentille, elle, pas une pimbêche comme vous, qui s'effarouche à l'idée qu'on puisse voir un morceau de sa précieuse anatomie quand elle se déshabille !

— Je vous ai surpris à me lorgner. Ne vous imaginez pas que j'ignore quel dépravé vous êtes !

— Un dépravé ? Que diantre signifie ce mot-là ?

Shannon secoua la tête.

— Si vous ne le savez pas, ne comptez pas sur moi pour vous l'apprendre.

Joseph fondit sur Shannon et lui tira le bras.

— Vous ne me traiterez pas d'une épithète dont j'ignore la signification.

— Cela veut dire que vous êtes un être vicieux, plein d'appétits vils.

Joseph médita un bout de temps.

— Oh... Je vous conseille de surveiller votre langage, à partir de maintenant. J'en ai ma claque des méchancetés dont vous m'abreuvez ! Je ne vous lance pas d'injures, moi, du moins pas à portée d'oreille, et j'attends à l'avenir la même politesse de votre part.

Shannon ouvrit la bouche pour rétorquer, puis se ravisa. Au fond, Joseph ne lui avait pas jeté d'insultes au visage. Tout bien considéré, il l'avait plutôt bien traitée ces derniers temps. Bien mieux qu'*elle* ne l'avait traité.

— Bon, reprit-il, s'il vous semble qu'aucune de ces maléfiques créatures du vestibule ne va me saisir dans ses griffes pour m'entraîner en enfer, on pourrait aller nettoyer nos vêtements à la salle de bains.

Shannon examina sa robe. Elle n'avait pas souvenance d'avoir porté habit aussi dégoûtant de toute sa vie. Que dirait sa mère si elle la voyait ?

Elle chassa cette pensée. Jamais, au grand jamais sa mère ne devait apprendre comment vivait sa fille.

Un instant, elle caressa l'idée d'ordonner à Joseph de s'occuper de sa lessive. Ravalant ses paroles, elle entreprit de réunir son linge. Joseph avait trimé comme un nègre à l'usine et elle répugnait à lui imposer cette corvée supplémentaire.

— Venez, dit-elle, s'efforçant de prendre un ton impérieux.

Mais comme ils suivaient le couloir pour gagner la salle de bains, Shannon éprouva une légère appréhension à cause de son incompétence. Comment, au nom du ciel, s'y prenait-on pour laver des vêtements ?

9

Dans la salle de bains saturée de vapeur, Shannon, penchée au-dessus du tub, faisait délicatement barboter ses vêtements dans une eau désormais tiède. Joseph étendit sa dernière chaussette sur le fil où sa chemise, son pantalon et ses socquettes de rechange gouttaient déjà sur le carrelage.

Ayant achevé sa tâche, il se tourna pour observer Shannon courbée sur l'antique baignoire à pieds, ses cheveux lui tombant sur le visage en minuscules boucles frisottantes à cause de la vapeur qui les environnait. Il se souvint des paroles de l'homme, à l'usine, à savoir que Shannon était la plus jolie fille du lot. C'était indéniable. Dommage qu'elle fût aussi la plus têtue.

Shannon leva les yeux.

— Qu'est-ce que vous regardez ? demanda-t-elle.

Gêné d'être pris en flagrant délit de voyeurisme, Joseph se creusa la cervelle pour trouver une réponse.

— J'essaie seulement de comprendre ce que vous êtes en train de faire.

Elle souffla une mèche de cheveux roux de son front.

— Cela crève les yeux. Je lave mon linge.

— Oh... Vous êtes-vous déjà demandé pourquoi cette tâche vous prenait si longtemps, Shannon ? *Mes* vêtements, ainsi que vous le constaterez si vous daignez lever la tête, sont lavés et mis à sécher. F-i-n-i. Fini !

— Vous êtes très doué, répliqua-t-elle d'un ton railleur.

Et de retourner à son barbotage.

Joseph vint la rejoindre et lui donna un léger coup dans les côtes.

— Un mot encore. Si vous voulez laver vos vêtements, jeune femme, il faut vous mouiller les mains.

Prenant le savon, il lui fit une démonstration.

— Vous tenez le savon comme ceci, les vêtements comme cela, puis vous plongez et frottez. Vous plongez et frottez. Vous plongez et frottez. Vous plongez, frottez et sortez de l'eau. (Il brandit le corsage pour le soumettre à son inspection. Toutes les traces de graisse de poulet et de crasse avaient disparu comme par enchantement.) Vous voyez ? Et si ce n'est pas tout à fait propre, vous recommencez l'opération. Et on plonge, et on frotte, et on plonge et on frotte. Et ce, jusqu'à obtenir un résultat satisfaisant.

Il secoua les mains, aspergeant Shannon de savon. Avec un enthousiasme auquel il ne s'attendait pas, Shannon se pencha et attrapa le savon et la première camisole venue.

— On plonge et on frotte, récita-t-elle tout en répétant les gestes de Joseph. On plonge et on frotte. On plonge et on frotte...

— Trop dilettante. Trop délicat. Mettez-y un peu d'huile de coude.

— Est-ce très important de *dire* « plonger » et « frotter » ?

— Essentiel, en vérité, pendant l'apprentissage.

Y mettant tout son zèle, Shannon plongea et frotta avec une vigueur surprenante. Joseph éclata de rire, heureux de l'entrain de la jeune fille, heureux de voir que, pour une fois, il avait pu *lui* enseigner quelque chose.

Peut-être n'était-elle pas si foncièrement mauvaise, pour finir, pensa-t-il, une fois qu'on s'habituait à ses manières. Il se pencha, désireux de l'aider à laver sa camisole, mais se ravisa. Il avait une meilleure idée. Il saisit un tablier.

— On plonge et on frotte, dit-il en riant, conscient de la délicieuse proximité de l'épaule de Shannon contre la sienne.

Au vrai, ce n'était pas un si mauvais cheval...

— On plonge et on frotte, répliqua-t-elle en lui retournant son sourire.

La chambrette, modestement décorée grâce aux rares pièces qu'ils économisaient sur leur paie hebdomadaire, reflétait le statut de travailleur de Joseph et de Shannon. Des rideaux neufs en vichy, une couverture bon marché, deux ou trois bibelots et deux miroirs ornaient les lieux.

A l'abri du léger paravent — badigeonné de frais d'une couche de lait de chaux qui avait dissimulé les peintures lubriques —, Shannon ôtait ses vêtements mouillés.

Les os rompus, les muscles douloureux, elle ne parvenait pas à chasser la vague de déprime qui l'envahissait.

— Quand j'étais en Irlande, dit-elle, plus pour elle-même que pour Joseph qui vaguait dans la pièce, accomplissant son rituel vespéral, l'Amérique m'apparaissait comme une étincelle lointaine, un pays moderne de conte de fées. Je m'imaginais flânant, admirant des œuvres d'art, sortant dîner au restaurant et retournant dans mon superbe ranch pour monter à cheval. Au lieu de quoi, je plume des poulets dans une usine et le ranch le plus proche se trouve à quinze cents kilomètres de ce trou à rats.

— Ah ! Il va falloir que je me farcisse vos jérémiades pendant quinze cents bornes... Penny après penny, poulet après poulet...

— Bah ! Les gens de votre sorte ne savent agir qu'avec lenteur et ne vont jamais de l'avant. Je vais dégoter un moyen plus rapide de faire ma pelote. Faites-moi confiance ! (Une envie d'éternuer lui démangea le nez.) Oh, ces plumes ! At... At...

— Eh bien, allez-y, éternuez ! marmonna Joseph à voix basse en sortant un petit pot d'argile de sous le lit. Éternuez donc à vous en faire éclater la cervelle, pour ce que j'en ai à faire ! (Il s'assit sur le matelas et, calant le pot entre ses genoux, se mit à y verser ses gages de la semaine.) Trente, quarante, quarante-cinq...

Au bruit des espèces sonnantes et trébuchantes, Shannon jeta un œil de derrière le paravent.

— Vraiment, Joseph, railla-t-elle, doué comme vous l'êtes pour les chiffres, faites-vous donc banquier !

— Merci du compliment. Je préfère labourer la terre.

Ne réponds pas à la provocation, mon vieux, se dit-il. Elle essaie de te fiche en rogne, c'est tout.

Ses comptes terminés, il remit le pot à sa place et commença à se dévêtir.

— Je suppose que vous n'avez pas calculé le coût du voyage, reprit Shannon.

Joseph perçut la note de curiosité dans sa voix. Elle voulait avoir son opinion, mais elle était bien trop fière pour la lui demander.

— Si je marchande, je peux acquérir un chariot pour moins de vingt-cinq dollars. C'est le harnais qui est coûteux : têtière, montant, mors, collier, trait, sangle, brancard...

— Moi, je me passerai de chariot. Ce sera bien plus agréable de chevaucher.

— Il vous faudra une sacoche de selle géante pour transporter toutes vos fournitures.

Shannon resta silencieuse un long moment ;

Joseph sentit son agitation à travers le paravent.

— Mes fournitures ? Quelles fournitures ? demanda-t-elle enfin.

— Nourriture, vêtements, savon, eau, cartouches, fusil.

— Qu'ai-je à faire d'un fusil ?

— Vous en aurez besoin pour chasser. Et pour vous défendre. Une femme seule est vouée à être dévalisée tôt ou tard. Ou encore vous serez traquée par une tribu d'Indiens.

Les yeux de Joseph pétillaient de malice tandis que le silence s'éternisait derrière le paravent. Bien fait pour elle ! Il fallait lui flanquer un peu la frousse. Elle ne l'avait pas volé, cette mijaurée !

Il l'entendit pousser un soupir rêveur.

— Chaque fois que je pense à des armes à feu, dit-elle, je revois Stephen.

Le sourire de Joseph s'évanouit aussi sec.

— Vous devez être contente d'être débarrassée de ce bonnet de nuit snobinard.

— Je suppose. Parfois, cependant, sa courtoisie me manque. Apercevait-il la moindre flaque de boue qu'il étalait son manteau dessus pour que je ne me salisse pas les pieds.

Soudain furieux, Joseph lança son pantalon contre le mur.

— Cet homme a brûlé la maison où je suis né ! Je vous interdis de prononcer son nom en ma présence !

— Stephen, Stephen, Stephen, Stephen, Steeee-phen...

— Shannon !

— Ce n'est pas à vous à me dicter ce que je dois dire ou ne pas dire... sous prétexte que nous cohabitons dans cette auge à cochons, mon ami ! Je n'ai pas l'intention d'oblitérer les souvenirs de l'époque où j'étais adorée, figurez-vous ! Car il *m'adorait*, oui... Stephen Chase m'adorait !

Joseph grogna.

— Sidérant ! Je ne vois pas ce qu'il trouvait en vous d'adorable !

— Vous ne reconnaîtriez pas mes qualités même si vous aviez le nez dessus. Oh, ces maudites plumes ! Atchoum !

Elle éternua si violemment que le paravent s'effondra tout d'un coup. Les deux jeunes gens, nus comme des vers, se contemplèrent l'un l'autre, sous le choc.

Joseph fut le premier à retrouver son souffle.

— A vos souhaits ! dit-il poliment en détaillant les courbes de la jeune fille avec convoitise.

Reprenant brutalement pied dans la réalité, Shannon, poussant un cri, se rua vers son lit et se cacha sous les couvertures. Joseph, soudain conscient de sa propre nudité, arracha un rideau de la fenêtre et s'en drapa les hanches.

Sans regarder Shannon, il éteignit la lampe et se dépêcha de s'étendre sur sa paillasse. Figé sous sa couverture, il fixa l'obscurité, le cœur battant à se rompre.

Mon Dieu, qu'elle était belle ! Elle lui avait paru ravissante en pantalon le jour où elle l'avait surpris dans l'écurie ; mais son corps nu, offert dans toute sa perfection à son regard, était une vision qu'il n'oublierait jamais.

Il se demanda si Adam avait éprouvé des sentiments analogues aux siens à la vue de la nudité d'Ève. Dans ces conditions, il n'était guère étonnant qu'il l'eût pourchassée à travers le jardin d'Éden pour la contempler mieux !

Enfer et damnation ! Désormais, les tourments qu'il endurait chaque nuit auraient davantage de matériaux pour les alimenter. Étendu sur sa couche, il guettait les grincements et les craquements du matelas de la chambre voisine, le corps en feu.

Dans un piètre effort pour juguler les images qui déferlaient dans son esprit, Joseph s'imagina en train de boxer, comme Mike Kelly, faisant couler la morve de quelque gogo. Mais oui... voilà ce qu'il lui fallait ! Ce que Joseph Donelly désirait par-dessus tout, c'était cogner sur le premier venu afin de relâcher un peu du dépit et de la colère qui s'accumulaient en lui.

N'importe qui ferait l'affaire.

Deux heures plus tard, Joseph sortit dans le couloir et referma sans bruit la porte derrière lui. Bien que la demeure fût légèrement moins bruyante, certaines filles officiaient encore çà et là ; craquements, gémissements et grognements filtraient toujours à travers la vieille bâtisse. Il y avait de quoi faire perdre la raison à un homme.

Joseph entra dans la salle de bains et se lava la figure au lavabo maculé de traces de rouille. L'eau glacée lui fit du bien, mais elle lui donna la nostalgie de la mare, à l'entrée du village, où il allait plonger l'été en compagnie de ses frères et des autres garçons. Son onde froide, revigorante, l'aiderait à apaiser ses sens... Mais elle était si loin !

L'espace d'un instant, il éprouva la morsure du mal du pays, désira ardemment humer l'odeur douce et fertile de l'Irlande, de ses champs si verts qu'ils en blessaient la vue.

Puis il évoqua les nombreuses aventures qu'il avait vécues depuis sa récente arrivée en Amérique et conclut qu'il préférait celle-ci à sa vieille patrie. Cette terre nouvelle offrait tant d'occasions à un garçon à l'aube de sa vie...

Et son corps ne cessait de rappeler à Joseph Donelly qu'il était indéniablement dans ses vertes années.

Il sortit de la salle de bains en se séchant le visage avec une serviette et faillit heurter Molly. La madame quittait une chambre, une poignée de dollars à la main.

— Vous veillez bien tard, Joseph, remarqua-t-elle d'une voix douce et emplie de sollicitude.

— J'ai du mal à m'endormir.

Elle préleva deux billets de sa liasse.

— Vous voulez une fille ? demanda-t-elle sans ambages.

Joseph s'étonna de cette franchise. En Irlande, les filles faisaient mine d'ignorer jusqu'à l'existence des choses du sexe; en Amérique, les femmes ne s'en émouvaient pas le moins du monde et en parlaient ouvertement. Il ne savait pas au juste quelle attitude il préférait. D'un côté, aborder avec une femme les problèmes sexuels engendrait une certaine excitation; de l'autre, cependant, un pauvre Irlandais comme lui sentait ses joues devenir cramoisies et sa langue fourcher avant même d'imaginer une réplique.

— Eh bien, poursuivit Molly, que diriez-vous de Sally Mae? (Elle indiqua du menton une jolie petite brune qui se dirigeait vers eux.) Elle vous couve des yeux depuis votre arrivée. Je suis certaine qu'elle vous aiderait à lâcher un peu de cette pression qui va finir par vous faire exploser.

Joseph observa la démarche de la fille, qui balançait la croupe de façon aguichante. Elle avait un regard amical, un sourire franc... pas comme une certaine péronnelle de sa connaissance.

Tenté, il réfléchit à la proposition le temps de quelques battements de cœur, puis secoua la tête.

— Non, merci, Molly. Je suis seulement... agité, c'est tout. Il me tarde, je crois, de foncer.

— Ah... l'ambition!

— Eh oui... Je souhaite qu'on se souvienne de moi comme de quelqu'un qui aura marqué son époque.

Molly rit doucement.

— Les hommes mettent toutes leurs espé-

212

rances dans leurs œuvres. C'est de leur déception que je tire mes moyens d'existence.

Tant de franchise incita Joseph à se confier. Puisque la spécialité de sa logeuse était les hommes et les femmes, peut-être pourrait-elle l'aider à démêler ce qui se passait dans sa tête et dans son corps.

— Molly, qu'est-ce que ça signifie quand une fille vous excède ? Je pense à une demoiselle que j'ai autrefois connue en Irlande.

— Et vous, l'excédiez-vous ?

— Oh, sans doute. La moindre vétille constituait un sujet de dispute entre nous. Quand elle me regardait, sa prunelle flamboyait.

Molly hocha la tête d'un air entendu.

— Cette fille voulait être embrassée.

Joseph écarquilla les yeux de stupeur et il eut l'impression d'avoir reçu un coup à l'estomac... un crochet au ventre pas piqué des hannetons.

— Embrassée ? Pas par moi, assurément !

— Et par qui d'autre, je vous le demande ? Cette prunelle de braise brûlait d'un feu allumé par vous. Je regrette que vous ayez quitté cette jeune fille. L'amour n'est pas aussi rare qu'on le dit. Il n'y a rien de plus triste que de passer à côté d'une occasion qui s'offre.

Molly adressa à Joseph un sourire empli de compassion et descendit au rez-de-chaussée. Après l'avoir suivie des yeux dans un silence stupéfait, Joseph, les pieds traînants, rejoignit sa chambre. Chemin faisant, il dut passer devant Sally Mae qui, derechef, lui lança un regard d'invite et lui sourit exquisément. Le garçon ne put empêcher ses yeux de s'attarder sur la naissance de sa gorge et ses jambes nues sous le pantalon à fanfreluches.

Il détala comme s'il fuyait le serpent tentateur. Il entendit la fille rire tandis qu'elle refermait sa porte.

Il avança droit sur le lit où reposait Shannon et observa la dormeuse, notant l'éclat lustré de ses cheveux dans la pâle lumière des réverbères qui filtrait par la fenêtre.

Une fille désireuse d'être embrassée ? A d'autres ! Il en aurait donné sans hésiter sa tête à couper : elle préférerait — ô combien ! — le gifler plutôt que l'embrasser !

Il suivit des yeux le contour des douces rondeurs de sa joue, la joue d'une petite fille, délicatement frangée de longs cils. Ses lèvres, en revanche, étaient celles d'une femme, pleines et sensuelles. Il s'offrit le luxe d'imaginer à quoi ressemblerait de baiser cette bouche. L'entreprise, fallait-il le préciser, devrait se faire pendant son sommeil ; si elle était consciente, nul doute qu'elle tenterait de le tuer s'il s'y risquait jamais.

Enfin, il alla s'étendre sur sa paillasse, contemplant le plafond ainsi qu'il l'avait fait tant de nuits précédentes.

A sa vive surprise, Shannon lui adressa la parole.

— Joseph, suis-je belle ?

Le cœur du garçon s'emballa. Il voulut lui répondre avec franchise. Toutefois, quand il parla, il se mit sur la défensive et adopta un ton désinvolte.

— Jamais, de ma vie, je n'ai vu quelqu'un comme vous.

— Bien.

Elle roula sur le côté, lui présentant son dos, et, peu après, il perçut son souffle profond. Elle s'était rendormie ; il était seul. Arrogante greluche protestante !

Il reposait, le corps torturé, une bombe au bord de l'explosion. Nom de nom, c'était insupportable !

Il bondit de sa paillasse et courut à la porte. Il fallait qu'il s'éloigne de cette fille. A l'instant. Sinon, il allait lui faire quelque chose que tous deux regretteraient.

Lui faire quoi ? Il n'y avait pas même réfléchi. Juste... quelque chose. Quelque chose d'atroce. Ou de merveilleux. Pour l'heure, il était incapable de le déterminer.

Il sortit en trombe de la maison et parcourut comme un trait les rues de Boston. Il sentait l'air froid de la nuit sur son visage, entendait ses pieds marteler les pavés comme des pistons. Il courut sans ralentir jusqu'au club et s'engouffra dans l'entrée.

Il joua des coudes parmi la foule de bambocheurs qui acclamaient un boxeur victorieux. Au milieu du brouhaha, le petit Dermody piaillait :

— Faites vos paris, messieurs ! Et s'il y a un autre challenger, qu'il s'avance, svp !

S'agenouillant sur le sol, il dessina une nouvelle marque à la craie.

Se poussant au sein de la cohue, Joseph ôta sa chemise d'un geste brusque et jaillit sous le nez du boxeur.

— Placez-vous de part et d'autre de la ligne, messieurs ! glapit Dermody. Pas de coups de pied, pas d'œil crevé, pas de coups au-dessous de la ceinture ! (Puis il dit à Joseph :) Mettez votre pied sur la ligne.

Mais Joseph se moquait comme d'une guigne de la ligne et des règles. Toute sa colère accumulée explosa dans son bras et dans son poing et alla s'écraser contre la mâchoire de son adversaire.

Applaudissements et paris fusèrent dans la salle. Joseph entendait le rugissement de la foule comme s'il venait de très loin. Il faisait pleuvoir les coups sur son adversaire ébahi.

— Vas-y, Bagarreur !

Du coin de l'œil, il aperçut Mike Kelly au milieu du cercle de spectateurs ; le Boss battait l'air mollement de ses poings à l'adresse d'un opposant invisible.

Le club n'avait jamais assisté à un combat aussi brutal. Dermody observait, sautillant comme un lapin excité. Grace et les danseuses lorgnaient de la scène. Et Mike Kelly ne cessa de vociférer et de lancer crochets et swings jusqu'à la fin du match.

L'attaque de Joseph était maladroite, mais pleine de fureur et de frustration longtemps contenues. Grâce à sa seule volonté, il mit finalement son adversaire K.-O. L'homme heurta le sol face la première, le nez en sang, l'œil gauche virant déjà au noir.

— Faites vos...

La voix stridente de Dermody fut couverte par les vivats d'une foule transportée par l'assaut violent auquel elle venait d'assister.

Joseph, fier comme Artaban, sautait de-ci, de-là, brandissant les poings, tandis qu'une bonne vingtaine d'admirateurs lui tapaient dans le dos. Kelly fendit les rangs serrés des supporters et, empoignant Joseph, l'entraîna à l'écart.

— Tu as démoli ce type en beauté, mon gars ! Quel combat ! Félicitations ! (Puis il se tourna vers les filles éperdues d'adoration.) Allez ! Dansez !

Le musicien, soudain revenu à la vie, emplit la salle d'un gazouillis de notes à demi fausses tirées de son piano désaccordé. Grace, sur un ultime regard ardent à Joseph, mena les autres danseuses sur la scène et toutes commencèrent à lancer haut les jambes et à pirouetter dans un cancan osé.

Kelly saisit Joseph par le bras et le tira vers sa table personnelle. Le garçon sentit sa poitrine se gonfler d'orgueil. Il avait gagné ! Il avait battu son adversaire les doigts dans le nez ou presque et, à présent, il était fêté comme un héros. Peu de temps auparavant, il gisait sur son humble paillasse, en proie au découragement et au dépit à cause de cette maudite rouquine. Et voilà qu'on le portait pour l'heure au pinacle ! Quel pays merveilleux que l'Amérique !

Un homme qui lui parut vaguement familier se dirigea d'un pas nonchalant vers la table et s'assit. Son nez s'ornait d'une éclisse.

— Gordon, donne donc un cigare au Bagarreur. (Mike Kelly se tourna vers Joseph.) Tu remets Gordon, hein, mon gars ?

Joseph se rappela soudain que c'était le boxeur qu'il avait sonné lors de sa première soirée à Boston.

— Euh... en effet. Je me souviens que j'ai eu le plaisir de me battre contre vous.

— Je vais être obligé de respirer par la bouche jusqu'à la fin de mes jours, rétorqua Gordon, amer, en tendant un barreau de chaise à Joseph.

— J'ai une vie à la coule, pas vrai ? s'écria Kelly, embrassant d'un geste la salle, les clients, les danseuses. Pour réussir, dans ce pays, la recette est simple : travailler dur et graisser une ou deux pattes.

Joseph lui adressa un regard sceptique. Kelly lui tapa sur l'épaule.

— Je plaisante, Bagarreur ! Je n'ai jamais trimé comme un nègre, ah ça non !

Kelly éclata de rire et jeta une poignée de pièces sur la scène. Les joues en feu, Joseph regarda les danseuses enfouir la manne, avec force gestes obscènes, dans l'échancrure de leurs costumes riquiqui. Grace, tout en dansant, se dirigea vers la table et, s'arrêtant en face de Joseph, leva la jambe.

Le garçon arrondit les yeux en soucoupe, ébahi devant pareille exhibition de peau nue ;

Grace était près de lui à le frôler. Puis elle s'éloigna, continuant sa danse et lui lançant des œillades par-dessus son épaule.

— Hé, mon gars, réveille-toi ! Voilà un gentleman dont tu dois faire la connaissance, dit Kelly en enfonçant son pouce dans les côtes de Joseph.

Un homme ventripotent vêtu d'un costume coûteux venait vers eux en se dandinant, plein de son importance. Un je-ne-sais-quoi dans son allure hérissa la peau de Joseph de chair de poule. En dépit de ses élégants vêtements sur mesure, l'homme avait un air maladif, malsain.

— Qui est ce garçon, Kelly ? demanda-t-il en parvenant à la table. Il possède une fameuse hache d'armes.

— Joseph Donelly, monsieur Bourke. Un petit gars intrépide du comté de Galway. Serre la main de ce gentleman, Joseph. Il s'appelle M. D'Arcy Bourke et est membre du conseil municipal.

Joseph s'exécuta de mauvaise grâce.

— Je vous serre la pince, monsieur Bourke, mais je ne suis pas de bon poil. Je suis venu ici dans l'intention de me battre, et je n'ai pas encore épuisé toute mon ardeur combative.

Bourke tira sur son énorme cigare et se mit à rire.

— Il en veut, Kelly ! (Il se tourna vers Joseph :) Accepteriez-vous de vous battre contre un Italien si je vous en rabattais un ?

Un Italien... La seule pensée électrisa Joseph.

Bien qu'il fût à Boston depuis peu, il était trop conscient de la rivalité qui existait entre les Irlandais et les Ritals. Les premiers, solidement implantés dans la ville depuis des décennies, voyaient à présent leurs jobs et leurs logements raflés par les seconds, immigrés de fraîche date. Les esprits s'échauffaient entre les factions rivales, bien entraînées l'une et l'autre dans l'art de la haine raciale et de la vendetta.

Joseph, cependant, ignorait tout des implications politiques de la suggestion de Bourke. Si l'homme bedonnant réussissait à opposer un Irlandais à un Italien, et que ce dernier fût battu à plate couture, sa popularité monterait en flèche parmi ses électeurs... ce qui n'était pas négligeable à la veille des élections.

— Je boxerai contre n'importe quel homme que vous mettrez en face de moi, répliqua Joseph avec une assurance pleine de suffisance. (La griserie de sa victoire charriait encore ses flots brûlants dans ses veines.) Et surtout un Italien.

A peine avait-il prononcé ces paroles que Dermody s'arrêta en dérapant devant leur table.

— Nous avons un autre boxeur, Mike ! brailla-t-il de son agaçante voix de fausset.

Kelly se boucha les oreilles.

— Jésus, Marie, Joseph, Dermody ! Quand ta voix va-t-elle enfin se décider à muer ?

Joseph bondit sur ses pieds.

— Je suis prêt à reprendre du service. Amenez-le-moi !

— Et je vais parier sur toi, mon gars ! s'écria Kelly.

— Ce gamin en redemande, Kelly, déclara Bourke avec un hochement de tête approbateur.

Ils furent bientôt entourés par un cercle de spectateurs, qui s'écartèrent pour laisser le passage à un boxeur plus costaud et plus hargneux encore que le précédent. Peuh ! Joseph s'en battait l'œil ! Il les vaincrait tous. Il allait faire mordre la poussière à ce zigoto-là aussi aisément qu'au premier. Pour finir, il serait un héros et serait soulagé d'avoir lâché de la vapeur. Le truc était valable.

— Faites vos paris, messieurs ! brailla Dermody.

Joseph se rua sur son nouvel adversaire, lui décocha un direct, un swing, un crochet... et sentit un poing aussi dur que le marbre du Connemara s'abattre sur sa mâchoire.

Tout compte fait, vaincre ce gaillard ne serait peut-être pas du nanan...

Shannon dévala l'escalier, formant des vœux pour ne réveiller personne. Une conversation avec une de ces atroces femmes ou avec un de leurs effroyables clients était bien la dernière chose qu'elle désirait. Ce qu'elle voulait, c'était mettre la main sur Joseph. Le garçon l'avait tirée du sommeil des heures plus tôt lorsqu'il était sorti en coup de vent de la chambre et bien qu'elle fût restée éveillée une éternité depuis lors, il n'avait pas redonné signe de vie.

Au rez-de-chaussée, dans l'ancien salon de la vieille demeure, Molly était assise devant un petit secrétaire encombré, comptant des liasses de billets et triant des factures. Elle leva les yeux de sa tâche à l'entrée de Shannon.

— Molly, savez-vous où est Joseph ? demanda celle-ci en s'efforçant de dissimuler son inquiétude.

Elle redoutait la réponse. Comment réagirait-elle si Molly lui disait qu'il était chez une de ces horribles grues ? Si ces grognements et ces craquements qu'elle avait dû endurer d'entendre étaient les siens ? La seule pensée de Joseph se livrant à ce genre de turpitudes avec une de ces épouvantables femmes lui donnait envie d'attraper un fusil et de lui loger une balle entre les deux yeux... Ainsi qu'à la dame de petite vertu.

Sauf qu'elle ne parvenait pas à comprendre pourquoi elle se souciait des faits et gestes de ce stupide extracteur de tourbe.

— Il a franchi la porte comme s'il avait le feu aux fesses, répliqua Molly avec l'ombre d'un sourire.

— Oh... (Shannon alla à la fenêtre et jeta un coup d'œil au-dehors. Les rues étaient vides, l'aube n'allait pas tarder à poindre. Elle vit l'allumeur de réverbères, un petit homme juché sur des échasses, éteindre les lampes l'une après l'autre.) Peu m'importe ce qu'il fabrique, évidemment, mais il doit aller travailler demain matin... c'est-à-dire dans quelques heures.

— Et vous aussi, ma chère, fit Molly, compatissante. Allez vous coucher. Ça ne sera pas un mal s'il lâche un peu de vapeur.

Shannon quitta la fenêtre, mais s'attarda à proximité du secrétaire. La pile de billets était impressionnante. Elle songea au salaire de misère qu'elle gagnait chaque semaine à l'usine de poulets et se remémora un prêche dans lequel le pasteur avait déclaré que le péché ne payait pas. Apparemment, le saint homme s'était fourré le doigt dans l'œil. Le péché était sacrément lucratif, en vérité.

Puis, près de ce pactole, Shannon repéra autre chose. Une brochure familière. Elle la prit et la lut : ON DEMANDE DES HOMMES ET DES FEMMES ROBUSTES ET EN BONNE SANTÉ. TOUT CITOYEN DES ÉTATS-UNIS A DROIT À CENT SOIXANTE ARPENTS DE TERRE.

Elle observa Molly, la mine pensive.

— Molly ?

Celle-ci lança un regard discret à la ronde et baissa la voix pour avouer :

— J'ai été pute toute ma vie et j'en ai marre. Je veux m'amender et changer d'existence.

— Voilà une ambition admirable, rétorqua Shannon, sentant se créer enfin un lien entre elle et cette femme. (Peut-être Molly n'était-elle pas *foncièrement* mauvaise, bien qu'elle fût une prostituée... Shannon, toutefois, n'aurait jamais soumis pareille hypothèse à sa mère. Elle étudia le prospectus avec mélancolie. Les propos de Joseph concernant les Indiens lui trottaient dans la tête.) Je me demande à quoi ça ressemble, là-bas, à des lieues de toute civilisation...

— Bah, ne vous tracassez pas ! Joseph sera là pour veiller sur vous.

Shannon redressa le menton.

— Non. Je n'ai pas besoin de compagnie. Je suis venue en Amérique pour être indépendante.

Molly se mit à rire.

— Quelle idée ridicule !

— C'est une idée *moderne*, Molly. Je suis surprise que vous ne pensiez pas ainsi. Vous qui êtes américaine et tout ça. En outre, Joseph et moi nous exécrons.

Molly la scruta avec curiosité.

— Tiens, tiens... Voulez-vous dire que vous vous querellez souvent ?

— Sans arrêt. Nous nous disputons dès que nous passons une minute ensemble.

— Je vois. Et diriez-vous que ses yeux deviennent parfois rouges de colère quand il vous crie après ?

— Eh bien... oui. C'est tout à fait ça. Comment l'avez-vous deviné ?

Molly gloussa et haussa les épaules.

— Un coup de pot. Bon ! Si vous remontiez dormir un peu avant d'aller travailler ? Votre rebelle de... de frère sera bientôt de retour. Cela aussi, je le sais.

S'efforçant de croire aux paroles de Molly, énoncées avec tant d'autorité, Shannon tourna les talons et remonta à l'étage.

Reviens-nous sain et sauf, Joseph ! Sain et

sauf. Évite les fortins des fées, pensa-t-elle, se concentrant pour transmettre les mots de la vieille bénédiction irlandaise à l'esprit de Joseph. Puis, silencieusement toujours, elle ajouta : Et si tu es en train de faire quelque chose de répréhensible... avec une autre femme... je te tuerai à ton retour !

Une heure plus tard, Shannon arpentait encore la chambre. Elle avait usé le plancher sur un trajet allant de la porte à la fenêtre. Alors qu'elle se retrouvait pour la centième fois devant la fenêtre, elle entendit des pas dans le couloir. Des pas chancelants. Et un chant rauque. Elle plongea tout habillée sous ses couvertures et roula sur le flanc, feignant de dormir.

La porte s'ouvrit.

— Calmez-vous, à présent, Joseph, dit une voix féminine.

L'heure n'était plus de feindre. Shannon poussa un cri perçant et bondit hors du lit, prête à commettre un meurtre à mains nues.

Mais un regard au visage de Joseph la figea net dans son élan. Il était contusionné au point d'en être méconnaissable. Yeux enflés, aux trois quarts fermés, lèvres fendues, nez en sang, sans compter un œuf de pigeon de couleur pourpre qui saillait sur son front.

— Joseph ! hurla-t-elle. O mon Dieu, qu'est-il arrivé ?

Joseph vacilla, peu stable sur ses jambes. Sans mot dire, il la fixa d'un regard vide à travers les fentes qu'étaient devenus ses grands yeux émeraude.

Shannon, hébétée, commença à mesurer l'horreur de la situation : on avait battu Joseph comme plâtre. Mais elle prit aussi conscience d'un fait également troublant : il s'agrippait à une brunette fort voluptueuse, vêtue d'un costume à paillettes auprès duquel la tenue des prostituées paraissait pleine de décence et de modestie.

— Aidez-moi à le mettre au lit, déclara la brune, à deux doigts de perdre l'équilibre sous le poids d'un Joseph tanguant et roulant.

Aussitôt, Shannon se précipita de l'autre côté et saisit Joseph par la taille. Unissant leurs efforts, les deux jeunes femmes le menèrent jusqu'au lit, où elles le hissèrent.

Shannon regardait tour à tour le visage tuméfié de Joseph et la poitrine scandaleusement avantageuse de la fille, qui, pour l'essentiel, débordait de son corset.

Elle reporta son attention sur le blessé.

— Joseph, vous êtes couvert de sang ! Qui vous a mis dans un état pareil ?

— Il a boxé, mais il survivra, dit la fille avec un haussement d'épaules. J'en ai vu des flopées d'autres bien plus amochés que ça et ils n'en sont pas morts. Il était semblable à un canon chargé de poudre jusqu'à la gueule. Il fallait que ça sorte.

— Et vous, qui êtes-vous ? demanda Shannon en fixant la fille d'un regard glacial et plein de morgue.

226

— Je m'appelle Grace. Je travaille au club.

Joseph sourit à ladite Grace et fit d'une voix pâteuse :

— J'ai gagné... hein ?

Grace repoussa les cheveux du blessé de son front. Shannon se renfrogna.

— Vous les avez tous mis K.-O., Joseph. Mais ne parlez pas. Essayez de dormir un brin.

Grace quitta la chambre, intimant par gestes à Shannon de la suivre. Une fois dans le couloir, elle referma la porte et regarda la jeune fille.

— Vous êtes sa sœur, n'est-ce pas ?

— Mm... mmm...

Grace s'approcha davantage et l'odeur de son parfum bon marché et de la fumée de cigare qui imprégnait ses vêtements monta aux narines de Shannon.

— Quel genre d'homme est-ce ? Je veux dire, à part le fait d'être viril et beau comme le diable.

Shannon effleura l'opulente poitrine du regard.

— Il est très lunatique.

Grace hocha la tête.

— Cela ne me surprend pas. Tout feu tout flammes, hein ? C'est un passionné.

Shannon haussa légèrement un sourcil.

— Pas vraiment. Il est assez éteint.

— Éteint ? Eh bien, j'ignore quelle sorte d'hommes *vous* fréquentez, mais Joseph est tout sauf éteint ! Et ce corps qu'il a... les autres filles et moi, on a les yeux qui nous sortent de la tête à force de béer d'admiration devant ses fesses. Il a le plus beau cul de Boston... Et, croyez-moi, on s'y connaît !

Shannon secoua la tête et se détourna, son sang bouillant dans ses veines.

— Au revoir, Grace.

Elle saisit le loquet de la porte. Grace posa la main sur son bras.

— Dites-lui que je...

— Ravie d'avoir fait votre connaissance.

Et, sur une poignée de main, Shannon ouvrit.

— Je veux juste lui donner un...

— Bonne nuit !

Shannon claqua le battant à la figure de la brune et espéra que peut-être — sait-on jamais ? — elle lui avait raboté ses énormes nichons du même coup.

Elle alla examiner Joseph qui ronflait comme un sonneur. Eh bien, du moins savait-elle où il avait passé la nuit et avec qui.

Après lui avoir sommairement nettoyé ses coupures et ses ecchymoses à l'aide d'un linge imbibé d'eau froide, elle alla s'étendre sur la paillasse. Elle n'arrivait toujours pas à trouver le sommeil. Chaque fois qu'elle fermait les paupières, elle voyait la face tuméfiée de Joseph et, pis encore, la façon dont il s'accrochait à cette danseuse de bas étage.

Enfin, après avoir sombré dans un sommeil agité, elle rêva qu'elle regardait Joseph se faire rouer de coups par une horrible armoire à glace dont les poings avaient la taille d'un jambon de Noël.

228

Puis le rêve se transforma, et elle s'aperçut que c'était elle qui se battait. Uppercut! Direct! Esquive et assaut!

Surprise, elle se rendit compte qu'elle aimait ça, sentant monter en elle l'excitation de la victoire à chaque coup bien placé.

Mais ce n'était plus l'affreux boxeur qu'elle avait en face d'elle. C'était cette poufiasse brune aux seins hypertrophiés. Elle la battait comme plâtre... et savourait pleinement chaque minute du combat.

10

Machinalement, Shannon se passa les mains dans les cheveux, réordonnant le nid emmêlé de boucles rebelles. Elle n'avait dormi qu'une heure et il était temps d'aller au travail. Avant de partir, elle songea qu'elle devait s'occuper plus à fond des blessures de Joseph. A son retour, elle avait été trop furieuse pour lui accorder tous les soins qu'exigeait son état.

Faisant appel à toute sa dignité, elle se dirigea vers la coiffeuse, trempa un linge dans la cuvette de porcelaine bon marché et l'essora. Elle s'assit ensuite au bord du lit et entreprit de tamponner le visage de Joseph.

Le garçon remua et la regarda de son œil enflé.

— C'est Grace qui m'a ramené, marmotta-t-il entre ses lèvres fendues et sanguinolentes.

— C'est ce que j'ai cru comprendre, en effet, répliqua Shannon d'un ton glacial sans cesser de bassiner les plaies.

— Elle danse le french cancan.

— Ah oui ? Eh bien, oubliez-la, à présent ! Ne bougez pas. Je vous autorise à utiliser mon lit... du moins pendant ma journée de labeur.

— Merci, Shannon. Je vous en suis reconnaissant.

Shannon se leva et retourna à la coiffeuse rincer le linge sanglant. Un peu nauséeuse à la vue de l'eau rougie, elle s'efforça de ne pas se dire que c'était le sang de Joseph ni d'imaginer à quel point son visage devait le faire souffrir.

— Et je préviendrai à l'usine que vous allez manquer un jour ou deux, reprit-elle, se demandant quoi faire pour le soulager.

Elle revint au chevet du lit et posa le linge sur le front de Joseph.

— Annoncez-leur que je ne reviendrai plus, répliqua-t-il.

— Ne soyez pas si pessimiste, Joseph ! Vous êtes en piteux état, certes, mais vous n'allez pas mourir !

— Je n'aurai pas besoin d'y retourner, Shannon. Regardez dans ma botte.

Perplexe, la jeune fille souleva le revers du pantalon et découvrit de l'argent dans la chaussure.

— Quatre dollars ! s'exclama-t-elle. C'est plus que ce que nous gagnons en un mois à plumer des poulets !

Joseph lui arracha les billets des doigts et les serra dans son poing.

— C'est moi qui les ai gagnés, et moi seul ! Et c'est également moi qui détiens le titre de champion... Jusqu'à ce qu'un gus me mette K.-O., s'entend.

Shannon, bouche bée, écarquilla les yeux. Non... Il ne pouvait pas vouloir dire que...

— Vous avez l'intention de remettre ça ?

Il hocha la tête.

— J'aurai l'argent pour m'acheter chariot et cheval avant l'hiver.

Incrédule, Shannon considéra son visage tuméfié. Comment pouvait-on encaisser pareils mauvais traitements et retourner en prendre ? Qu'importait la somme en jeu ! Même si sa figure faisait moitié moins mal à Joseph que ne le laissait supposer son apparence, le garçon devait souffrir le martyre.

Elle se leva et se mit à arpenter la pièce, son agitation croissant à mesure qu'elle l'imaginait regagnant nuit après nuit leur chambre dans cet état-là. Ce n'était tout bonnement pas acceptable. Ce n'était pas moral.

Par-dessus le marché, le côté compétitif de sa nature s'enflammant, elle se surprit à le jalouser d'avoir ramassé tant de blé en une seule soirée... quand bien même il s'était transformé en punching-ball pour le mériter.

— Ce n'est pas bien du tout, Joseph, dit-elle en faisant la moue.

Joseph sourit.

— J'ai été l'objet de l'admiration générale.

— Eh bien, sachez que je ne vous admire pas, moi ! Alors que je m'assimile, me soumettant aux dures lois du monde ouvrier, vous obtiendriez votre billet pour l'Oklahoma en vous *battant* ?

— C'est *vous* qui aviez parlé d'un raccourci.

— Pour *moi*, pas pour vous ! J'appartiens à une classe supérieure à la vôtre, espèce d'extracteur de tourbe aux ongles noirs ! Je ne sais pas travailler. Sortez de ce lit !

— Qu'est-ce qui vous prend, jeune femme ?

— Allez dormir par terre. C'est là qu'est votre place.

Elle le tira mais, lui saisissant la main, il la fit tomber sur le lit à côté de lui. Leurs visages étaient si proches que Shannon sentit l'haleine tiède de Joseph contre sa joue. Le garçon gloussa.

— Je vais vous dire ce qui vous chiffonne, jeune femme. Vous crevez de jalousie. Je m'élève dans la société tandis que vous dégringolez. Je grimpe de plus en plus haut et j'acquiers du pouvoir. Voilà ce qui vous rend malade.

— Jalouse ! Jalouse ? Moi ? De vous ? C'est la meilleure ! (Shannon bondit du lit et se remit à faire les cent pas.) Je serais jalouse de vous parce que vous êtes assez sot pour vous faire aplatir comme une crêpe dans des querelles d'ivrognes ? Quelle imagination fertile vous avez, Joseph !

Joseph sourit, sûr de son fait.

— Ce doit être le fruit de mon imagination, en effet.

— C'est l'évidence ! Je suis contente que vous en conveniez. (Elle continua ses va-et-vient, l'esprit carburant à plein régime.) Joseph, il existe d'autres moyens de se rendre

234

en Oklahoma, reprit-elle, s'efforçant de bannir toute émotion de sa voix tandis qu'elle en appelait aux facultés de raisonnement de son interlocuteur. Regardez-vous, mon ami ! On vous a battu comme plâtre. Vous ressemblez à un épouvantail ! (Elle revint près du lit et saisit la main de Joseph, comme si elle détenait ainsi le pouvoir de le retenir et de le forcer à se plier à sa volonté.) Croisez au large de ce club, Joseph Donelly ! C'est l'antichambre de l'enfer !

Joseph, cependant, se contenta de sourire sous ses coupures et ses bleus.

— Vous auriez dû entendre la foule m'acclamer, Shannon ! Le vent est en train de tourner, pour moi. Ç'a été une nuit fantastique ; elle m'a apporté la gloire.

Allègre, il agita ses billets et Shannon se rendit compte qu'il se rengorgeait comme un dindon. L'odieux personnage ! Il allait bel et bien retourner combattre. Et elle ne pouvait pas même lever le petit doigt pour l'en dissuader.

Et que se passerait-il si, la prochaine fois, il revenait encore plus amoché ? Que se passerait-il si ces brutes épaisses l'estropiaient ou le mutilaient ? S'ils le tuaient ?

Elle eut des haut-le-cœur et, en dépit de ses efforts, ne put les réprimer.

— Excusez-moi, Joseph, déclara-t-elle en quittant la chambre. Je dois aller me préparer pour partir travailler. Je reviens dans quelques minutes.

Elle emporta la cuvette d'eau ensanglantée et

fila dans le couloir droit sur la salle de bains, luttant contre la nausée qui lui montait de l'estomac.

Une fois dans la salle de bains, elle s'aspergea le visage d'eau froide et s'essuya avec une serviette. Elle demeura un moment à évoquer l'air heureux de Joseph, son sourire illuminant sa face contusionnée et sanglante. Fixant son reflet dans le miroir, elle vit l'expression qu'elle aurait dû lire sur les traits de Joseph, mais qui en était absente : de la peur ; une peur froide, blanche.

Un poing qui semblait remorquer un train de marchandises s'écrasa sur sa mâchoire et Joseph sentit ses genoux se dérober sous lui. Il lui parut que ses membres, lestés de plomb, étaient trop lourds pour le soutenir davantage.

— Vas-y, Bagarreur ! cria Mike Kelly du bord du ring.

Le Boss, Gordon, Dermody et plus de la moitié de l'assistance beuglaient des encouragements, certains cordiaux, d'autres comminatoires... cependant que Joseph frappait sans relâche l'Irlandais baraqué tout frais débarqué de son Kerry natal. L'homme avait encaissé une volée de coups, mais il refusait de mordre la poussière.

Beaucoup d'argent était en jeu dans ce combat, et Joseph en était conscient. Il devait gagner, devait conserver son titre de champion et recevoir ses sous — on était dimanche soir et il avait déjà dépensé l'avance qu'il avait touchée la veille.

Réunissant toute sa force, sa volonté et sa rage, il assena un direct du droit meurtrier au menton de son adversaire. Les yeux révulsés, le géant du Kerry s'effondra, tête la première.

— Faites vos paris, messieurs ! brailla Dermody.

Kelly empoigna Joseph qui était à deux doigts de s'effondrer. Pas question de lui permettre de s'asseoir !

— Allez, mon gars ! claironna-t-il en le secouant. Haut les cœurs ! La nuit est encore jeune.

Gordon s'avança, le souffle court.

— On a un autre boxeur, Mike.

— J'ai déjà mené trois combats ce soir, protesta mollement Joseph.

— Es-tu encore en train d'extraire de la tourbe en Irlande, mon gars, ou de te hisser dans le monde ? (Kelly se tourna vers un groupe proche.) Versez-lui du gin sur la tronche, les amis, et faites-le dégager !

Joseph fut promptement inondé d'alcool et remis sur ses pieds. Ses orteils au ras de la ligne tracée à la craie au milieu de la salle, l'adversaire suivant attendait, l'air de crever la dalle et d'être prêt à ne faire qu'une bouchée de Joseph.

— Faites vos paris, messieurs ! glapit Dermody.

Et Joseph fut propulsé dans la bagarre.

Shannon regagnait sa chambre à pas lourds, traînant les pieds dans le couloir, tous ses muscles endoloris. Des plumes hérissaient son cou moite de transpiration, ses mains lui brûlaient et elle puait comme un bouc. Travailler pour gagner sa croûte ne correspondait pas du tout à l'idée qu'elle en avait. Elle se rendait compte qu'il lui fallait payer cher son indépendance, même dans un pays aussi moderne que l'Amérique.

La porte s'ouvrit au bout du couloir et Joseph sortit en se pavanant de leur chambre, vêtu d'un nouveau manteau, une casquette bleue fantaisie perchée crânement sur sa tête. Encore un couvre-chef neuf ! Mon Dieu, il doit dépenser tout ce qu'il gagne en chapeaux ! pensa-t-elle, à la fois pleine de mépris pour lui et réjouie à sa vue.

Ces derniers temps, elle le voyait fort peu. Il boxait le soir et la nuit au club et dormait la journée. Elle travaillait tout le jour à l'usine et passait ses soirées seule dans leur chambre. Il lui manquait terriblement... même s'il était une épine dans son pied.

— Comment va, mesdames ? dit-il en levant sa casquette à l'adresse d'un groupe de prostituées réunies devant une des chambres.

Shannon, lorsqu'il la croisa, eut droit au même sourire étincelant et au même mouvement de casquette. L'espace d'un instant, la jeune fille souhaita qu'il s'arrête pour lui dire quelques mots, puis elle se hâta de chasser cette envie de son esprit. Mieux valait qu'il fiche le camp, avec ses ridicules coiffures, et le plus vite possible ! Elle ne s'en ressentait pas pour subir ses fanfaronnades toute la nuit.

— 'soir, Shannon, dit-il en passant.

— Bonsoir, Joseph.

Les prostituées les lorgnèrent en gloussant, couvant Joseph des yeux. Shannon fit mine de les ignorer, mais elle ne put s'empêcher d'entendre leurs commentaires quand elle passa devant elles pour se rendre à sa chambre.

— C'est un beau parti, ce Joseph Donelly !

— S'il est capable de brandir haut les poings tous les soirs, imaginez un peu de quoi doit être capable son service trois pièces !

Elles partirent d'un rire de crécelle sous le nez de Shannon ; celle-ci claqua la porte de sa chambre, ce qui ne l'avança pas à grand-chose compte tenu de la minceur des cloisons.

Elle s'affala sur son lit et resta prostrée, entendant toujours les filles babiller et supputer les prouesses du « service trois pièces » de Joseph.

Dieu du ciel, que sa vie avait changé ! Quelques mois plus tôt, elle n'aurait pas connu un seul terme pour décrire l'anatomie intime d'un homme ; à présent, grâce à ses compagnes de chambrée, son vocabulaire s'était bien enrichi. Elle pouvait en citer plusieurs.

Elle tenta de réunir la dose de mépris qu'il convenait vis-à-vis de ces traînées, mais elle n'éprouvait que jalousie brûlante en raison de leurs remarques à propos de Joseph.

Peu à peu, elle était de moins en moins choquée par leur conduite et leur métier. Bien que sa mère lui eût répété à satiété que pareilles femmes étaient d'horribles et vicieuses créatures, elle les trouvait en fait plutôt gentilles... quand elles ne l'agaçaient pas à cause de Joseph.

Shannon, obéissant aux préceptes maternels, avait déployé des trésors de zèle pour maintenir son aversion intacte ; au fil des jours, cependant, celle-ci allait diminuant. Ces femmes étaient des êtres humains, au fond, quoi que Nora eût pu penser d'elles.

Et peut-être n'étaient-elles pas si différentes d'elle-même, conclut Shannon, alarmée.

Ces temps-ci, la jeune fille s'était de plus en plus souvent interrogée sur les choses qu'une fille non mariée de son âge n'avait pas à se fourrer dans la tête. Toutefois, le seul fait qu'elle n'était pas *supposée* y songer parait le sujet d'un attrait supplémentaire. C'était simple : elle ne pouvait pas *s'empêcher* d'y penser ; son corps ne le lui permettait pas. Peut-être était-elle aussi mauvaise que ces femmes dans le couloir...

Et, fait qui la rendait plus misérable encore, parfois, quand elle surprenait Joseph en train de l'observer de cette drôle de façon, elle avait la nette impression qu'il pensait lui aussi à la même chose.

Peut-être Nora se trompait-elle. Peut-être les gens n'étaient-ils pas si différents les uns des autres, au bout du compte.

— Ah... C'est le coup le plus vicieux que j'aie jamais vu ! s'exclama le Boss, tandis que le dernier adversaire de Joseph assenait à celui-ci un méchant direct à la tempe.

Un autre encore, et Joseph s'en fut chanceler et tournoyer parmi la foule bruyante. Lorsqu'il acheva sa chute, il atterrit tête la première dans la célèbre paire de seins de Grace.

La salle rugit de rire.

Grace leva le visage de Joseph et lui adressa un sourire radieux.

— Vas-y, Joseph ! C'est toi le meilleur !

Lui plantant un gros baiser sonore et mouillé sur la bouche, elle le fit pivoter face à son adversaire.

Dans l'assistance, ce fut le délire.

Joseph se rengorgea, bondit sur le malabar et l'étendit pour le compte.

A l'approche de l'hiver, Boston paraissait encore plus grise à Shannon quand elle rentrait chez elle en compagnie de ses deux collègues, Olive et Glenna. Les immeubles noircis de suie, plus sombres que le ciel qui les surplombait, semblaient se refermer sur elle et elle se surprenait à rêver plus fréquemment au ranch qui serait sien un jour.

Tout ne serait que couleur. Des champs verts entourés de clôtures d'une blancheur de neige. Une grange rouge vif. Une maison jaune au toit bleu. Une basse-cour grouillante de volailles — poulets, oies et canards de toutes nuances.

Ces songeries l'aidaient à dissiper la monotonie urbaine et l'impression qu'elle allait vivre et mourir en ces lieux, sans réaliser son rêve.

— Les hivers, ici, sont rudes, dit Olive, remarquant que la jeune fille frissonnait dans sa robe mince. Tu devrais t'acheter un manteau.

— Je n'en ai pas les moyens, répliqua Shannon, pensant à la garde-robe bourrée à craquer de chauds lainages qu'elle avait laissée en Irlande.

— Tu es devenue fort économe, ajouta Glenna. Et tu bosses si dur que tu nous fais honte à toutes.

— Je supporte mieux ce travail en mettant du cœur à l'ouvrage. (Shannon envoya un caillou rouler devant elle. Ses bottines, elles aussi, s'éculaient ; elle sentit la dureté de la pierre contre la plante de son pied.) Je déteste l'usine et cet horrible petit contremaître, mais plumer des poulets m'indiffère, à présent.

Les trois femmes firent halte devant la vitrine d'une boutique spécialisée dans la mode dernier cri et contemplèrent une robe de satin mauve aux manches à crevés et aux épaules rembourrées.

— Regardez les manches ! C'est une création de Paris, en France, c'est écrit. Vous vous imaginez posséder jamais toilette pareille ? dit Glenna, mélancolique.

— En posséder une ? Il me suffirait de la *porter* une fois, rétorqua Olive. Comme on doit se sentir élégante dans une robe aussi somptueuse pour danser dans une salle de bal !

Elle fit froufrouter sa jupe usée et tachée tout en fredonnant.

Shannon étudiait ses amies, en proie à un sentiment de honte qu'elle s'expliquait mal. En Irlande, elle avait plusieurs penderies pleines de robes semblables à celle de la vitrine ; et elle avait toujours considéré le fait comme allant de soi. Il ne lui était jamais venu à l'esprit que, pour la plupart de ses sœurs dans le monde, porter une telle toilette n'était qu'un rêve.

Une femme bien habillée les dépassa, le nez dédaigneux, tenant un caniche pomponné au bout d'une laisse de cuir rouge.

— Imaginez-vous dans la peau de cette richarde, qui a tout ce qu'elle désire, remarqua Glenna.

Pour la première fois de sa vie, Shannon éprouva de l'irritation envers une personne qu'en temps normal elle eût regardée comme appartenant à son monde. Cette femme n'était pas différente de sa mère, des amies de celle-ci et — il fallait être honnête — de Shannon elle-même voilà peu.

Cependant, l'attitude de la lady semblait désormais dépourvue de dignité ou d'élégance à la jeune fille ; elle la jugeait hautaine et froide. Shannon songea qu'elle préférait, et de loin, la cordialité et la franchise de ses nouvelles amies. Bien que sa mère eût traité Glenna et Olive de « roturières », Shannon les trouvait gentilles, généreuses et beaucoup plus plaisantes à fréquenter que ses amies d'Irlande socialement plus convenables.

— Même son chien se donne des grands airs ! marmonna-t-elle, se faisant l'interprète des sentiments de ses compagnes. Voyez-moi ce petit crétin qui fait du chiqué !

De l'autre côté de la chaussée, la porte d'une échoppe s'ouvrit dans un tintement de carillon. L'attention du trio se porta sur un beau garçon qui s'apprêtait à sortir.

— Regarde, Shannon ! s'écria Olive. C'est ta vedette de frère !

— Sapristi ! (Shannon secoua la tête.) Il s'est encore acheté un chapeau !

Joseph quitta la boutique d'un pas nonchalant, s'arrêta pour contempler son reflet dans la vitrine et ajuster le bord de son couvre-chef flambant neuf. Pareille vanité fit glousser les filles.

— Le voilà tout pimpant pour la réunion paroissiale de dimanche, dit Glenna. On t'y verra, Shannon ?

— Je ne crois pas.

— Ah, viens donc ! Il faut que tu sortes un peu. (Glenna lui tapa dans le dos.) C'est Thanksgiving, quand même !

Shannon resta un instant interdite.

— Ah oui ?... Oh oui, c'est vrai !

Elle ignorait au juste ce qu'était Thanksgiving ; apparemment, c'était une sorte de jour férié en Amérique, et elle devrait l'observer. Elle était mal à l'aise dans ce nouveau pays qui ne célébrait pas la plupart des fêtes auxquelles elle était accoutumée en Irlande et en honorait d'autres dont elle n'avait jamais entendu parler.

— A demain ! fit Glenna, tandis qu'Olive et elle prenaient le chemin de leurs logis. Gare à l'indigestion ! Ne va pas te gaver de dinde !

De la dinde ? Que venaient faire des dindes dans l'histoire ? se demanda Shannon en traversant la rue pour rejoindre Joseph qui s'admirait toujours devant la vitrine.

Elle lui tapa sur l'épaule.

— Vous avez tout du parfait idiot ! s'écria-t-elle avec bonne humeur.

Joseph pivota et sourit, pas le moins du monde vexé par l'insulte.

— Ah oui ? Eh bien, allons prendre d'autres avis.

Lui donnant le bras, il la mena au bout de la rue, adressant son sourire éclatant à tous ceux qu'ils croisaient. Femmes, enfants et vieillards, tous étaient complètement sous le charme.

— Quel beau chapeau, monsieur Donelly ! cria le vendeur de fruits et légumes comme ils passaient devant son étal. Et fameux combat, aussi, que celui d'hier soir !

— Content qu'il vous ait plu, Connor.

L'homme lança une pêche à Joseph.

— Bon, d'accord, fit Shannon, vexée. Vous avez gagné. Mais vous feriez bien de prendre garde, Joseph. Vous devenez vaniteux.

Otant son chapeau, Joseph feignit de l'épousseter de sa manche.

— Oh, je n'en crois rien ! Vaniteux, moi ? Pas du tout !

Elle rit en le voyant gambader puis, regardant la chaussée, elle aperçut une énorme flaque de boue.

— Oh, mon cher, une flaque de boue !

— Je mettrais bien mon manteau dessus, la taquina Joseph, mais... ça m'embête de le salir !

Et, en lieu et place d'un geste galant, il empoigna Shannon par le bras et tous deux sautèrent à pieds joints par-dessus l'obstacle. Ils atterrirent de l'autre côté en gloussant.

— En vérité, Joseph, reprit Shannon tandis qu'ils poursuivaient leur route, vous possédez bien plus de charisme qu'un être humain n'en devrait avoir. Dommage que vous soyez un tel trou du cul pétri de fatuité.

— Un trou du cul ? Est-ce bien là la parfaite et bien élevée Shannon Christie que je viens d'entendre proférer pareille grossièreté ? Mon Dieu, mon Dieu, où va le monde, je vous le demande ?

— Ma mère en mourrait, admit Shannon, sans éprouver toutefois grand remords. Ce sont mes mauvaises fréquentations.

Ils cheminèrent un moment en silence, passèrent devant la boulangerie — une savoureuse odeur de pain et de croissants tout frais sortis du four parfumait l'air —, puis devant la boucherie ; des cuisses de mouton et de dinde étaient suspendues en vitrine. Un écriteau annonçait : ACHETEZ CHEZ NOUS VOTRE DINDE DE THANKSGIVING !

— Mon chapeau vous plaît, Shannon ? Répondez-moi franchement.

Elle perçut dans sa voix sa vulnérabilité et en fut émue. Mais elle ne put se résoudre à lui donner la satisfaction de lui dire qu'elle le trouvait terriblement beau garçon... avec ou sans chapeau neuf.

— Vous avez tout du parfait Bostonien, répliqua-t-elle, et Joseph parut faire ses choux gras de ce compliment édulcoré. Joseph, ajouta-t-elle pensivement, est-ce que l'Irlande vous manque ?

— Oui et non. J'aimerais voir la tête des gens devant mon succès. Mais retourner vivre dans cette pauvrissime pauvreté... j'en ai la chair de poule rien que d'y penser ! (Il la scruta d'un œil inquisiteur.) Et vous, Shannon ? On dirait que vous souffrez du mal du pays, ce soir.

— Mes parents me manquent, même mon horrible mère. Et mes chevaux. Et mes domestiques. Et mes livres. Et mes chaussures. Et ma baignoire, et mes savons, et ma broche, et ma couette, et mon piano...

— Peut-être devriez-vous rentrer.

— Jamais ! En Irlande, tout était fait pour moi. Je veux me prouver que je puis être indépendante.

— Eh bien, c'est chose faite, jeune femme. Vous le démontrez au fil des jours.

Shannon rayonna de fierté sous l'éloge et décida d'aborder un sujet dont elle souhaitait entretenir Joseph depuis une semaine.

— Vous irez à la réunion de dimanche, je suppose ? demanda-t-elle alors qu'ils passaient devant une boutique de modiste présentant les plus adorables capotes qu'elle eût vues depuis longtemps.

Oh, que ne donnerait-elle pas pour n'importe laquelle d'entre elles ! Mais il fallait songer au nécessaire avant le superflu. Pour l'heure, elle n'avait même pas les moyens de s'acheter un manteau.

— Oui, répondit Joseph. Je ne peux pas laisser tomber les gens. Joseph Donelly y sera, pour ça, oui ! Peut-être que je danserai une gigue ou deux.

Il s'arrêta et esquissa un pas de deux sur le trottoir. Quelques passants firent halte pour le regarder, ravis.

Shannon songea à s'irriter de ses manières. En vérité, il se conduisait comme un musicien des rues, comme un de ces romanichels qui faisaient des tours dans les foires d'Irlande.

Mais elle ne put faire naître son indignation. Joseph Donelly pouvait bien être un extracteur de tourbe aux ongles sales ou, plus récemment, un vulgaire bagarreur dont les tripots louaient les services, dans des moments comme celui-là, il avait un charme fou. Pourquoi le nier ?

— Allons, dit-elle en riant, prenant son bras pour le faire descendre du trottoir. Vous êtes impossible !

— Cela vous ferait un bien fou, jeune femme, de vous laisser aller par-ci, par-là.

— Je n'ai pas de temps à consacrer à ces folies. J'ai un rêve à réaliser pour demain.

Joseph opina pensivement.

— Les rêves d'avenir sont importants, certes. Mais il ne faut pas que vous perdiez vos aujourd'huis en cours de route.

Les paroles de Joseph étaient marquées du sceau de la vérité. Shannon les engrangea, se promettant de les méditer plus tard.

— Et vous, Shannon, irez-vous à la réunion paroissiale ?

— Certainement pas. Vous n'êtes pas près de me voir assister à une messe catholique, à marmonner en latin et tout ça.

Son sourire évanoui, Joseph dévisagea la jeune fille avec tristesse.

— Vous êtes l'artisan de votre malheur, jeune femme, et cela sans raison. Venez donc ! Voir du monde vous fera du bien.

Shannon secoua la tête avec obstination. Elle observa, au bout de la rue, les gens qui entraient et sortaient des magasins, faisant leurs courses en prévision du dîner. Tant de visages, et elle n'en reconnaissait aucun. Pire, personne ne remettait le sien.

— L'image que je me faisais de l'Amérique, déclara-t-elle, n'avait rien à voir avec la réalité. J'étais habituée à un minimum d'égards ; ici, je suis absolument invisible.

Joseph lui entoura les épaules de son bras et la pressa cordialement contre lui.

— Mais non ! Vous êtes jolie comme un cœur, et la beauté compte beaucoup, que ce soit en Amérique ou en Irlande... du moins est-ce mon avis. Cela vous plairait-il que je vous achète un chapeau ?

Sa générosité fit sourire Shannon malgré elle.

— Je ne veux rien accepter de vous, Joseph, mais merci quand même.

— C'est votre dernier mot ? L'effet d'un chapeau neuf est proprement miraculeux quand on se sent du vague à l'âme.

Shannon éclata de rire. Joseph avait une philosophie si simplette ! Un couvre-chef possédait la vertu de guérir tous les maux et d'apaiser tous les chagrins.

Affichant, l'espérait-elle, une mine indifférente, elle posa la question qui lui taraudait l'esprit :

— Grace viendra-t-elle à la réunion, dimanche ?

— J'y compte bien ! répondit-il, sans même avoir la décence de marquer un temps de réflexion. Je l'aime bien. Elle n'arrête pas de me couvrir de compliments.

— Elle a une poitrine atrocement grosse pour fréquenter l'église. Je n'ai jamais vu silhouette si disproportionnée que la sienne !

— Bah... à votre place, je ne me bilerais pas pour si peu. Toutes les poitrines se valent aux yeux de Dieu. Par ailleurs, elle aurait du mal à la laisser chez elle, ajouta-t-il avec un sourire taquin, mais je ne manquerai pas de lui rapporter votre point de vue.

— Vous ne lui diriez pas ça !

Shannon, agacée, vit Joseph rejeter la nuque en arrière et se mettre à rire à pleine gorge. A son corps défendant, elle goûta son entrain ;

mais, c'était plus fort qu'elle, elle désirait effacer le sourire de ses traits.

Et elle ne pouvait s'empêcher d'éprouver de la jalousie à la pensée de ses seins ronds, certes, mais guère voluptueux. Toutes les poitrines pouvaient bien se valoir aux yeux de Dieu, c'était à d'autres yeux qu'à ceux du Père céleste qu'elle pensait.

Pour quelque raison obscure, elle se surprit à se demander à quelles réflexions se livrait Joseph lorsqu'il la regardait.

11

En approchant de leur logis, Joseph et Shannon aperçurent un attelage noir de sinistre présage devant la bâtisse. La portière de la berline s'ouvrit, livrant passage à Mike Kelly, suivi de son escorte de casseurs.

— Te voilà, mon gars, l'air frais comme un gardon et tiré à quatre épingles ! s'exclama joyeusement le Boss. Comment va, Bagarreur, espèce de petite terreur ?

— A merveille, Mike ! Salut, les gars !

Les gangsters hochèrent le menton et sourirent. Kelly avança vers Joseph et commença à se battre avec lui.

— Tu es ma fierté et ma joie, Donelly. (Il le conduisit jusqu'à l'attelage.) Viens, mon gars ! M. Bourke voudrait te dire un mot.

Shannon, se sentant complètement ignorée, regarda Kelly guider Joseph vers la voiture. L'autre portière s'ouvrit, révélant la silhouette bedonnante de D'Arcy Bourke, qui resta à l'intérieur. Après avoir scruté Shannon de la tête aux pieds de ses petits yeux porcins, il reporta son attention sur Joseph.

— Eh bien, Donelly, s'écria-t-il, toujours invaincu, hein ? Quel effet cela fait-il d'être le point de mire général et de récolter regards de haine et d'envie ?

Joseph rit et baissa la tête sous la flatterie.

— Personne ne me hait, monsieur Bourke.

— Ne vous faites pas d'illusions ! Aucun homme ne se réjouit du succès du voisin. Des dizaines de types brûlent de vous mettre K.-O.

Joseph se haussa d'un ou deux centimètres et bomba le torse.

— Qu'ils essaient s'ils ont les poches bien garnies !

Kelly et sa bande se mirent à rire et Kelly assena une tape dans le dos de Joseph. Shannon, en ayant sa dose de l'arrogance de Joseph et, plus encore, de compter pour du beurre, tourna les talons et entra dans la maison, claquant violemment la porte derrière elle.

Bourke la suivit des yeux et se lécha les lèvres.

— Appétissante, cette crevette ! Et quelles longues jambes ! commenta-t-il avec lascivité.

— Surveillez votre langage, monsieur Bourke, fit Joseph d'un ton sec.

Bourke, Kelly et ses sbires en perdirent l'usage de la parole. Personne ne s'adressait ainsi à D'Arcy Bourke sans dommage.

— C'est bien un bordel, si je ne m'abuse ? remarqua le gros homme.

Joseph se hérissa.

— Cette jeune fille est une personne convenable, et je vous prierai de la traiter comme telle.

Le visage poupin de Bourke s'enflamma sous le coup de la colère ; Mike Kelly se racla nerveusement la gorge.

— Enfin, Donelly, s'exclama-t-il, ce n'est pas une façon de parler à M. Bourke !

— Laissez, Kelly, riposta le politicien. Il s'agit d'affaires et ce garçon est notre capital marchand. Maintenant, mon ami, écoutez-moi ! Je désire que vous boxiez contre un Italien. Et je veux que vous le saigniez comme un goret.

Joseph regarda rapidement Bourke et Kelly tour à tour, son intérêt aiguillonné.

— Je combattrai et je vaincrai. (Il releva le menton aussi haut qu'il put sans mettre en péril l'assiette de son chapeau.) Mais je ne suis la propriété de personne, monsieur Bourke. Pas plus la vôtre que celle de quiconque. Je boxe pour moi, et pour moi seul.

Sur ce, il s'éloigna de l'attelage. Kelly lui courut après et l'entraîna à l'écart.

— Qu'est-ce qui te prend, mon gars, de pisser contre le vent ? D'Arcy Bourke est un gros bonnet à Boston... un homme dont les relations me sont utiles.

— Je n'ai pas l'intention de lui embrasser le derrière sous prétexte que vous tous le faites !

Kelly se pencha davantage et baissa la voix en un murmure menaçant.

— Tu tiens à ton costard, Joseph ? Tu aimes avoir assez d'oseille en poche pour te payer une bière ? Eh bien, sans moi, tu n'es rien d'autre qu'un Irlandais ignare. Si tu me contraries, tu pourras dire adieu à la boxe. Je te jetterai sur le pavé et tout le monde te claquera la porte au nez. Pigé, mon gars ?

— Oui, acquiesça Joseph de mauvaise grâce.

Kelly lui tapa dans le dos et le fit pivoter d'un demi-tour pour le placer face à Bourke.

— Ce combat restera dans les annales, monsieur Bourke ! s'écria-t-il. Ce sera un grand combat, pour sûr !

Joseph entra dans la pension et n'en crut pas ses yeux. Shannon, assise sur un tabouret, jouait du jazz au bénéfice de Molly et de quelques prostituées. Toutes s'agglutinaient autour du piano, adressant à la jeune fille force compliments pour son jeu et poussant des rires de gorge.

— Shannon ? fit Joseph, qui ne comprenait toujours pas la vision qui s'offrait à ses yeux.

Elle se tourna vers lui et lui décocha son sourire le plus radieux.

— Salut, Joseph ! Je suis grise !

Joseph secoua la tête, incrédule.

— Grise ? Comment cela ? Vous m'avez quitté voilà à peine cinq minutes !

— Elle a une bonne descente, expliqua Molly en indiquant un carafon de whisky posé sur le tabouret à côté de Shannon.

— Et quand je l'aurai fini, déclara celle-ci sur un ton affecté, peut-être que j'en boirai un autre.

Saisissant le cruchon, elle but à la régalade et fit la grimace. Puis elle déglutit et s'exclama dans un frisson :

— Mmmmm... C'est bon !

— Après tout, commenta Joseph avec philosophie, vous êtes venue en Amérique pour devenir une femme moderne. Je suis heureux de constater que tout marche à souhait pour vous.

Il s'éloigna en direction de l'escalier. Shannon, n'ayant pas réussi à le choquer par le spectacle de sa pseudo-ivrognerie, but une autre lampée et s'étrangla. Quand elle eut repris son souffle, elle s'élança à sa suite.

Joseph suspendit avec soin son chapeau à une patère de la chambre — dernier spécimen en date de ce qui prenait les proportions d'une collection impressionnante. Shannon, légèrement chancelante, observa le garçon puis ses couvre-chefs.

— Vous avez changé, monsieur Donelly, dit-elle.

— En bien, je suppose ?

Elle pencha pensivement la tête de côté.

— Non. Changé. Regardez tous ces stupides chapeaux ! Vous n'irez jamais en Oklahoma. Vous avez dépensé tous vos sous.

Joseph rit et haussa un sourcil, la mine pleine de fierté et d'assurance.

— D'ici peu, on viendra m'apporter à domicile la terre sur un plateau.

— Vous êtes devenu snob.

Il se hérissa.

— Snob ? Ne croirait-on pas la pitié qui se

moque de la charité ? Voilà qui est nouveau !
Vous ne remarqueriez pas un snob, même s'il
venait vous pincer les fesses !

Shannon ouvrit la bouche pour rétorquer,
mais une voix féminine cria de la rue :

— Joseph !

Un ange passa, puis Joseph se détourna.

— Excusez-moi une minute... ivrognesse, dit-
il en allant soulever le châssis de la fenêtre.

— Joooooseph ! cria encore la voix.

Joseph se pencha et aperçut Grace sur le
trottoir d'en face. La jeune femme lui adressa
de grands signes.

— Hello, Joseph ! On se voit à l'église
demain matin ?

— Fabuleux ! Divin ! répliqua-t-il avec un
égal enthousiasme. On pourra s'asseoir côte à
côte.

— Saaaalut !

— Ciao !

Il manqua passer par la fenêtre en faisant
des gestes d'adieu, tandis que Grace lui
envoyait un baiser et s'éloignait d'une démarche chaloupée.

Il referma le châssis et revint à Shannon. La
jeune fille lui jeta un regard noir.

— C'était... euh... Grace, dit-il.

— Sans blague ? Je parierais que tout le voi-
sinage est au courant !

Il sourit, se délectant de son accès de
jalousie.

— Grace est une chic fille, ça oui ! Tout le
monde l'adore.

— Je n'en doute pas. Si cette petite coureuse va à confesse, il y aura queue derrière elle au confessionnal !

Shannon secoua la tête en un geste plein de hauteur pour marquer tout son mépris. Dans son état précaire, cependant, elle trébucha et faillit perdre l'équilibre.

— Grace n'est pas une coureuse, argumenta Joseph, ulcéré. C'est une danseuse de bastringue.

— Une danseuse ! Peuh ! Je n'appelle pas ça danser, mais montrer son pantalon ! Et je suis certaine qu'elle n'hésiterait pas à l'enlever si vous le lui demandiez.

Joseph sourit, le regard perdu dans le vague, comme s'il visualisait la scène.

— Peut-être, en effet, répliqua-t-il pensivement.

— Elle l'a déjà fait ?

De nouveau, il fixa le vide.

— Voyons... Attendez que j'essaie de me rappeler...

— Réfléchissez bien, railla-t-elle. Si tant est qu'il vous reste un peu de cervelle. Regardez-vous ! Le Boss et ses amis sont en train de vous rendre idiot !

— Ils me respectent, riposta Joseph, dont la colère montait.

Comment avait-elle le front de déprécier son prestige tout neuf, et ce uniquement parce qu'elle le jalousait ?

— Détrompez-vous ! Vous êtes une poule aux œufs d'or pour eux, point final, Joseph ! Ils vous conservent dans la saumure comme un morceau de porc.

— Ça suffit ! Fermez votre clapet, jeune femme !

Joseph perçut en lui une fêlure cachée, une crainte secrète... Il y avait peut-être un fond de vérité dans le jugement de Shannon.

Il avança vers la jeune fille et la prit dans ses bras.

— Joseph ! Qu'est-ce que vous faites ? cria-t-elle quand il lui fit franchir la porte. (Elle le gifla et lui bourra la poitrine de coups de poing tandis qu'il la menait dans le couloir, hurlante et trépignante.) Posez-moi par terre, Joseph ! hurlait-elle. Sale type ! Lâchez-moi à l'instant !

Alors qu'ils atteignaient la porte de la salle de bains, Molly et les filles montèrent l'escalier ventre à terre, tendant l'oreille.

Molly sourit.

— Le torchon brûle, on dirait.

Joseph ouvrit le battant d'un coup de pied et, sans plus de façons, laissa tomber Shannon dans la baignoire pleine d'eau.

— Ça vous apprendra à me traiter de snob, déclara-t-il avec satisfaction.

— Vous *êtes* snob ! s'écria-t-elle, toussante et fulminante. Vous n'étiez qu'un ramasseur de cailloux du comté de Galway. A présent que vous avez fait peau neuve, vous vous prenez pour le sel de la terre !

Elle batailla pour s'extraire de la baignoire. Joseph l'y repoussa.

— Dites-moi que mon chapeau vous plaît.

— Quoi ? Quel chapeau ? Vous êtes nu-tête.

Il la maintint d'une poigne ferme tandis qu'elle s'ébrouait au milieu de mille éclaboussures.

— Dites-moi que mon chapeau vous plaît ! Pourquoi ne pouvez-vous pas le dire ? Pourquoi êtes-vous incapable de dire que vous aimez mon costume ? Je les ai durement gagnés. J'ai réussi par moi-même. Pourquoi me refusez-vous ce plaisir, jeune femme ?

Cessant de se débattre, Shannon le fusilla du regard, puis elle le frappa et sortit comme une furie de la baignoire. Saisissant le premier objet qui lui tombait sous la main, elle lui lança une bouilloire à la tête. Il l'esquiva et l'ustensile alla se fracasser contre le mur.

Il marcha sur elle. Elle attrapa un bol à raser et une brosse et l'en menaça.

— N'approchez pas, Joseph ! cria-t-elle, brandissant ses armes improvisées. Allez donc peloter cette souillon, avec ses nénés de nourrice !

Jetant le bol par terre, elle se rua hors de la salle de bains. Une douzaine de prostituées, assemblées derrière la porte, s'écartèrent ainsi que la mer Morte devant Moïse pour lui laisser le passage. Joseph se précipita à sa suite, dérapant sur le carrelage mouillé.

— Vous êtes jalouse de moi, Shannon ! brailla-t-il en courant à ses trousses. J'ai amassé plus d'argent que vous et j'ai quasiment ma terre !

— Je peux gagner du fric aussi vite que vous ! cria-t-elle en réponse. Parole d'honneur... Bagarreur !

261

Elle fonça dans la chambre et claqua le battant au nez de Joseph. Le garçon tripota la serrure, jura, puis frappa le mur du poing.

— Pourquoi ne la baisez-vous pas une bonne fois pour toutes, fiston ? demanda une voix taquine dans son dos.

Il se retourna. Molly lui sourit, les mains sur les hanches.

Les prostituées, formant cortège, avaient le même sourire entendu.

— C'est ma sœur ! brailla-t-il.

Molly renifla.

— C'est ça ! Et moi je suis la reine d'Angleterre !

Toutes rirent de bon cœur. Joseph, cramoisi, se remit à bourrer le mur de coups de poing.

Plus tard, ce soir-là, l'esprit momentanément apaisé après la tempête, Shannon et Joseph passèrent une heure paisible dans leur chambre avant le départ du garçon pour le club.

Joseph avait pris place dans un fauteuil branlant qu'il avait déniché sur le trottoir d'une venelle derrière le club. Après l'avoir recollé, il avait fièrement rapporté sa trouvaille. Shannon, d'abord ravie de l'acquisition, avait ensuite réfléchi et mesuré sa déchéance — tomber en extase devant un fauteuil de bar déglingué ! — et dès lors refusé de l'utiliser.

Joseph, lui, s'y asseyait tous les soirs avant de partir boxer et, un livre d'enfants sur les genoux, se consacrait à l'apprentissage de la lecture. Au début, Shannon l'avait beaucoup aidé ; à présent, il préférait étudier seul.

Tandis qu'il ânonnait, ce soir-là, la jeune fille pliait des vêtements sur le lit. De bonne humeur, elle fredonnait.

Joseph leva les yeux de son livre et l'examina quelques instants.

— Shannon... à propos de dimanche... Ça vous dirait de m'accompagner à cette réunion paroissiale ?

Elle sourit brièvement, flattée de la proposition, puis secoua la tête.

— Non, merci. Comme je vous l'ai déjà dit, c'est une messe catholique. Je me sentirais terriblement mal à l'aise dans un truc pareil. Je ne saurais quoi dire ou quoi faire, ni quand le dire ou le faire.

Il haussa les épaules.

— A votre guise. J'avais seulement pensé que je devais vous poser la question.

Il reprit sa lecture, fronçant les sourcils devant les lettres, le front plissé sous l'effet de la concentration, les lèvres formant silencieusement les mots. Shannon poursuivit sa tâche.

— Même si je voulais y aller — ce qui n'est pas le cas —, je n'ai rien à me mettre.

Joseph s'anima.

— Vous avez apporté d'Irlande des tonnes de toilettes ! Du moins c'est l'idée que j'ai eue en me les coltinant.

Shannon se dirigea vers une des malles, en sortit une robe verte brodée de dentelle ivoire, puis l'y laissa retomber.

— C'est immettable !

— Pourquoi ?

Béotien ! Elle le gratifia d'un regard méprisant.

— C'est démodé.

— Oh, je vois ! En effet, il est exclu qu'on vous voie dans une robe qui date, déclara-t-il en imitant le ton de la jeune fille.

— Joseph !

— Oui ?

— Bouclez-la !

Les cloches carillonnaient dans toute la cité, conviant les fidèles à la messe, et la plupart des citoyens irlandais de Boston répondaient à l'appel. Beaucoup avaient l'air de marcher sur des œufs, comme si des mouvements trop énergiques risquaient de leur dévisser la tête. Le samedi soir faisait date dans le calendrier mondain et, le dimanche matin, gueules de bois et pieds douloureux étaient la rançon à payer pour les excès de bière, de danses et de chants.

Joseph et Shannon cheminaient dans la rue noire de monde qui menait à l'église. Shannon se pendait nerveusement au bras de son compagnon, se sentant dans ses petits souliers. Que dirait sa mère si elle la voyait ? Une protestante bon teint assistant à une messe catholique...

La jeune fille avait revêtu la robe verte brodée de dentelle ivoire exhumée de la malle. La jupe, à présent, en était moins ample, les manches s'ornaient de crevés récents et les épaules d'un rembourrage tout neuf. Toutes ces retouches de fraîche date ne sentaient guère la couturière de métier, loin s'en fallait ! Mais la robe était *à la mode*, et cela seul comptait.

Une fois qu'elle se fut assise, le dos raide, sur le banc près de Joseph, Shannon s'aperçut que les épaulettes amorçaient un glissement fâcheux vers sa poitrine. Fourrant la main dans son corsage, elle les remit prestement en place.

Elle se pencha vers Joseph.

— Je ne vais pas communier, chuchota-t-elle.

— Je m'en contrefiche, répliqua-t-il.

Des visages familiers défilaient à mesure que les fidèles s'avançaient vers la table de communion : Mike Kelly, le petit Dermody, Molly, Olive, Glenna, d'autres ouvriers de l'usine ainsi que des hommes du club.

Shannon éprouva un accès de colère et de jalousie quand Grace, se pavanant, sourit à Joseph au passage. Le garçon lui rendit son sourire, ce qui ajouta à la fureur de Shannon.

— C'était Grace, l'informa-t-il.

Il la prenait pour une idiote ou quoi ?

— J'ai vu. J'ai reconnu sa poitrine.

Joseph se glissa hors du banc et mit le cap sur l'autel. Shannon observa Grace qui s'agenouillait à dessein près de lui.

— *Deus qui humanae substantiae...* entonna le prêtre.

Vérifiant que ses épaulettes ne faisaient pas des leurs, Shannon se leva et se hâta vers l'autel. Sans prendre la peine de s'excuser, elle s'insinua entre les deux jeunes gens.

— Poussez-vous, Grace ! commanda-t-elle,

assortissant son ordre d'un coup de coude. A vous seule, vous emplissez la moitié de l'église !

Le prêtre remonta le rang, portant le plateau d'hosties. Shannon hésita. En communiant dans ces conditions-là, ne risquait-elle pas de damner son âme éternelle ? Mais, après avoir jeté un regard à la dérobée aux seins de Grace, elle conclut que Dieu comprendrait.

— *Dignitatem mirabiliter*... psalmodiait le prêtre, tendant l'hostie.

Shannon grimaça et tira la langue.

* *
*

La salle de banquet paroissiale, retentissante de musique, regorgeant de boissons et de nourriture, figurait un indescriptible chaos. La solennité de la messe avait fait long feu. Les Irlandais, débordant d'entrain, festoyaient avec un laisser-aller quasiment égal à celui de la veille au soir. Les musiciens — un accordéoniste, un cornemuseur et un joueur de tambour —, qui interprétaient le traditionnel *bodhran* irlandais, offraient un rythme animé aux danseurs, tandis que des femmes confectionnaient des saladiers d'un punch dont les fruits étaient généreusement arrosés de whiskey d'importation.

Shannon avala son troisième verre tout en regardant Joseph en emplir deux.

— Grace est une chic fille, y a pas à dire, déclara-t-il. Elle me couvre sans cesse de compliments et me remonte le moral quand je déprime.

— Je me fiche du tiers comme du quart de savoir qu'elle vous réconforte, Joseph. Une femme qui danse pour gagner sa vie est une coureuse. Et je comprends mal comment vous pouvez en être si coiffé... Ou peut-être que si, finalement.

— N'exagérez pas ! Je lui apporte un verre de punch, c'est tout.

— J'espère qu'elle va s'étrangler avec ou le renverser sur son décolleté, marmonna Shannon, un peu pompette à cause de la douce boisson fruitée.

Joseph s'éloigna en gloussant. Shannon buvait le punch fortement alcoolisé comme si c'était de l'eau de source et il s'imaginait déjà la ramenant dans leur chambre, jetée en travers de son épaule tel un sac de patates irlandaises. Les femmes — et particulièrement les protestantes pourries gâtées — ne tenaient pas la boisson.

Il tendit le breuvage à Grace, qui battit des cils avec coquetterie et effleura des doigts ceux de Joseph quand elle lui prit le verre des mains. Il lança un regard dans la direction de Shannon pour voir si elle observait la scène... Elle n'en perdait pas une miette et ses yeux crachaient des flammes.

Les paroles de Molly lui revinrent à l'esprit : Shannon désirait qu'il l'embrasse. Non... impossible ! Elle était peut-être un tantinet jalouse par-ci, par-là, mais ce n'était pas parce qu'elle lui accordait le moindre intérêt ; c'était uniquement parce qu'elle était vaniteuse, une sale petite mijaurée qui supportait mal de ne pas être le point de mire de tous les regards masculins.

Sauf que, dans cette salle, cet après-midi-là, attirer l'attention n'était pas un problème. Joseph remarqua avec une irritation lancinante que la plupart des garçons la dévoraient des yeux. Il avait bien envie de leur mettre un ou deux coquarts, afin qu'ils cessent de lorgner Shannon.

— Joseph... je vous ai demandé si vous vous amusiez, murmura Grace d'une voix douce mais chargée d'impatience.

Joseph reprit contact avec la réalité. Il avait honteusement négligé Grace.

— Oh... oui, c'est une journée fantastique. Et vous ?

— Je vous ai déjà dit que j'étais un peu ennuyée de n'avoir pas de cavalier avec qui danser, mais vous sembliez penser à autre chose — ou à quelqu'un d'autre.

Joseph jeta un coup d'œil à Shannon qui buvait un nouveau verre de punch cependant que quatre garçons au moins s'approchaient d'elle pour lui en offrir un autre.

— Parfait, Grace, marmonna-t-il. Je suis content que vous preniez du bon temps.

Une grosse main s'abattit lourdement sur son épaule ; il se retourna et se trouva nez à nez avec un Mike Kelly souriant jusqu'aux oreilles, suçotant son éternel cigare.

— Viens par ici, Donelly. M. Bourke a quelques arrangements à prendre avec toi.

— Je n'ai rien à dire à ce... à ce gentleman, rétorqua Joseph, articulant indistinctement le dernier mot pour signifier son mépris. Il a insulté ma sœur la dernière fois que nous avons bavardé, lui et moi, et je lui garde un chien de ma chienne.

— Écoute, mon gars, quand un type a une sœur dans le style de la tienne, il doit plus ou moins s'attendre à ce genre de réactions. Sans compter qu'elle ne se conduit pas exactement comme une timide violette.

Il pointa le menton vers Shannon ; la jeune fille, ivre, s'appuyait à l'épaule d'un garçon et flirtait sans vergogne avec un autre. Joseph feignit de ne rien remarquer, s'obligeant à ne pas grincer des dents, ni à serrer les poings, ni à imaginer quel plaisir ce serait de faire avaler leurs dentiers à ces gus.

— Joseph, mon petit ! s'écria Bourke, tandis qu'il venait vers lui avec Kelly. Quelle joie de vous voir, ainsi que votre jolie sœur !

— Hum ! répliqua Joseph.

Kelly lui balança un coup de coude dans les côtes.

— Je m'occupe de mettre sur pied ce combat irlando-italien pour vous, continua le gros politicien. J'espère que vous serez dans une... forme éblouissante. (Ses yeux quittèrent Joseph et glissèrent jusqu'à Shannon, tandis que sa voix prenait des inflexions caressantes.) Oui, dans une forme éblouissante, vraiment, ajouta-t-il lascivement.

— Je ne boxerai pas pour vous, gros lard !
s'exclama Joseph. Allez livrer quelques rounds
vous-même si ça vous chante et atterrissez sur
votre gros cul !

Les yeux porcins de Bourke s'embrasèrent.
Kelly empoigna Joseph par le bras et l'entraîna
à l'écart.

— Ça va pas, la tête ? Je t'ai déjà dit de ne
plus jamais lui parler sur ce ton ! C'est un des
hommes les plus influents de Boston. Il fait la
pluie et le beau temps, ici.

— Il peut bien intervertir les pôles, c'est
le cadet de mes soucis ! Personne n'a le
droit d'ordonner à Joseph Donelly de se battre !

— C'est moi, ta tartine de pain beurré, mon
gars. Mords la main qui te nourrit... (Kelly fit
une démonstration *in vivo*)... et tu pourras dire
adieu au ring ! Je te foutrai dehors et toute la
ville oubliera jusqu'à ton existence.

Hors de ses gonds, lui aussi, Joseph s'apprêtait à rétorquer quand un tumulte éclata au
centre de la salle. Criant, riant et tapant des
mains, un cercle de chahuteurs s'étaient rassemblés autour d'un comédien invisible, enfoui
au milieu d'eux. Joseph eut un funeste pressentiment.

Plantant là Kelly, il se fraya un chemin parmi
la cohue. Shannon, jupe relevée, dansait une
gigue et chantait :

Mary, Mary, Mary Nell !
Entends carillonner tes noces...

Joseph fendit la foule et l'empoigna par le bras.

— Shannon ! lui cria-t-il au visage.

Elle le regarda avec curiosité, une vague lueur de reconnaissance dans l'œil.

Puis elle reprit ses esprits et se libéra d'une secousse.

— Ne me touchez pas, Joseph Donelly ! brailla-t-elle sur un ton indigné de pocharde. Allez donc faire des mamours à cette poufiasse dotée de pis de vache laitière !

La salle explosa de rire et Joseph s'empourpra.

— Fermez vos gueules ! hurla-t-il.

— Oui, vous feriez bien de numéroter vos abattis, lança Shannon, sarcastique, en guise d'avertissement. C'est Joseph Donelly soi-même, le boxeur connu du monde entier, qui met ses adversaires K.-O. et rentre chez lui la figure en bouillie. C'est la célébrité qui monte... Les hommes l'admirent, les femmes le désirent.

Ses épaulettes de travers, ses boucles en désordre volant tempétueusement autour de son visage, Shannon s'éloigna de Joseph en titubant ; il lui emboîta le pas. Elle chancela, son pied heurta un crachoir qui s'en alla rouler sous les pieds de Joseph. Le garçon trébucha et envoya Shannon à tous les diables tandis qu'il s'affalait.

La foule rugit de rire derechef. Shannon chantonna :

Crois-tu, crois-tu qu'il t'aimera ?
Le temps, le temps seul le dira.

Joseph leva les yeux du sol et la vit danser pour les hommes au regard fou qui étaient désormais au bord de l'apoplexie.

Pis encore, D'Arcy Bourke avait joué des coudes jusqu'au premier rang de la mêlée et, bedaine en avant, s'humectait les lèvres de la langue.

Jupe retroussée, montrant ses chevilles et un chouia de son pantalon de dentelle, Shannon vint vers lui en dansant et, séductrice, passa les doigts dans ses cheveux clairsemés.

Aux anges, le gros homme sortit un dollar de sa poche de gousset et le glissa dans le corsage de la jeune fille.

Elle s'éloigna de lui dans un éclat de rire et se dirigea, virevoltante, vers le buffet. Un faux pas lui fit perdre l'équilibre et, grise comme elle l'était, elle ne put opérer un rétablissement salvateur. Elle piqua du nez dans un gâteau à la crème, cul par-dessus tête, son pantalon exposé à la vue de tous.

La colère de Joseph ne connut plus de bornes. La coupe était pleine !

Se relevant d'un bond, il souleva Shannon et la jeta en travers de son épaule, en dépit de ses ruades et de ses cris. Il l'emporta hors de la salle et sortit dans la rue.

— Posez-moi par terre... Immédiatement ! criait-elle, lui labourant le dos de coups de

272

poing. Espèce de misérable, petit rien du tout, vulgaire extracteur de tourbe...

Obtempérant, il la laissa tomber rudement dans le caniveau.

— Vous avez un sacré toupet de me traiter de tous ces noms, jeune femme, braille-t-il en réponse, après la façon dont vous avez montré vos fesses à tout le monde ! J'ai honte de vous, honte de vous connaître, sans compter que je suis votre frère !

— Vous *n'êtes pas* mon frère, ne l'oubliez pas ! Et en ce qui concerne ces hommes, j'espère qu'ils se sont bien rincé l'œil ! C'était agréable d'être le point de mire, pour une fois ! Et le riche ami de M. Kelly a tellement apprécié ma manière de danser qu'il a fourré un dollar dans mon décolleté.

Joseph la fixa et secoua lentement la tête.

— Et vous m'accusez de tous les péchés parce que je bavarde en toute innocence avec la petite Grace !

— Grace est une salope.

— Vraiment ? (Joseph haussa un sourcil et tourna les talons. Tandis qu'il s'éloignait, il ajouta :) Elle ? Regardez-vous plutôt, vautrée dans ce caniveau, avec un dollar dans votre corsage !

12

Installée dans un rocking-chair sous la véranda de sa pension, Molly méditait, à demi dissimulée dans l'ombre. Elle venait souvent s'asseoir là le soir, observant les passants à leur insu, étudiant les singularités de la nature humaine.

C'était un moment qui lui appartenait, une parenthèse dans sa journée affairée, à l'heure où la plupart des clients dînaient chez eux en famille. Les filles et elle avaient alors l'occasion de souffler un peu, sachant que, bientôt, les hommes quitteraient leurs domiciles sous le prétexte d'aller boire leur pinte vespérale au pub du coin en s'abstenant de préciser que le boxon se trouvait sur leur route.

Molly préférait penser que sa maison close procurait d'innocents plaisirs à des célibataires esseulés en mal de compagnie féminine. Tant qu'elle considérait ses activités sous cet angle, elle avait l'impression de rendre service à l'humanité.

Il lui déplaisait de songer aux hommes mariés, ou aux mensonges qu'ils débitaient à leurs épouses et à leurs enfants. C'était là un aspect de son business qui aiguillonnait sa conscience et l'incitait à aller s'asseoir sous la véranda, afin de réfléchir aux changements qu'elle aimerait apporter à sa vie.

Sa rêverie fut interrompue par la vision de Joseph Donelly remontant nonchalamment la rue en direction de la maison, une jeune femme suspendue à son bras.

D'emblée, Molly devina qu'il ne s'agissait pas de Shannon. La femme était plus petite, plus gironde, et elle s'accrochait à Joseph avec un air possessif qui n'était pas dans les habitudes de la jeune fille. Molly recula davantage au sein des ombres.

— Merci pour le dîner, Joseph, dit la femme, se rapprochant encore de son compagnon alors qu'ils atteignaient la porte d'entrée. Je ne sais *comment* vous exprimer ma gratitude pour cette soirée.

— Ah, je suis largement payé par votre compagnie et votre agréable conversation, Grace, répliqua Joseph en se penchant pour poser un léger baiser sur la joue offerte.

— Oh... (Grace, à l'évidence, était déconfite.) Eh bien, j'avais pensé que vous pourriez m'inviter à entrer un instant. Vous m'avez dit que votre sœur n'était pas encore rentrée de son travail à cette heure-ci... et je me disais que vous et moi pourrions peut-être... peut-être... Oh, inutile de vous faire un dessin !

— Euh... oui. (Joseph s'éclaircit la gorge. Molly sourit dans la pénombre.) Une rude soirée m'attend, Grace. Mieux vaut que je me repose un brin avant de combattre. En tout cas, je vous remercie de votre proposition.

— Mais, Joseph, je...

Elle tendit la main. Joseph se déroba.

— Désolé, Grace, il faut que je me sauve. A tout à l'heure, au club.

Sans ajouter mot, il disparut dans le vestibule, laissant Grace sous la véranda. Molly perçut la tristesse de la jeune femme. Dieu sait qu'elle-même avait été souvent repoussée ainsi !

— Ce n'est pas votre faute, ma choute, dit-elle.

Grace sursauta et pivota comme un toton, scrutant les ténèbres.

— Par ici, indiqua Molly en se mettant dans la lumière. Je m'appelle Molly Kay, c'est moi qui dirige cette maison.

Elle tendit la paume.

Grace s'avança et lui donna une vigoureuse poignée de main.

— Grace, une amie de Joseph. Je danse le cancan à l'endroit où il boxe.

— Oui, je me rappelle vous avoir vue la nuit où vous l'avez ramené, après sa première bagarre.

Grace soupira.

— Cela n'a guère fait avancer mes affaires. Je ne crois pas qu'il remarque la moindre de mes gentillesses à son égard.

— Détrompez-vous ! Seulement, il a les yeux braqués ailleurs.

L'intérêt de Grace était piqué.

— Oh... et où donc ?

— Sur cette fille qu'il appelle sa sœur.

— Vous voulez dire qu'elle n'est pas sa... (Grace resta un moment interdite.) Oh... je vois ! Tout s'explique. Voilà pourquoi elle m'a claqué la porte au nez cette nuit-là et pourquoi il...

Molly, compatissante, observa Grace dont les yeux se dessillaient enfin.

— Navrée, ma choute ! Je déteste ce rôle, mais mieux vaut que vous sachiez ce qu'il en est plutôt que de perdre votre temps à aboyer au pied du mauvais arbre. (Molly, de son œil expert, inspecta brièvement la silhouette épanouie.) Écoutez... si vous êtes à la recherche d'une compagnie masculine, je peux vous donner un job chez moi. Faite comme vous l'êtes, vous ne risquez pas de vous morfondre dans la solitude et, croyez-moi, vous gagnerez joliment plus qu'en levant les gambettes au club.

Grace sourit et secoua la tête avec tristesse.

— Non, merci. Je suis peut-être une danseuse de cancan, mais je ne suis certainement pas une pu... euh...

Elle rougit de confusion.

— Il n'y a pas de mal, ma choute, dit Molly, secourable. Je vous ai parfaitement comprise.

— Je ne prétends pas être au-dessus de... de ça, expliqua maladroitement Grace. C'est juste que je ne veux pas coucher avec un homme pour de l'argent.

— Inutile de vous en expliquer. Autrefois, je pensais comme vous, mais les circonstances ont fait que je me suis retrouvée... Oh, baste ! Cela n'a pas d'importance !

— Je dois m'en aller, à présent. C'est gentil de m'avoir parlé au sujet de Joseph et je vous remercie encore de votre offre. (Grace descendit les marches de la véranda et s'éloigna de quelques pas, puis elle se retourna.) Peut-être que vous vous trompez à propos de Joseph et de cette fille. Il se peut qu'elle soit réellement sa sœur et qu'il ait beaucoup d'affection pour elle...

— Possible. Si cela peut vous réconforter, oubliez ce que je vous ai dit.

Grace se rasséréna légèrement tandis qu'elle reprenait sa route, mais Molly remarqua, le cœur lourd, qu'elle voûtait les épaules et que sa démarche avait perdu son allant.

— Les hommes et les femmes, ça me connaît, murmura-t-elle à l'adresse de la silhouette qui s'estompait. Et vous feriez mieux de vous trouver un autre arbre, ma choute, parce que ces deux-là sont follement épris l'un de l'autre.... même s'ils sont trop stupides pour s'en rendre compte.

— Au travail... Au travail... Au travail... Le contremaître descendait et remontait les travées en se pavanant entre les rangs d'ouvriers qui plumaient d'arrache-pied un poulet après l'autre, puis mettaient les volatiles de côté. Par-ci, par-là, il ponctuait ses aboiements d'un coup de crayon dans les côtes ou dans le cou.

Shannon s'efforçait de ne pas le voir, mais sa fureur croissait et embellissait de minute en minute. Pour qui se prenait-il, à traiter les gens de la sorte ? Son père, bien qu'il eût sous ses ordres des centaines de personnes, n'exerçait jamais son autorité avec une telle brutalité.

— Sois toujours aimable envers tes inférieurs, ma chère, lui serinait sa mère. La bienveillance est la marque d'une vraie lady. Ce n'est pas parce que Dieu nous a placés au-dessus de notre prochain que nous devons profiter de notre position pour le maltraiter.

Eh bien, à l'évidence, la mère de ce contremaître rustaud et malodorant n'avait jamais appris à son fils ce genre de choses. Et ce n'était assurément pas un gentleman.

— Il pue pire que d'habitude, aujourd'hui, t'as remarqué ? murmura Olive à son oreille tandis que toutes deux saisissaient un nouveau poulet. A mon avis, il n'a pas changé cette chemise imprégnée de transpiration depuis le mois dernier. Vise les auréoles grisâtres aux aisselles !

— Pour ça, il schlingue, ah oui ! répliqua Shannon. Je n'aurais jamais cru que quiconque pût empester l'atmosphère dans une usine de volailles, mais il embaume davantage que les poulets.

De l'autre côté, Glenna hennit doucement.

— Il m'a invitée à aller danser, l'autre soir...

disant que si je refusais, je pourrais bien perdre ma place.

— Je préférerais encore danser avec ce gars-là, déclara Shannon, étirant les ailes de son volatile en position adéquate, plutôt qu'avec un vieux coq comme lui.

Les trois filles se plièrent de rire, puis se reprirent à la hâte quand elles s'aperçurent que ledit vieux coq leur lançait des regards noirs depuis le milieu de l'allée.

— Oh, oh, bonjour, les ennuis ! fit Olive en se remettant à plumer avec une ardeur renouvelée.

Shannon termina son poulet et leva la main pour le suspendre au crochet qui allait l'emporter à l'autre bout de la chaîne. Une grosse main velue décrocha la bestiole.

— Pas si vite ! rugit le contremaître, lui soufflant son haleine dans le cou et lui envoyant les remugles de sa sueur rancie aux narines, ce qui obligea Shannon à respirer par la bouche. Vous appelez ça un poulet plumé ?

— Non, je l'appelle Frederick, riposta-t-elle avec un sourire sarcastique. C'est un fabuleux danseur.

Olive grogna et se couvrit le visage de sa paume, tentant de dissimuler son sourire. Glenna fut prise d'une quinte de toux.

Le contremaître ne releva pas la remarque et poursuivit son inspection.

— Une... deux... trois... quatre... je vois au moins cinq plumes qui restent.

Brandissant le poulet, il le lui envoya en

pleine poitrine. Le sourire lubrique qui éclairait sa trogne signa la perte de Shannon. La jeune fille lui arracha le poulet des mains.

— Cinq plumes, avez-vous dit ? Il reste *cinq* plumes sur cette volaille ? Vous me harcelez à cause de *cinq* misérables plumes ?

— Allez ! Au travail !

Vlan ! Shannon lui balança le flasque volatile à la figure.

L'usine tout entière se figea et un silence de mort s'abattit dans les rangs tandis que le contremaître et Shannon se lançaient des regards enflammés. La tension montait de seconde en seconde. Enfin, Shannon, se servant du poulet comme d'une matraque, se mit à frapper l'homme sans répit, l'obligeant à battre en retraite à travers la salle.

— Espèce de minus ! lui hurla-t-elle au visage cependant qu'elle faisait pleuvoir les coups sur lui. Vous n'avez rien derrière quoi vous cacher sinon votre crayon et « Au travail » !

— Au travail ! cria-t-il, les joues écarlates, les tempes battantes.

— Oui, monsieur, répondit-elle, sûr que je vais y aller ! Et en quoi il consiste, mon travail ? (Elle avança d'un autre pas vers lui.) A vous frapper avec ce poulet, voilà mon travail !

Les ouvriers, d'abord abasourdis, reprirent leurs esprits et se mirent à l'acclamer à chacun des coups qu'elle ne cessait d'abattre. Pour finir, le contremaître trébucha et tomba à la renverse dans une cuve pleine de plumes où il s'immobilisa, crachant et grognant, auréolé de duvet comme de flocons de neige géants.

— Ras-le-bol ! beugla Shannon en lançant son arme dans la cuve près du contremaître. (Elle arracha le fichu qui lui couvrait la tête.) Je donne ma démission !

Molly, assise à son secrétaire, comptait ses sous et calculait ses bénéfices du mois, quand Joseph dévala l'escalier ventre à terre, la mine soucieuse.

— Molly, Shannon n'est toujours pas rentrée de l'usine. Vous l'avez vue ?

Molly secoua la tête et piqua son crayon dans sa choucroute de boucles d'or terni.

— Non. Je n'ai pas levé les fesses de ma chaise depuis des heures. Je l'aurais aperçue.

La porte s'ouvrit à la volée et Dermody entra en dérapant.

— Joseph, c'est vous ! s'exclama-t-il, l'air immensément soulagé.

Il flottait autour de sa petite personne l'aura de qui est investi d'une importante mission.

— Moi-même, en effet, répliqua Joseph. Et c'est *vous*... Quel garçon observateur !

Dermody se hâta vers lui et, lui agrippant le bras, tenta de l'entraîner vers la porte.

— Mike Kelly vous cherche partout. Ce soir, c'est le combat, le grand combat ! Le club grouille de Ritals.

— Lâchez-moi, Dermody. (Joseph écarta le gamin d'un coup de pied.) Dites à Mike Kelly que je combattrai quand je serai prêt, et pas avant !

Dermody, effrayé, arrondit les yeux et secoua la tête.

— Ne comptez pas sur moi pour répéter ça au Boss ! Il m'écorcherait vif. Venez le lui dire vous-même.

— Je n'ai pas le temps, mon vieux. Caltez, à présent ! Il faut que je parte à la recherche de Shannon.

Dermody devint radieux.

— Elle y est !

— Où ça ?

— Au club. Elle danse dans le french cancan.

— Le french...

Joseph repoussa Dermody d'une bourrade et se rua au-dehors, l'adolescent sur ses talons.

Molly retira le crayon de ses cheveux... et sourit d'un air entendu. Il n'y avait pas à dire, Joseph Donelly était sans aucun doute le « frère » le plus dévoué qu'elle eût jamais connu.

Elle le suivit des yeux par la fenêtre tandis qu'il descendait la rue en flèche en compagnie de Dermody, réjouie à la vue de ses larges épaules et de son postérieur plaisamment rebondi.

Shannon était une heureuse fille, en vérité.

Joseph franchit en trombe l'entrée du club et perçut aussitôt la colère et la tension qui alourdissaient l'atmosphère enfumée. Des Irlandais et des Italiens vaguaient dans la salle, criant et gesticulant. Les haines nationalistes coulaient avec la même prodigalité que la bière et, dans ce sport sanguinaire qu'était la boxe à poings nus, chaque faction espérait prouver sa supériorité.

Mais Joseph se souciait comme d'une guigne des groupuscules politiques et culturels présents ce soir-là. Il n'avait qu'une idée en tête : retrouver Shannon.

— Hé, Bagarreur ! cria Mike Kelly qui se précipita au-devant de lui, un sourire Gibbs accroché sur sa figure colorée.

Avec le club plein comme un œuf et les paris qui allaient à tout va, Kelly n'aurait pu être plus réjoui. Le combat de la soirée allait faire de lui un homme encore plus riche qu'il ne l'était déjà. Et s'il y avait une chose que désirait Mike Kelly, c'était bien accroître sa fortune.

— Poussez-vous ! s'exclama Joseph en l'écartant d'une bourrade.

Jouant des coudes parmi la foule, il parvint jusqu'à la scène.

Shannon ! Vêtue d'un costume plus que léger, outrageusement fardée, les ongles vernis de rouge et des paillettes parsemant ses cheveux roux... Horrifié, Joseph la vit se trémousser et virevolter avec trois autres danseuses, dont Grace.

Des Italiens jetèrent quelques pièces et Shannon, se battant avec Grace pour les ramasser, les rafla prestement et les glissa dans son corset.

— Shannon ! Arrêtez ! Qu'avez-vous fait de votre dignité, jeune femme ? brailla Joseph.

Elle interrompit sa danse le temps de le foudroyer du regard.

— Mêlez-vous de vos affaires, Joseph Donelly ! Vous vous faites écrabouiller la cervelle tous les soirs... Où est la différence ?

— Cela n'a rien à voir ! La boxe est une profession noble. Ce que vous faites, vous, est un boulot de prostituée !

Une des danseuses traversa la scène au pas de charge et s'accroupit à la hauteur de Joseph.

— Je ne suis pas une prostituée ! beugla la fille en lui assenant une gifle retentissante. Je suis une *actrice* !

Avant que le garçon n'eût eu le loisir de réagir, Mike Kelly l'empoigna et l'entraîna en direction d'une légion d'Irlandais qui scandaient son nom, le poing haut levé dans un geste de défi. Apparemment, le whisky avait coulé à flots à l'égal de la haine nationaliste dans le club ce soir-là.

Au milieu de la bousculade, Joseph aperçut D'Arcy Bourke, et son sang n'en bouillonna que plus. Il renâcla.

— Magne, Donelly ! fit Mike avec impatience. Ces maudits Ritals sont en train de démolir la baraque !

— Ouais, dit Bourke, tétant son cigare, grimpez sur le ring. J'ai misé cent dollars sur vous.

— Dans ce cas, vous feriez mieux de leur dire adieu, répliqua Joseph. Je ne suis pas d'humeur à combattre, ce soir.

Dans une ruée confuse, les Italiens se frayèrent un chemin jusqu'à Joseph, portant leur champion sur leurs épaules, vociférant : « Carlo ! Carlo ! Carlo ! »

Les Irlandais ripostèrent en psalmodiant le nom de Joseph.

Avec solennité, les Italiens déposèrent leur boxeur sur une table juste sous le nez de Joseph. Fixant son adversaire d'un air railleur et méprisant, Carlo ôta sa chemise, exhibant une théorie impressionnante de muscles et de tendons. Ses cuisses saillaient, gainées d'un collant écarlate, et une ceinture ornée d'étoiles et de lunes dorées lui enveloppait la taille.

Il baragouinait quelque chose en italien ; Joseph ne comprit pas, mais le message se passait d'interprète : l'Italien décrivait par le menu les tourments qu'il avait l'intention d'infliger sous peu à Joseph.

Persifleur, il boxa dans le vide et cracha à terre.

— Peuh ! Votre challenger est moche comme un pou et ses manières sont à l'avenant, marmonna Joseph à l'adresse des Italiens les plus proches. Il mérite une bonne raclée. (Il se tourna vers Bourke et Kelly.) Mais ce ne sera pas moi qui la lui flanquerai. Pas ce soir.

Bourke le scruta un moment puis déclara :

— Je vais aller jusqu'à deux cents dollars... et partager les bénefs avec vous.

La mort dans l'âme, Kelly renchérit :

— Moi aussi.

Soudain, le silence s'abattit sur la salle, telle une vague apaisante. La proposition était renversante ; c'était une grande première dans les annales du club. Joseph regardait Bourke et

Kelly tour à tour, incapable d'en croire ses oreilles. La musique s'était tue. Shannon et les autres danseuses écarquillaient les yeux.

— Deux cents, chuchotait-on parmi les rangs sinon silencieux d'Irlandais et d'Italiens de part et d'autre de la salle.

Le suspense s'intensifiait. Enfin, quelqu'un cria :

— Acceptez, Joseph !

La voix de Shannon emplit l'espace.

Joseph se retourna pour la considérer.

— Pourquoi ?

— Votre victoire est dans la poche ! Chevaux, chariots, tout ! fit-elle avec excitation. Ne laissez pas passer cette chance à cause de votre fierté entêtée. Vous avez boxé volontiers pour une poignée de *nickels*. Ce coup nous sortira du marasme.

— Nous ?

— Vous, je veux dire. Oh, qu'importe !

Tous les yeux convergèrent vers Joseph, qui fit volte-face pour dévisager le champion italien. Celui-ci sauta à bas de la table et les deux hommes se mirent en garde. Le petit Dermody se précipita pour dessiner une ligne à la craie.

Joseph sourit, secoua la tête.

— Je n'ai pas envie de me battre avec vous.

En un éclair, il balança un direct, puis un autre. Pris au dépourvu, Carlo hésita un fragment de seconde, le temps de permettre à Joseph de lui faire une tenaille au cou, suivie de coups dans les côtes.

Se reprenant, l'Italien riposta par un direct

du droit meurtrier, et la foule explosa en acclamations et en huées.

— C'est un combat au finish, messieurs, brailla Dermody de sa voix stridente bien propre à percer les tympans. Les paris annexes sont autorisés et un K.-O. termine un round !

L'argent commença à circuler. Carlo décochait directs et crochets, en plaçant un ou deux par-ci, par-là. Mais Joseph lui était supérieur. Il boxait avec fureur. Il marqua d'une bosse la pommette de l'Italien, lui fit une méchante entaille à la lèvre et d'innombrables bleus dans les côtes et l'estomac.

A un moment donné, Carlo frappa Joseph près de la ceinture et des cris s'élevèrent des rangs des supporters irlandais : « Tricheur ! » Kelly lui adressa un avertissement et le combat se poursuivit, avec un Joseph nettement maître du terrain.

Sur la scène, Shannon ne perdait pas une miette du spectacle, gémissant à chaque coup qu'encaissait Joseph, applaudissant à tous ceux qu'il donnait. Il leva les yeux sur elle et, ayant puisé des forces neuves, assena une volée d'uppercuts à ébranler le cerveau. L'Italien s'effondra. La foule hurla.

— Fin du premier round ! brailla Dermody tandis qu'il nouait une écharpe verte, de la couleur du drapeau irlandais, autour de la taille de Joseph.

— Ce n'est pas un combat, Kelly, déclara Bourke en tirant sur son cigare deux fois plus vite qu'à l'accoutumée. Remettons chacun cent billets.

Kelly, s'il déglutit avec difficulté, hocha cependant le menton et fila vers Joseph.

— Continue, Bagarreur ! Bourke m'a obligé à allonger de l'oseille au point de finir mes jours à l'hospice. Démolis-lui le portrait !

Joseph secoua la tête, essuya la sueur de son front et fonça de nouveau dans la bagarre.

— Je sens la victoire, Kelly, dit Bourke. (Il fit glisser son regard sur Shannon qui battait l'air de ses poings tandis que Joseph rouait son adversaire de coups.) Elle aura encore plus de saveur si je déguste un morceau de morue.

Il pointa le pouce en direction de Shannon. La jeune fille, remarquant le geste, recula instinctivement.

Kelly monta sur la scène et, recourbant l'index, lui fit signe d'approcher. Elle obtempéra de mauvaise grâce.

— M. Bourke apprécierait un brin de compagnie, dit-il.

Shannon jeta un coup d'œil à Bourke, bedaine et petits yeux porcins compris.

— Je n'ai pas particulièrement d'atomes crochus avec M. Bourke, répliqua-t-elle, circonspecte.

Kelly la saisit par la cheville.

— Vous êtes venue me trouver pour que je vous aide ! Mettez-y un peu du vôtre !

Joseph, tout en poursuivant le combat, lorgna dans la direction de Kelly qui faisait descendre Shannon de la scène et la poussait vers Bourke.

Mettant sa distraction à profit, Carlo décocha un direct assassin à Joseph. Les Irlandais haletèrent.

— Concentre-toi, mon gars ! cria Bourke, le bras passé autour de la taille de Shannon. Édente-moi ce bâtard !

Lançant un coup au petit bonheur, Joseph reporta son attention sur Shannon que Bourke attirait sur ses genoux. L'Italien jeta le poing en avant, Joseph esquiva et riposta par un direct à la mâchoire.

Plantant là le combat, il marcha au pas de charge sur le gros politicien.

— Non mais, dites donc, où vous croyez-vous ?

Allongeant le bras, il donna une bourrade à Bourke à l'épaule ; celui-ci faillit choir de sa chaise avec Shannon.

Il cracha son cigare.

— Allez vous faire voir ! Personne ne...

Avant qu'il n'ait pu venir à bout de sa remarque, les Irlandais s'emparèrent de Joseph, le soulevèrent et le propulsèrent à travers la salle. Il tangua et oscilla sur la vague houleuse de bras et d'épaules, puis un direct de l'Italien le cueillit à l'atterrissage.

Le combat reprit pour de bon et Joseph reçut un direct bien senti à la mâchoire. Il chancela sous le coup et voulut riposter, mais l'Italien avait l'avantage.

Il frappa Joseph sans relâche, lui rendant avec intérêt la dérouillade qu'il venait d'encaisser. Pour finir, incapable de résister à l'assaut,

Joseph s'effondra sur les genoux. Un instant plus tard, il vit le plancher monter à sa rencontre et il le heurta, plongeant dans des ténèbres pleines d'étoiles qui explosaient.

Kelly se rua vers son poulain qui s'efforçait de rester conscient.

— Debout, Bagarreur ! vociféra-t-il en le secouant. Debout !

Shannon se débattit pour échapper à Bourke. Il l'empoigna et tenta de la faire rasseoir de force ; elle lui décocha un coup de pied au tibia.

— Joseph ! Joseph ! s'époumona-t-elle en courant vers lui.

Kelly la saisit par le bras et la tint à distance.

— Retournez auprès de M. Bourke. Votre frère m'a causé assez d'ennuis comme ça. Essayez de sauver les meubles.

— Lâchez-moi ! hurla-t-elle, ruant des quatre fers.

Kelly la poussa vers Gordon, ordonnant :

— Tiens cette petite traînée hors de mon chemin ! (Il s'agenouilla, fit rouler Joseph sur le dos et le gifla.) Debout ! Tu as moins d'une minute pour retourner à la ligne ou c'est terminé ! Debout, je te dis !

Les paupières de Joseph battirent et s'ouvrirent un instant, puis ses yeux se révulsèrent et il sombra de nouveau dans l'inconscience.

Poussant force acclamations, les Italiens hissèrent leur champion sur leurs épaules. Un grand drapeau vert et rouge fut déployé triomphalement au-dessus des têtes.

Bourke s'approcha en clopinant, son visage rubicond de fureur.

— Quelle sorte de club dirigez-vous, Kelly ? demanda-t-il. Le boxeur ne boxe pas et la morue n'est pas dessalée.

Pivotant sur un talon, il boitilla vers le bar où un serveur nerveux s'empressa de lui servir un verre.

Furibond, Kelly fit signe à deux videurs baraqués plantés à chaque extrémité de la salle.

— Emmenez ce tocard hors de ma vue ! braïlla-t-il d'un ton plein de dégoût, pointant l'index sur Joseph toujours prostré sur le sol. Foutez-le dehors et jetez-le dans un caniveau !

L'un des deux malabars saisit Joseph par le devant de sa chemise, l'autre par les pieds, puis ils le traînèrent sur le plancher en direction de la porte.

— Joseph ! (Shannon se contorsionnait pour se libérer de Gordon qui la maintenait, mains derrière le dos.) Non ! Laissez-le, brutes épaisses !

Kelly pivota et lui donna une gifle retentissante qui résonna dans toute la salle.

— Fermez-la, petite traînée fouteuse de merde !

Elle le foudroya du regard, puis considéra les hommes de l'assistance. Aucun ne faisait mine de prendre sa défense. La plupart fixaient le sol. A la réunion paroissiale, tous s'étaient prétendus des amis de Joseph. Où étaient-ils, ses amis, maintenant qu'il avait perdu le match ?

Dans tout le club, des querelles commencèrent à éclater tandis que chacun voulait encaisser ses paris. Les Italiens exigeaient d'être payés rubis sur l'ongle ; les Irlandais s'exécutaient ou retournaient leurs poches vides.

Quelques Ritals montèrent sur la scène et ôtèrent le drapeau irlandais, orné d'une harpe, de sa place d'honneur sur le mur. Aussitôt, des rixes se déchaînèrent.

— Vous êtes tous un ramassis de porcs ! cria Shannon, dont la voix se perdait dans la cacophonie ambiante. (Elle essayait toujours de faire lâcher prise à Gordon, mais les mains de celui-ci enserraient ses poignets comme dans un étau, lui coupant la circulation.) Lâchez-moi, brute surpayée ! J'en ai assez de cet endroit immonde ! Je m'en vais !

Kelly s'avança et caressa la joue qu'il venait de gifler.

— Pas encore, ma mignonne. M. Bourke a requis l'honneur de votre compagnie... (Du pouce, il indiqua la silhouette au bar.) Et, par Dieu, vous allez lui tenir compagnie ! Faveur personnelle. Compris ?

— Jamais !

— N'en soyez pas si sûre, ma fille, répliqua Kelly, son enjouement de commande cédant la place à une colère froide. Jamais est un très long temps.

Plusieurs heures plus tard, Joseph, étendu, contemplait toujours les constellations qui tourbillonnaient au sein des ténèbres de son inconscience. De très loin, semblait-il, il entendait une voix féminine l'appeler. Son nom était doux sur ses lèvres et il percevait distinctement la sollicitude dans cette voix-là.

— Joseph, Joseph, réveillez-vous ! Faites-moi plaisir — ouvrez les yeux ! S'il vous plaît !

Shannon. Elle était là, à ses côtés, essayant de le ramener du royaume des morts jusqu'aux rivages de la vie. Il lutta pour revenir vers elle, cligna des yeux, tenta de lever la tête.

— Je suis mort...

Les forces lui manquèrent pour en dire plus. Regardant la jeune fille, il songea que ses cheveux tenaient davantage de la châtaigne que du cuivre dans la faible lumière. Son visage n'était guère plus qu'une tache floue tandis qu'il la lorgnait à travers ses paupières gonflées.

Elle répondit :

— Non, vous n'êtes pas mort, Joseph.

Il examina la pièce chichement éclairée et se rendit compte qu'il était couché sur la banquette d'un petit pub irlandais douillet.

— J'ai bel et bien passé, et mon âme a achevé son périple au cœur même de l'Irlande.

— Non. Il est très tard et vous êtes à Boston.

Peu convaincu, Joseph discutailla.

— Mon père est mort de la même façon, oscillant entre vie et trépas. Je crois bien que c'est lui qui boit de la bière, là-bas. P'pa ? C'est bien toi ?

La femme se pencha pour tamponner ses blessures avec un linge humide, sa poitrine chaude et pleine pressée contre le bras de Joseph.

— Ne bougez pas.

— Et bla-bla-bla, Shannon, fit-il avec lassitude, s'abandonnant au délire qui réduisait au silence les tourments de son corps.

La main de la femme s'immobilisa un instant et Joseph ferma les yeux. Puis elle se remit à nettoyer les plaies.

— M'aimez-vous, Joseph ? demanda-t-elle d'une voix singulièrement empreinte de souffrance.

Joseph eut un sourire amer.

— Vous aimer ? Comment pouvez-vous parler d'amour quand nous ne cessons de nous quereller ! A toute heure du jour et de la nuit, les étincelles fusent entre nous, Shannon. A mon avis, nous nous détestons.

La femme posa le linge.

— Vous vous trompez, Joseph. Ce ne sont pas des étincelles de haine.

Se penchant, Grace lui baisa le front et le quitta sans ajouter mot.

Joseph sombra de nouveau dans les ténèbres, moins profondément, toutefois, qu'auparavant. Son esprit ne dérivait plus dans le néant, mais dans un lieu peuplé de rêves. Il voyait une jolie femme aux cheveux roux, aux mains douces et apaisantes. Une femme qui, à l'évidence, prenait soin de lui, mais craignait de laisser libre cours à ses sentiments.

Amour. Haine. Que de questions ! Joseph, l'esprit embrumé, ne pouvait les comprendre dans l'immédiat. Pour l'heure, il désirait seulement dormir. Dormir et oublier la souffrance à venir et les questions qui seraient toujours là à son réveil.

Peu avant l'aube, Joseph sortit du pub en chancelant. Froid et gris, le brouillard enveloppait la rue et flottait entre les immeubles, conférant à la scène une atmosphère onirique. Une silhouette solitaire marchait sur les pavés et ses pas inégaux se répercutaient en écho dans l'épais silence.

Joseph scruta le bout de la rue et aperçut l'allumeur de réverbères juché sur ses échasses. L'homme, quoique jeune, avait un regard vieux, cynique, blasé. Ses mouvements manquaient de souplesse et d'entrain. On aurait dit un somnambule.

Joseph eut l'impression d'être retenu captif dans un univers irréel de cauchemars et de chimères.

— A quelle heure allumez-vous ces réverbères ?

L'homme gloussa.

— C'est un boulot sans fin ! Ça me prend toute la nuit pour les allumer et toute la journée pour les éteindre.

Joseph porta la main à sa face tuméfiée et grimaça de douleur. Seule la souffrance que lui causait sa mâchoire paraissait réelle dans ce pays fantasmagorique et nébuleux, où le brouillard s'effilochait en minces volutes spectrales, obscurcissant la vue et étouffant les sons.

Il s'éloigna clopin-clopant et se dirigea vers

les docks. C'était le trajet le plus long pour rentrer à la pension. Jusqu'à la veille au soir, il aimait son job. Il l'adorait. Mais c'était un champion, alors. Invaincu. La vedette de Boston.

Et puis, cette nuit, on l'avait balancé dans le caniveau, jeté au rebut comme une brassée de légumes pourris.

Au temps pour la célébrité et la fortune!

En déambulant dans le port obscur, il croisa des groupes de sans-abri pelotonnés près des feux, dans l'espoir de se réchauffer par cette glaciale nuit d'automne. Au passage lui parvinrent des bribes de conversation.

— L'Oklahoma... On y distribue de la terre gratis, dit un homme.

— Mais il faut que tu paies tes dépenses de ta poche...

— Mon œil! C'est trop beau pour être vrai! C'est sûrement un bobard.

Soudain, Joseph tourna à un angle de venelle et ce qu'il vit lui glaça le sang dans les veines. Un homme se tenait là dans la lumière blafarde, tout de noir vêtu. Joseph se crut transporté dans un cauchemar.

Stephen Chase! Il n'y avait pas à s'y méprendre... La silhouette mince, la redingote noire et la pose pleine de morgue. Son vieil ennemi était ici, en Amérique, en chair et en os!

— Et vous, monsieur? lui demanda Chase, se détournant d'un groupe de gens à qui il parlait.

Joseph s'arrêta, muet de stupéfaction. Enfin, il retrouva sa langue.

— Moi ?

— L'avez-*vous* vue ? s'impatienta Chase. Elle a environ votre âge. Elle s'appelle Shannon Christie.

Dans un premier temps, Joseph fut abasourdi que Chase ne le remette pas. Puis il comprit que ses plaies et ses bosses lui fournissaient un déguisement appréciable.

— L'avez-vous vue, disais-je ? répéta Chase.

Joseph secoua la tête.

— Je ne crois pas. Je l'ignore.

— Vous en êtes sûr ? J'ai passé la ville au peigne fin. Si vous avez la moindre information, prévenez sa famille. Elle habite Jefferson Court, au numéro six.

— Je vous ai dit que je ne savais pas !

La nuance d'exaspération dans sa voix trahit Joseph. Dévisageant Chase, il vit que celui-ci l'avait reconnu.

— Vous ! s'écria Chase.

Joseph fit volte-face et prit ses jambes à son cou. Se faufilant à travers le campement, il bondit au-dessus des feux, envoyant un jaillissement d'étincelles vers le ciel, dispersant cendres et braises.

Stephen Chase fila comme un trait à sa suite, contournant des péniches, bousculant des barriques, trébuchant dans les ténèbres. La poursuite continua dans les rues du North End, à travers le cimetière de Copp's Hill, parmi les ordures amoncelées dans les ruelles.

Joseph ne doutait pas que Chase allait l'abattre d'un instant à l'autre et il attendait de sentir le plomb le brûler par tout le corps. Et, pas une minute, il ne cessa de se dire que si Chase était à Boston, tout était fini, perdu. Son existence avec Shannon allait prendre fin. La jeune fille allait lui être enlevée.

Il n'avait guère le temps de s'interroger sur l'étrange tristesse qui l'envahissait alors même qu'il courait comme un dératé pour sauver sa vie. Il y songerait plus tard... si Dieu lui prêtait vie.

Rassemblant toutes les forces qui lui restaient, il réussit à distancer suffisamment Chase pour se dénicher une cachette. Il se hissa le long d'une échelle d'incendie et se tapit contre le mur.

Peu après, Chase surgit dans la ruelle. Faisant halte juste au-dessous de l'échelle, il jeta des coups d'œil de droite et de gauche, puis leva la tête. Joseph retint son souffle.

— Ramenez-la-nous ! cria Chase, et sa voix résonna dans la venelle. Je suis venu avec sa mère et son père. Elle appartient à l'aristocratie, ne le voyez-vous pas ? Vous ne vous hausserez jamais à son niveau. Vous êtes un roturier. Vous ne sauriez que l'avilir.

Il s'interrompit, comme s'il guettait une réponse. Joseph se tint coi, tandis que les paroles de Chase lui entaillaient les chairs tel un poignard glacé.

— Rendez-la aux siens, reprit Chase. Nous saurons pourvoir à ses besoins et veiller sur elle. En refusant, vous détruisez sa vie... si ce n'est déjà fait.

Chase attendit, tendant l'oreille, scrutant les ombres. Enfin, il fit demi-tour et quitta la ruelle ; l'écho de ses bottes résonna sur les pavés, puis s'estompa dans le lointain.

Joseph demeura un moment prostré contre le mur, tentant de se reprendre. Tout son être avait explosé, soufflé par les mots de Chase.

Il évoqua Shannon dansant sur cette maudite scène dans son atroce costume, exposant sa beauté à tous ces rustres. Il la revit sur les genoux de Bourke, revit cette créature visqueuse l'étreindre, l'attirer contre lui.

Shannon ! Bourke !

Elle était toujours au club, et Dieu seul savait ce qui était en train de lui arriver ! Il bondit au bas de l'échelle et se mit à courir vers le club. Ne songeant qu'à lui porter secours, il oublia les tortures de son corps.

Oublia même Stephen Chase.

13

La clientèle du club s'était raréfiée. Seuls quelques irréductibles regardaient encore un comique fatigué sortir des fleurs de son chapeau, des foulards de ses oreilles et pourchasser les danseuses à travers la scène pour leur pincer leurs jolis derrières.

Shannon se campa, poings sur les hanches, devant le bureau de Mike Kelly, dans une attitude pleine de défi et d'assurance... du moins l'espérait-elle.

— Payez-moi seulement mon dû, monsieur Kelly. Après quoi, je rentrerai chez moi et vous ficherai la paix, dit-elle.

— Vous ne l'avez pas encore gagné, rétorqua le Boss sans même lever les yeux de son livre de comptes.

Shannon sentit la peur l'envahir. Elle avait dansé, non ? Elle s'était avilie en mettant cet affreux costume qui lui donnait l'allure d'une prostituée et avait exposé ses charmes aux yeux de tous, ainsi qu'il l'avait exigé d'elle.

Que lui fallait-il de plus ?

Elle n'osait envisager le pire.

— J'ai besoin de cet argent, monsieur Kelly, insista-t-elle, songeant qu'un ton implorant avait des chances d'amadouer le Boss. Je vous en prie !

— Eh bien, au travail, petite grue !

— Je ne suis pas une... (Elle se mordit la langue. Ce n'était pas le moment de se laisser aller à la colère. La dernière fois qu'elle y avait cédé, elle avait perdu son job.) J'ai dansé. Que voulez-vous encore ?

Il leva le nez et posa sur elle un regard indéchiffrable.

— Vous m'avez dit que vous vouliez faire votre pelote rapidement. Eh bien, c'est le moment ou jamais. M. Bourke vous attend dans les coulisses.

Shannon sentit ses genoux devenir en coton. Elle se rappela les bras du gros homme lui enserrant la taille, ses mains moites et potelées prêtes à prendre des libertés tandis qu'elle les écartait d'une tape. Elle en eut l'estomac tout retourné.

— J'ai peur que M. Bourke ne soit pas mon genre, répliqua-t-elle. Je vous répète que je ne souhaite pas...

— Hé, les gars !

Kelly claqua des doigts et deux videurs baraqués surgirent aussi sec.

Shannon n'eut pas besoin de réfléchir à deux fois pour conclure avec qui, de ces deux-là ou de Bourke, elle préférait se colleter. Si elle se

304

retrouvait acculée, peut-être arriverait-elle à tenir à distance le corpulent politicien.

— Très bien, dit-elle. J'y vais... J'y vais...

Joseph se précipita dans la salle et jeta des regards frénétiques dans toutes les directions, à la recherche de ce joli visage familier, de cette fille aux cheveux aussi farouches que son caractère. Mais il n'aperçut que Mike Kelly, Gordon et une poignée de types qui comptabilisaient leurs pertes dans le bureau du Boss.

— Où est-elle ? demanda-t-il.

Kelly leva les yeux de ses colonnes de chiffres et, à la vue de Joseph, assena son poing sur la table.

— Tu n'as plus droit de cité ici ! Fous-moi le camp !

Joseph, sans lui prêter attention, courut jusqu'à la scène vide.

— Shannon ! hurla-t-il. Shannon, vous êtes là, jeune femme ? Si oui, montrez-vous à l'instant !

Sur un claquement de doigts de Kelly, les malabars se ruèrent à l'attaque. Joseph flanqua un coup de poing à Gordon, lui déboîtant à demi son éclisse. Le boxeur étreignit son nez, hurlant de douleur ; impressionnés, les autres battirent provisoirement en retraite.

— Shannon ! cria de nouveau Joseph.

Il bondit sur la scène, essayant de voir quelque chose dans l'obscurité des coulisses.

— Shannon ? Où êtes-vous, jeune femme ?

— Joseph, à l'aide ! Je suis là...

Il l'entendit crier, mais le son était assourdi, comme si quelqu'un la bâillonnait de sa main. Se ruant derrière les décors de scène, Joseph dut encore se débarrasser des videurs revenus à l'attaque sur l'ordre de Kelly.

Dans la pénombre des coulisses, il discerna deux silhouettes luttant sur un sofa déglingué. Il s'élança et vit que Bourke avait coincé Shannon sous lui.

En dépit de la rage qui l'aveuglait, il se rendit compte que les vêtements de la jeune fille étaient à demi déchirés. Elle décochait coups de poing et ruades à Bourke mais, carré et lourd, celui-ci avait l'avantage du poids et la maintenait fermement.

Dans un rugissement de fureur, Joseph fondit sur eux, brûlant de réduire en bouillie cette face molle et charnue d'animal. Bourke, sans crier gare, glissa la main sous sa veste et pointa un revolver sous le nez de Joseph.

— Pas un pas, pas un geste, mon garçon, dit-il d'un ton glacé, ou je vous abats comme un chien.

Joseph sourit... mais son sourire n'illumina pas son regard.

— A quelques jours des élections ? rétorqua-t-il, sarcastique. Imaginez une minute l'effet que produiraient les manchettes. (Il avança encore de trois pas et, allongeant le bras à la vitesse de l'éclair, il s'empara du revolver. Jetant un coup d'œil à Shannon, il constata que la peur de la jeune fille refluait.) Venez, jeune femme, intima-t-il en s'efforçant de ne pas manifester son contentement.

Car satisfait de lui, il l'était. Cela devait faire belle lurette qu'un chevalier avait tiré Shannon des griffes de la honte et de la mort avec une telle bravoure.

— Un instant, Joseph, déclara-t-elle en se libérant de l'emprise du gros homme. J'ai un petit cadeau pour M. Bourke.

Sur ce, elle lança violemment le genou dans l'aine du politicien. Joseph frissonna quand ce dernier, ramassé en boule et gémissant, tomba du sofa en étreignant son entrejambe à deux mains.

Dans leur dos, Kelly et ses deux videurs se ruaient sur la scène. Joseph brandit le revolver... avec beaucoup plus d'assurance que lors de sa première tentative irlandaise.

— Halte ! Plus un pas, messieurs. (Empoignant Shannon par la main, il l'entraîna, quittant les lieux à reculons pour gagner la sortie des artistes.) Ayez la bonté de nous excuser, cria-t-il, mais nous sommes un peu pressés.

Shannon et lui franchirent la porte en quatrième vitesse et coururent dans la ruelle obscure, Joseph tirant Shannon, celle-ci vacillant sur des talons peu adaptés à la marche. Ils se jetèrent dans une rue latérale, choisissant un itinéraire en zigzag dans l'espoir de semer d'éventuels poursuivants.

N'entendant aucun bruit de pas derrière eux, Joseph finit par s'arrêter et poussa Shannon dans un coin sombre.

— Nous ne saurions moisir à Boston, Shannon, dit-il, hors d'haleine. Nous n'y sommes plus en sécurité.

Shannon agrippait sa main comme une noyée et il sentait son corps trembler contre le sien tandis qu'ils se blottissaient dans les bras l'un de l'autre.

— Où aller ?

Joseph carbura sec avant de répondre :

— Vous pourriez rentrer chez vous, jeune femme. Je suis certain que votre famille vous accueillerait à bras ouverts.

— Non ! Je ne retournerai pas en Irlande. Je ne renoncerai pas à mon rêve.

Joseph l'enlaça, l'attirant tout contre lui, désireux de lui communiquer un peu de sa chaleur.

— Vous en êtes sûre, Shannon ? Tout à fait sûre ?

— Sûre et certaine. Jamais je ne me pardonnerais d'abandonner maintenant.

Déclaration qui eut pour résultat d'apaiser la conscience troublée de Joseph... mais sans plus. Les paroles de Stephen Chase résonnaient dans sa tête. Shannon, en effet, n'appartenait pas à son monde ; tous deux habitaient des planètes différentes. Et depuis qu'il était entré dans sa vie, elle n'avait cessé de courir de grands dangers et d'avoir des ennuis.

Toutefois, lui apprendre que sa famille était à Boston lui paraissait au-dessus de ses forces. Il ouvrit la bouche pour prononcer les mots, mais ceux-ci refusèrent de franchir ses lèvres.

— Dans ce cas, nous n'avons d'autre choix

que d'aller vers l'Ouest et de réunir nos économies, déclara-t-il d'un ton neutre.

— Mais je ne serai qu'un fardeau pour vous dans l'Ouest sauvage !

Il rit.

— Sans doute.

Elle s'écarta de lui et le dévisagea à travers ses larmes.

— Comment pouvez-vous vous montrer si méchant avec moi quand je sanglote dans vos bras ?

Il lui caressa les cheveux et lui adressa un sourire ému, plein d'affection.

— Nous voilà de nouveau à la rue, Shannon ! On dirait que nous sommes destinés à être ensemble... enfin, à nous supporter l'un l'autre. Eh bien, nous serons partenaires jusqu'au bout !

— Mon écot n'est pas lourd, je le crains, avoua-t-elle en fixant le sol.

— Bah... à votre place, je n'aurais pas si grande honte, rétorqua-t-il en l'étreignant. Dix-huit dollars, c'est une jolie somme.

Elle s'éloigna d'un coup.

— Joseph ! Vous avez joué les espions !

— Et vous-même, n'avez-vous pas fouiné dans mes affaires ?

Elle hésita, puis sourit jusqu'aux oreilles.

— Vous possédiez soixante-sept dollars et cinquante *cents* pas plus tard que cet après-midi.

Ils se considérèrent, des chiffres dansant dans leurs yeux. Tous deux arrivèrent en même temps au total.

— Ça suffira, conclut Shannon.

— A présent, filons !

Tirant Shannon, Joseph parcourut au pas de course tout le trajet jusqu'à la pension. Ils faillirent culbuter Molly dans le vestibule.

— Grands dieux ! s'exclama celle-ci en se retenant au chambranle. Vous courez tous les deux comme si vous aviez le feu aux trousses !

— Le feu, non, mais de sérieux ennuis si nous ne nous magnons pas, répliqua Joseph. (Il lui lança le revolver.) Molly, surveillez la porte ! Et ne laissez entrer âme qui vive !

Plantant là une madame abasourdie, revolver au poing, les deux jeunes gens se précipitèrent dans leur chambre et claquèrent la porte derrière eux.

Ils regardèrent fébrilement dans la pièce, ne sachant par où commencer.

Shannon se tourna vers Joseph, et il lut de la frayeur et de l'égarement dans ses yeux. Elle avait passé une rude nuit et, bien que Joseph l'eût arrachée à un destin pire que la mort — ce pour quoi elle lui vouait une infinie reconnaissance —, elle n'était pas encore au bout de ses peines.

Joseph exhuma le pot de sous le lit et en renversa le contenu sur le drap. Shannon se pencha pour extraire les pièces dissimulées dans son corset. Interloqué, Joseph la fixa, ses yeux verts écarquillés sous l'effet de l'admiration.

— Au point où j'en suis, au diable la pudeur !

déclara Shannon sans l'ombre d'une émotion.

La porte s'ouvrit, et tous deux sursautèrent. Mais ce n'était que Molly.

— Vous partez pour l'Oklahoma ? demanda-t-elle.

— La porte, Molly, fit Joseph en l'indiquant du menton.

Molly fit demi-tour pour aller la fermer.

— Je peux vous procurer un cheval, un attelage, du matériel et des vivres pour quatre-vingt-quinze dollars et quatre-vingt-dix-neuf *cents*, annonça-t-elle.

— Merci, Molly ! s'exclama Shannon, touchée.

Molly hocha la tête et, sur ce, quitta la pièce.

Shannon se tourna vers Joseph.

— Nous avons la somme, Joseph.

— Dans ce cas, faisons nos bagages et décampons !

Ils entreprirent de rassembler leurs vêtements et leurs maigres possessions et les jetèrent dans les valises de Shannon. Joseph roula ses habits dans sa couverture.

Il interrompit un instant ses activités pour observer Shannon. Le visage de la jeune fille était coloré par l'excitation, ses belles boucles lui tombaient devant la figure, cascadant librement sur ses épaules. Elle portait toujours son léger costume de scène qui révélait la perfection de ses formes.

— Allons-nous réussir à nous supporter, à votre avis ? demanda-t-il avec un sourire.

Elle lui jeta un coup d'œil.

— Non !

Tous deux éclatèrent de rire et se remirent à l'ouvrage.

Au rez-de-chaussée, Molly montait la garde. Contre qui, contre quoi, elle n'en avait pas la moindre idée. Les prostituées, appuyées aux chambranles ou vautrées sur les sièges du salon, avaient l'air de s'ennuyer à périr. Dans cette maison, un zeste d'agitation et la perspective de ramdam n'avaient rien de bien nouveau. Elles haussèrent à peine un sourcil quand Mike Kelly, Gordon et près d'une dizaine de fiers-à-bras franchirent la porte au pas de charge.

Molly leva le revolver et le pointa sur la vague d'envahisseurs.

— Pas un pas de plus, Mike ! ordonna-t-elle. De quoi s'agit-il ? D'un raid ? Si tel est le cas, il te faudra traîner au moins une douzaine de tes amis hors de ces murs.

— Ce n'est pas à mes amis que j'en ai, pour l'heure, Molly, et je pense que tu le sais. A présent, écarte-toi avant de récolter un coup.

Molly pointa l'arme droit sur lui.

— Je t'ai dit de ne pas avancer !

Kelly fit un pas vers elle.

— Si tu veux tuer quelqu'un, Molly, alors choisis-moi pour cible. Je suis le seul qui puisse fermer ta baraque.

Sur ce, il fit voler le revolver dans les airs. L'arme tomba en cliquetant sur le sol.

— Suivez-moi, les gars ! cria-t-il en faisant signe à ses troupes. Nous avons du nettoyage à faire.

312

Joseph inspecta brièvement la chambre du regard. Shannon était en train de fourrer le reste de ses affaires dans une malle. D'ici à quelques minutes, ils seraient loin. En fin de compte, ils allaient réussir à s'enfuir sans dommage.

Au même instant, la porte s'ouvrit d'une poussée et une vague humaine déferla dans la pièce, sous la conduite de Kelly.

— Emparez-vous d'eux ! ordonna-t-il.

Deux des malabars coincèrent Joseph, tandis que deux autres immobilisaient les bras de Shannon. Joseph tenta de se libérer, mais on le tenait ferme. Les autres casseurs se mirent à éventrer les bagages.

— Non ! hurla Shannon à la vue de sa lingerie et de ses effets personnels renversés sur le sol.

— Ta gueule, petite traînée ! s'écria Kelly. Si tu ne la fermes pas, je vais te gifler comme je l'ai fait tout à l'heure.

La gifler ? Il l'avait déjà giflée cette nuit-là ? La fureur de Joseph monta d'un cran. Cet homme se prétendait son ami, puis, profitant de ce qu'il avait le dos tourné, frappait sa femme !

Fugacement, Joseph s'étonna d'avoir pensé à Shannon comme à sa femme. Quelle idée stupide !... Qu'il faudrait toutefois peut-être reconsidérer à un moment plus approprié.

Laissant les brutes à leur besogne de vandales, Kelly marcha vers le lit et rafla pièces et billets.

— Oh, de grâce, implora Shannon, pas notre argent ! Nous allons partir. Nous ferons tout ce que vous voudrez... mais ne prenez pas nos économies ! Nous avons travaillé comme des bêtes pour gagner chaque *cent* et...

— Il n'y a pas un seul de ces sous qui ne vienne pas de moi, rétorqua Kelly. (Il alla jusqu'à la porte et cria dans le couloir :) Molly Kay ! Viens ici une minute, ma mignonne !

Molly apparut aussitôt — elle devait traîner dans les parages.

— Ces deux-là sont bannis, expliqua le Boss. Abrite-les ne serait-ce qu'une nuit sous ton toit, et je fais fermer ton bordel. Tu piges ?

Molly regarda tristement Shannon, puis Joseph et secoua la tête.

— Entendu, Mike. Navrée, mes enfants.

Sur l'ordre du Boss, les costauds tirèrent les deux jeunes gens au bas de l'escalier et les flanquèrent dehors. Tous deux atterrirent sur les fesses au beau milieu du trottoir.

Furieux, Joseph bondit sur ses pieds, brandissant les poings. Gordon et ses comparses lui plaquèrent les mains dans le dos.

— Tu es fini, Bagarreur ! s'exclama Kelly, son visage tout contre le sien.

Joseph prit sur lui pour ne pas lui cracher à la figure. Inutile d'envenimer la situation.

— Tu ne trouveras plus de boulot à Boston, tu ne boxeras plus, tu ne pourras pas y lever le petit doigt, poursuivit le Boss. C'est dommage, y a pas à dire, mais j'avais prévu le truc dès que tu as débarqué du bateau.

Joseph se débattait toujours. Les paroles de Kelly, cependant, lui firent dresser l'oreille.

— Vous l'aviez prévu ? Comment ça ?

— La fille. (D'un hochement de tête, Kelly désigna Shannon qui, allongée sur le trottoir, les joues ruisselantes de larmes, redressait malgré tout le menton aussi haut qu'à l'accoutumée.) Son appartenance protestante est écrite dans ses yeux. Son espèce et la nôtre ne se mélangent pas, mon gars. C'est la tyrannie des siens que nous avons fuie.

Gordon libéra Joseph et le jeta à terre près de Shannon. Puis Kelly et ses sbires tournèrent les talons et s'éloignèrent sans un regard en arrière. Joseph les suivit des yeux ; ils emportaient sa carrière de boxeur, qui avait été pleine de gloire mais bien trop courte, ses rêves de grandeur et ses espoirs d'avenir. L'envie le démangea de brandir le poing vers le ciel... A quoi bon ? Ce qui avait fichu le camp avait fichu le camp.

Et *tout* avait fichu le camp.

Il lança un coup d'œil à Shannon et vit qu'elle pleurait à petits sanglots, les mains sur son visage.

Il les écarta et plongea son regard dans les yeux gonflés de larmes.

— Ah, jeune femme, ne pleurez pas, je vous en conjure ! Mon cœur est bien assez lourd comme ça.

— Ils nous ont tout pris ! Tout l'argent que nous avions si durement gagné à la sueur de notre front ! Nous sommes encore moins riches que le jour de notre arrivée. Nous ne possédons plus rien au monde !

Joseph l'enlaça et se mit à la bercer, tâchant d'apaiser à la fois l'enfant effrayé qu'il devinait en elle et qu'il sentait en lui. De sa vie, il n'avait éprouvé semblable désespoir. Mais il devait se montrer fort pour Shannon.

— Vous avez toujours vos magnifiques cheveux roux, dit-il, et je n'ai rien perdu de ma gaieté ni de mon charme.

Sa tentative d'humour tomba à plat. Shannon se mit à sangloter de plus belle.

— Il nous faudra une bonne dose de cheveux roux et de charme, répliqua-t-elle entre deux hoquets.

Il lui caressa la tête et posa un baiser léger sur ses boucles.

— Nous réussirons, Shannon. Faites-moi confiance.

Que n'eût-il pas donné pour le croire !

Dans le quartier chic de Boston, où habitaient les Irlandais fortunés, de superbes attelages, conduits par des cochers vêtus de livrées colorées et tirés par des chevaux nerveux à la tête empanachée, passaient devant d'imposantes demeures. Une couche de neige fraîchement tombée drapait les bâtisses et les arbres d'un scintillement d'albâtre, redonnant une pureté virginale aux immeubles plus anciens.

A l'intérieur de l'une de ces demeures de Jefferson Court, Nora Christie ôta son chapeau, ses gants et son écharpe, tapant ses bottines de fin chevreau sur le paillasson du vestibule pour en faire tomber la neige.

— Rentrez les courses, Danty, si vous en êtes capable... espèce de bûche ! cria-t-elle au cocher toujours assis sur son siège.

— Cause toujours, marmonna le vieil homme dans sa barbe.

— Pardon ?

— Je disais que j'allais m'en occuper tout de suite.

— Bien.

Fermant la porte, Nora tendit son manteau à la domestique qui s'empressa de l'emporter, puis revint avec un délicat châle de dentelle.

Entrant dans la bibliothèque, Nora surprit son mari en train de dissimuler une bouteille de gin sous le petit bois disposé dans la cheminée. L'air beaucoup trop désinvolte, Daniel mit le cap sur son fauteuil à oreillettes et s'y assit. Il posa les pieds sur un tabouret et ramassa l'édition du *Police Gazette* qu'il avait laissé tomber sur le sol à l'arrivée de sa femme. De la main gauche, il tenta de masquer la couverture d'une revue arborant l'affriolante image d'un tendron vêtu en tout et pour tout d'une guêpière et d'un pantalon.

— Vous vous polluez l'esprit et le corps, à ce que je vois, dit Nora en se dirigeant nonchalamment vers son fauteuil.

Elle prit son tricot.

— Je m'accorde juste un peu de détente, rétorqua Daniel, ulcéré. Un homme ne peut-il

317

échapper à ses problèmes sous son propre toit ?

— Et quels problèmes essayez-vous de fuir, Daniel ? (Les aiguilles se mirent à cliqueter avec fureur.) Je n'avais pas remarqué que vous crouliez sous de nouvelles responsabilités, ces derniers temps.

— Plus que vous ne pouvez le croire, ma chère, riposta-t-il d'un ton blessé. Stephen et moi avons passé la matinée dehors, à écumer le port à la recherche de Shannon.

Les aiguilles cessèrent un instant de cliqueter.

— Et alors ?

— Chou blanc sur toute la ligne.

— Oh !

Nora reprit son tricotage, un pli barrant son front naguère dépourvu de rides, mais où celles-ci se creusaient désormais un peu plus chaque jour.

— Et vous ? demanda-t-il en s'efforçant de prendre un ton de voix enjoué. Vous est-il arrivé quelque aventure lors de votre sortie ?

— Aucune, à moins que vous ne considériez que c'en est une que de faire la queue derrière la moitié de la ville pour obtenir une côtelette de porc de la taille d'un shilling. L'efficacité de la vie citadine me laisse perplexe. A la campagne, il vous suffit d'aller dehors et de tuer un porc.

— De charger quelqu'un de le tuer pour vous, la corrigea-t-il.

— Voilà où est le vrai problème, en effet. Ce

que je regrette le plus ici, c'est la domesticité qualifiée que j'avais en Irlande.

Danty entra dans la maison, traversa le vestibule à pas lourds, les bras chargés de provisions. A l'instant où il passait devant la bibliothèque, il glissa et s'affala, éparpillant les victuailles sur le carrelage.

— La neige, maugréa-t-il en guise d'explication.

— Laissez l'épicerie, ordonna Nora. On gèle, dans cette pièce. Venez allumer le feu.

Daniel jeta un regard furtif à l'âtre et se sentit fait comme un rat. Horrifié, il vit Danty se mettre promptement à l'ouvrage, ajoutant du petit bois à la pile existante, enfouissant davantage le gin dissimulé.

— Nora, j'ai une question à vous poser en rapport avec l'argent, déclara Daniel, saisissant le premier prétexte qui lui vint à l'esprit pour cacher son désarroi.

— En rapport avec l'argent ?

— Oui.

— Mais encore ?

— En avez-vous ?

Nora soupira et secoua la tête.

— Oui.

— Ah, parfait ! Ce point me souciait.

— Ne vous tracassez pas, Daniel. (Elle rangea sa pelote dans sa corbeille.) Je m'occupe de vous ainsi que je l'ai toujours fait. Mais la tâche est exténuante, et c'est un euphémisme ! Je vais m'allonger un peu.

Daniel rayonna quand elle sortit de la pièce.

Une fois qu'elle eut disparu en haut de l'escalier, il se précipita vers Danty qui ramassait les provisions éparses dans le vestibule.

— Vous l'avez ? chuchota-t-il en jetant un coup d'œil aux marches vides.

Danty glissa la main sous sa veste et sortit une bouteille contenant un liquide de couleur claire.

— Je veux, Votre Grâce, mais ça n'a pas été de la tarte ! Du whisky de contrebande distillé à Ballyshannon, tout frais passé en fraude.

Christie prit la bouteille et la pressa amoureusement contre ses lèvres.

— Ah, Danty Duff ! La fortune nous a souri à tous deux la nuit où vous avez mis le feu à ma maison et sacrifié votre liberté ! Venez trinquer à ce bienfait, mon vieux !

Ils entrèrent dans la bibliothèque sur la pointe des pieds et se dirigèrent vers un placard en chêne. Daniel l'ouvrit et exhuma deux verres de ses profondeurs, qu'il se hâta d'emplir.

— Dites-moi... (Danty but une gorgée, puis s'essuya la bouche d'un revers de main)... elle sait que vous picolez. Je ne pige pas l'arrangement que vous avez passé avec votre femme.

— Moi non plus, Danty, moi non plus. Et mieux vaut ne pas chercher à comprendre. Le mariage est le concept le plus alambiqué que Dieu ait jamais concocté. C'est un mystère, et cela doit le rester.

Ils levèrent leurs verres et les vidèrent cul sec ; l'alcool leur coupa momentanément le souffle. Daniel s'empressa d'offrir une seconde tournée. La porte s'ouvrit avant que les deux compères n'aient eu le temps d'y tremper les lèvres.

Daniel repoussa verres et bouteille dans le placard et se retourna. Stephen Chase s'avança dans la pièce, l'air plus harassé encore qu'à l'ordinaire. Des cernes noirs soulignaient ses yeux et son teint avait une pâleur maladive.

— Quoi de neuf, Stephen ? Vous avez appris quelque chose à propos de Shannon ?

Daniel était trop avisé pour espérer une réponse à l'une ou l'autre question. Il ne se passait rien, ces derniers temps, même en Amérique. Et cela faisait des semaines qu'ils recherchaient Shannon en pure perte. Pourquoi en irait-il différemment ce jour-là ?

Stephen prit une profonde inspiration.

— J'ai des nouvelles de Shannon.

Le cœur de Daniel s'emballa. Il observa les yeux découragés du jeune homme.

— Pas des bonnes, on dirait.

Mon Dieu, de grâce ! implora-t-il. Faites que ce ne soit pas la pire de toutes ! Je ne le supporterais pas...

— Elle a vécu, j'en ai peur, dans une maison malfamée. Je suis désolé de m'en faire le messager, Votre Grâce. Je ne puis qu'imaginer la souffrance que la nouvelle doit vous causer.

— Avec ce garçon ?

Daniel et Stephen se retournèrent d'un seul mouvement. Nora se tenait dans l'escalier, les mains jointes, le visage plus crayeux que celui de Chase.

— En effet, confirma celui-ci.

— Et ils s'y trouvent encore ? demanda Nora, levant le menton comme pour se cuirasser contre des révélations plus pénibles.

— Je suis navré, non. Je déteste ajouter à votre chagrin, madame Christie, mais tous ceux qui les ont connus affirment qu'ils ont disparu. Certains les croient toujours à Boston, mais personne ne sait précisément...

La voix lui manqua tandis que, figé, il fixait le parquet bien ciré.

— Une maison malfamée, murmura Nora. Ma petite Shannon dans un endroit pareil ! Il faudrait cravacher ce garçon, puis le pendre ! Encore que ce serait un châtiment trop doux.

— Ma chère, dit Daniel en montant quelques marches pour lui prendre la main, vous devez lui garder votre confiance. Continuer d'accorder foi aux préceptes moraux que vous lui avez inculqués durant toutes ces années. Pour ma part, je ne crois pas que notre Shannon ferait quoi que ce soit qui puisse...

— Oh, taisez-vous, Daniel ! s'écria Nora en repoussant la main de son mari. Tout comme moi, vous ignorez ce qu'elle a pu être amenée à faire. Comment savoir dans quelles turpitudes peut tomber une innocente dans cette ville, ne serait-ce que pour survivre ! (Nora tourna les talons et regagna le haut de l'escalier.) Mais je sais une chose : c'est la faute de ce misérable, et il paiera de sa vie le mal qu'il a fait à mon bébé ! J'en fais le serment !

Daniel et Stephen la suivirent des yeux, arborant des mines tristes et vaincues.

— Elle a parcouru l'enfer et en est revenue, et elle a toujours la tête haute, remarqua Daniel avec admiration.

— Votre femme est une grande dame, approuva Stephen. Et je vous jure que je revendique désormais comme un honneur et un privilège d'exécuter ce vaurien qui est la cause de son chagrin. Retrouver votre fille et vous la ramener saine et sauve est devenu ma raison de vivre... ainsi que tuer ce Donelly.

Shannon cheminait aux côtés de Joseph sur la chaussée boueuse et fouettée par une pluie glaciale. Des gens chaudement vêtus passaient dans de robustes voitures, les éclaboussant un peu plus. D'autres se hâtaient, à l'abri de vastes parapluies, des paquets sous le bras.

Shannon ne pouvait s'empêcher d'éprouver de l'amertume au souvenir des trois magnifiques attelages de la famille, des élégants manteaux et des jolis parapluies qu'elle possédait naguère. Et il lui semblait qu'elle ne s'était pas adonnée au plaisir frivole du lèche-vitrines depuis des lunes.

Elle ne trouvait plus Boston aussi excitante et amicale depuis qu'on les avait flanqués à la rue. Où s'en étaient allés les chauds jours de l'été ? se demandait-elle. Et pourquoi, en plein cœur de l'hiver, le destin avait-il la cruauté de les jeter dans la bise et les intempéries ? Puis elle se rappela que le destin n'y était pour rien ; c'étaient Mike Kelly et ses hommes de main qui les avaient réduits à la misère. Et elle les en haït.

Évoquant la manière dont ces brutes leur avaient dérobé leurs pauvres sous laborieusement gagnés, elle imagina toutes sortes de supplices atroces qu'elle leur ferait subir avant de les tuer, s'ils lui tombaient sous la main. La fureur qui la consumait lui tenait chaud ; alors, elle attisa les flammes en ajoutant davantage de souvenirs et de fantasmes.

Ils tournèrent à un angle de rue et aperçurent un groupe d'hommes et de femmes en train de creuser un fossé. Dans la boue jusqu'aux genoux, ils hissaient une pelletée après l'autre, tandis qu'un contremaître, vêtu d'un épais manteau et bien à l'abri sous un parapluie, leur aboyait des ordres.

— Magnez-vous le train ! Il nous faut enlever cette gadoue avant qu'il ne se remette à geler. Du nerf, vous dis-je !

Comme Shannon et Joseph les dépassaient, l'homme remarqua le garçon et cria :

— Hep, vous, là-bas ! Nous avons besoin de costauds. Signez là et prenez une pelle. La paie est bonne.

Sans hésiter, Joseph se tourna vers Shannon.

— Allez vous abriter de la pluie, jeune femme. Je vais nous gagner notre dîner.

Shannon se dirigea vers un porche proche ; Joseph retourna à la hâte vers le contremaître.

— Je suis votre homme, fanfaronna-t-il.

Il saisit une pelle, sauta dans le fossé et se mit à creuser avec deux fois plus d'énergie que les hommes et les femmes qui l'entouraient.

— Très bien ! s'exclama le contremaître. Mais il me faut votre nom.

Et de sortir un registre de sous son manteau.

Joseph devina que c'était le redouté Domesday Book dont Kelly l'avait rayé depuis belle lurette.

— Mon nom n'a pas d'importance, répliqua-t-il, continuant à pelleter. Je creuse, c'est suffisant.

— Creusez tout votre content. Vous n'aurez pas votre paie si vous n'êtes pas inscrit.

— Mais je vais abattre quatre fois plus de besogne que dix de ces hommes. Attendez, et vous verrez si je mens !

L'homme haussa les épaules.

— Adressez-vous au Boss. *Moi*, je ne peux rien faire.

Joseph baissa la voix et jeta alentour des coups d'œil à la dérobée.

— Je ferai le boulot de dix hommes... pour la moitié du salaire.

Le contremaître réfléchit mûrement à la proposition. A son tour, il regarda à la ronde pour voir si on les écoutait. Les ouvriers semblaient absorbés dans leur misère glacée et humide.

— On marche comme ça ! dit-il en s'éloignant.

Joseph reprit sa tâche et Shannon se tapit sous le porche, l'observant. Jamais elle n'avait vu un homme travailler comme Joseph, enfonçant sa pelle, soulevant de lourdes pelletées de boue et de pierres, ôtant les plus grosses à la main. Joseph besognait dur pour qu'ils puissent dîner. Mieux, il besognait dur pour qu'*elle* puisse dîner.

Il ne lui devait rien. Il avait acquitté depuis longtemps la dette de sa traversée. Il le faisait parce qu'il était son ami et qu'il prenait soin d'elle.

Bien au chaud et au sec sous son porche, Shannon se rendit compte qu'elle l'aimait trop pour le laisser trimer seul.

D'un air résolu, elle quitta son abri et se dirigea rapidement vers le fossé. Saisissant une pelle, elle sauta près de Joseph.

— Shannon, s'écria-t-il en la voyant, qu'est-ce qui vous prend ? Vous allez vous mouiller les pieds.

Elle observa la boue qui dégoulinait sur ses mollets.

— Trop tard.

Puis elle rit et se mit à creuser.

— Non, Shannon ! protesta-t-il. Vous ne sauriez faire cette besogne. Vous êtes une dame, et les dames ne creusent pas de fossés.

La pelle de Shannon mordit dans la boue et la jeune fille souleva sa première pelletée tant bien que mal.

— Ah ouais ? répliqua-t-elle en serrant les dents pour les empêcher de claquer sous l'effort. Eh bien, regardez-moi !

Joseph, les yeux brillants de larmes, la contempla un moment, qui se colletait avec la fange. Des larmes de culpabilité. Depuis que leurs vies s'étaient croisées, il ne lui avait apporté que des tracas. Mais ses yeux verts luisaient aussi d'admiration. Ainsi couverte de gadoue, pelletant comme un manœuvre, elle ne lui avait jamais paru si pleine de noblesse.

Près des docks, les gens qui avaient eu la malchance d'être surpris par l'hiver sans toit au-dessus de leur tête se blottissaient sous le pont, autour de feux de fortune, tentant d'absorber un peu de leur chaleur. Joseph et Shannon avaient trouvé un refuge parmi ces déshérités qui les avaient acceptés avec une gentillesse confondante. On leur avait offert quelques hardes, un bol de soupe — de la soupe bien claire, mais de la soupe quand même — et deux ou trois brindilles pour se chauffer.

Joseph cassa le menu bois en petits morceaux sur ses genoux. Shannon, pitoyable, frissonnait à côté de lui. Il se faisait du souci. Jamais, pas même au terme d'une harassante journée de labeur à l'usine, il ne lui avait vu ce teint cendreux. Pour la première fois depuis qu'ils se connaissaient, elle ne disait mot. Il se rendit compte que son incessant babillage lui manquait.

— Ce feu ne va pas tarder à ronfler, jeune femme, dit-il, et vous vous y rôtirez à plaisir.

Elle hocha légèrement la tête et resta silencieuse. Puis elle se mit à tousser, en quintes déchirantes qui semblaient sur le point de la briser. La toux l'avait prise la veille au matin et paraissait avoir empiré. Joseph n'en était pas surpris après l'après-midi passé à creuser sous la pluie. Il se maudit de l'avoir laissée faire. Pas étonnant qu'elle fût si malade.

Joseph avait entendu semblable toux en Irlande. Il avait également vu mourir des gens qui toussaient ainsi, des gens au teint terreux, des gens apathiques qui ne cessaient de trembler. Son inquiétude redoubla.

Il devait lui trouver de quoi manger. De la nourriture saine et consistante, pas cette eau avec un bout de carotte ou d'oignon nageant par-ci, par-là. Il devait la mettre à l'abri de cette humidité glaciale.

Mais, pour ce faire, il lui fallait de l'argent. Et l'argent était une denrée rare sur les docks. Il avait écumé le port des jours et des jours pour essayer de se faire embaucher et n'avait essuyé que des rebuffades. Apparemment, les patrons nourrissaient un préjugé envers les Irlandais, et nombre d'entreprises affichaient des panneaux qui proclamaient : ON N'EMBAUCHE PAS D'IRLANDAIS.

L'esprit carburant à plein régime, Joseph envisagea mille et une possibilités, mille et un moyens de venir en aide à Shannon et de l'arracher à cette existence sordide. La solution la plus évidente — la ramener à ses parents, à Jefferson Court — ne cessait de lui trotter par la tête mais, sans cesse, il en repoussait l'idée.

Il tenta de se persuader qu'il aidait la jeune fille à réaliser son rêve... Sauf que ce n'était pas un rêve, mais un cauchemar, et il n'apercevait pas le bout du tunnel.

— Votre amie a l'air en piteux état, dit un vieil homme en s'avançant tranquillement vers Joseph pour lui lancer un autre morceau de bois.

— Oui. (Joseph jeta un regard à la dérobée à Shannon qui s'était écroulée contre un cageot de bois à demi pourri.) Elle a mené jusqu'à présent une existence de coq en pâte et n'a pas l'habitude des privations.

— M'est avis qu'elle ne va pas tarder à rencontrer son Créateur, observa le vieil homme en frottant son menton hirsute de ses doigts noueux.

Shannon se remit à tousser et Joseph se ratatina. L'inconnu fouilla dans son baluchon de guenilles et en tira une couverture mangée aux mites qu'il tendit à Joseph.

— Tenez. Couvrez-la avec.

Empli de gratitude, Joseph sentit des larmes jaillir de ses yeux.

— Merci ! s'écria-t-il. Dieu vous bénisse ! Puissiez-vous avoir toujours une chemise propre, la conscience pure et un shilling en poche !

Le vieil homme sourit, révélant sa bouche édentée.

— Ça me plairait bien de posséder les trois, à c't'heure !

Il tourna les talons et partit rejoindre son feu.

Joseph craqua une allumette empruntée et, avec d'infinies précautions, l'abritant du vent de ses paumes et de son corps, il en tira une flamme qui fit prendre le petit bois. Puis il regarda Shannon.

— Voyez ce que j'ai pour vous, jeune femme ! s'exclama-t-il en lui présentant la couverture. Ce gentil vieillard, là-bas, vous en fait cadeau. Un refus de notre part le vexerait. Venez !

Il s'approcha d'elle et, l'enlaçant, l'entraîna près du feu. Quand il l'eut bien installée, il drapa étroitement la couverture autour d'elle, en rentrant les bouts pour qu'elle lui tienne plus chaud.

— Voilà, fredonna-t-il en l'enveloppant de ses bras. C'est mieux, non ?

Shannon hocha la tête et se blottit contre lui. Le geste le rassura. Peut-être allait-elle guérir, finalement. Et peut-être n'était-il pas l'affreux égoïste que son cœur lui reprochait d'être.

Sous l'action bienfaisante de la chaleur dispensée par le feu et la couverture, Shannon s'anima légèrement. Elle observa les gens qui grouillaient alentour. Une femme passa, un bébé dans les bras. Ni la mère ni l'enfant n'avaient de couverture ou de manteau pour les couvrir. Le visage du nourrisson virait au bleu et la jeune femme frottait ses bras et ses jambes grêles pour y rétablir la circulation sanguine.

Joseph considéra la scène avec compassion. Il s'apprêtait à leur offrir son manteau quand Shannon ôta la couverture de ses épaules et la donna à la jeune mère.

— Qu'est-ce que vous faites, Shannon ? demanda Joseph. Vous en avez besoin vous-même, malade comme vous l'êtes.

Shannon haussa les épaules.

— Ces deux-là en ont davantage besoin que moi, dit-elle sans émotion.

Joseph la considéra, en proie à un accès d'affection teinté d'admiration. Peut-être n'était-elle pas aussi gâtée et aussi égoïste qu'il le croyait...

Elle leva les yeux et le surprit à la fixer.

— Qu'y a-t-il ? dit-elle d'un ton sec.

Il sourit.

— Rien. Rien du tout.

Soudain, des coups de sifflet retentirent, des cris, des jurons, des hurlements de femmes. La police ! On les pourchassait une fois de plus !

Des flics irlandais taillés en armoires à glace dévastèrent le campement, démolissant à coups de pied les tentes de fortune, éparpillant les maigres feux, assenant leurs matraques sur quelques crânes.

— Ouste ! Du balai ! criaient-ils. Vous n'avez pas le droit de rester ici, espèces de pouilleux !

Joseph tira Shannon pour la mettre debout. Il enleva son manteau et le lui passa autour des épaules.

— Venez, jeune femme, dit-il avec gentillesse. Apparemment nous ne trouverons pas d'abri ici non plus. Oui... mon père avait raison — il n'y a point de repos pour ceux qui sont las.

— Fichez le camp ! lui hurla un flic au visage.

— Et vous nous conseillez d'aller où ? rétorqua Joseph, trop épuisé pour manifester raillerie ou colère.

— Facile, mon gars, ricana le flic. Allez au diable !

14

Joseph, courbé dans la bise glaciale, remorquait Shannon. Au bout de la rue, il aperçut un panneau : ON DEMANDE UN AIDE et décida de tenter sa chance. Les rafales lui mordaient la peau à travers sa mince chemise, mais il n'en avait cure ; il se faisait du souci pour Shannon. La jeune fille portait le manteau de Joseph sur le sien — ce qui n'eût pas suffi à réchauffer une personne en bonne santé, encore moins quelqu'un qui toussait comme elle à s'en arracher les poumons.

Ils arrivèrent à la boutique et s'engouffrèrent sous l'auvent, afin de se mettre à l'abri des bourrasques.

— Vous perdez votre temps, Joseph, dit Shannon.

Il perçut la fatigue et le désespoir dans sa voix et refoula son propre découragement, qui menaçait de le submerger. Elle avait probablement raison. A quoi bon se présenter dans cette échoppe pour se faire de nouveau mettre à la porte ? Toutefois, il fallait qu'il tente le coup. Qu'il fasse le maximum.

— Venez, intima-t-il. Au moins nous serons protégés du froid le temps que ça prendra pour qu'on m'envoie promener.

Ils pénétrèrent dans la boutique, déclenchant une petite sonnette suspendue au bouton de la porte. Une odeur de viande, d'épices et de soupe leur monta aux narines ; l'eau leur en vint à la bouche, leurs estomacs rugirent.

Le commerçant leur jeta un regard circonspect de derrière son comptoir.

— Que puis-je pour votre service ? demanda-t-il sans conviction.

— Nous serions heureux de prendre tout travail que vous offrez, expliqua Joseph avec empressement, s'efforçant de paraître dur à la tâche et courageux.

L'homme hésita. Joseph pensa qu'il allait les congédier comme tant d'autres l'avaient fait avant lui. Mais le commerçant prit une profonde inspiration et dit :

— Cette fille n'a pas l'air d'être en état de travailler, mais vous ferez peut-être l'affaire. Donnez-moi votre nom.

Le cœur de Joseph cogna dans sa poitrine. Il allait devoir encore mentir ! Ces derniers temps, il avait l'âme aussi noire que les chênes des tourbières.

— John Smith.

L'homme consulta un long rouleau de papier.

— Ah... il y a un John Smith. Deuxième nom ?

Joseph comprit que son compte était bon. Comment pourrait-il deviner le deuxième nom de ce loustic ? Il regarda Shannon et vit que ses joues, tout à l'heure blêmes, étaient devenues écarlates sous l'effet de la fièvre ; elle le fixait d'un œil vitreux et son visage exprimait la peur que lui-même éprouvait.

Il refit face au commerçant, résolu à se montrer honnête, pour une fois. Peut-être le bon Dieu allait-il l'en récompenser.

— Monsieur, déclara-t-il, nous ne sommes pas inscrits dans le livre. Mais nous sommes aux abois, monsieur ! Nous pourrions travailler uniquement pour notre nourriture. S'il vous plaît, monsieur !

L'homme secoua la tête.

— Je suis profondément navré. J'aimerais vous aider, mais...

— Je vous avais dit que c'était inutile ! s'exclama Shannon alors que Joseph la reconduisait dans le froid. Jamais nous ne survivrons à cet hiver !

— Ne dites pas des choses pareilles, jeune femme ! riposta-t-il, furieux que les paroles de Shannon fissent écho à ses propres pensées. Nous sommes irlandais, sapristi, et nous autres Irlandais ne mourons pas si facilement ! Redressez le menton ! Montrez-moi ce que vous avez dans le ventre !

Avec ce qui dut représenter un effort formidable, Shannon leva le menton et, l'espace d'un instant, Joseph revit la jeune fille énergique qui l'avait attaqué avec une fourche. Et le geste, insignifiant mais héroïque, le toucha au plus profond du cœur.

— Nous réussirons, jeune femme ! s'écria-t-il en passant le bras autour de ses épaules et en la pressant de nouveau contre lui. Nous n'avons pas encore dit notre dernier mot !

La neige tombait si dru que Shannon et Joseph y voyaient à peine tandis qu'ils erraient sans but par les rues sombres. Le vent s'était calmé, mais l'air, pourtant déjà glacial, avait encore fraîchi.

Shannon, agrippée à la main de Joseph, avait l'impression de n'avoir jamais eu chaud de sa vie et pressentait qu'elle ne connaîtrait jamais plus la chaleur. Ses mains ne la faisaient plus souffrir, insensibilisées par un engourdissement bienheureux, mais son corps n'était que douleur et ses poumons ne parvenaient pas à absorber suffisamment d'air glacé. Un géant cruel, semblait-il, lui comprimait la poitrine entre ses doigts, avivant son martyre.

A un moment donné, ses jambes se dérobèrent sous elle, l'empêchant d'avancer. Elle s'effondra contre un portail de fer, les cuisses et les mollets agités de spasmes, respirant en halètements irréguliers.

— Joseph... je ne peux... je ne peux plus continuer.

Chaque mot lui coûtait un effort. L'air était si froid que sa tête, son nez et sa gorge lui infligeaient une torture sans nom.

— Je sais, jeune femme, répondit le garçon

en s'agenouillant dans la neige auprès d'elle. Mais nous devons continuer. Si nous nous arrêtons pour nous reposer, nous risquons de geler plus dur que dans les feux de l'enfer.

— Je m'en moque, répliqua-t-elle avec sincérité.

La mort, à présent, lui semblait presque un soulagement. Au moins, elle n'aurait plus froid et sa poitrine ne lui ferait plus endurer ce supplice.

Joseph balaya les alentours du regard, scrutant l'épais rideau que formait la neige qui tombait silencieusement. Les flocons, accrochant dans leur chute la lumière du réverbère, étincelaient comme des milliers d'étoiles filantes. En d'autres circonstances, c'eût été un idyllique paysage de carte postale mais, en l'occurrence, ce n'était qu'un décor où se déroulait une lutte tragique entre la vie et la mort.

— Il faut que nous trouvions un abri, Shannon. Je vous porterai s'il le faut, mais nous devons nous réchauffer sans tarder, sous peine de périr de froid.

Shannon regarda le portail et son fer forgé ouvragé, puis, à travers la neige, scruta les toits des grandes demeures où les vitres colorées brillaient d'une chaude lueur qui se déversait à flots sur la chaussée immaculée.

— Des maisons chics, Joseph, dit-elle, réconfortée à l'idée qu'ils allaient peut-être dénicher un havre, bien qu'elle fût incapable d'imaginer où ni comment.

Joseph s'éloigna de quelques pas et désigna une bâtisse où ne brillait aucune lampe.

— Voici ce qu'il nous faut.

Peu après, Shannon, appuyée à la porte de derrière, pressait l'oreille contre le bois froid. Elle entendit le bruit d'un carreau qui se brise. Joseph était dans la place ! La porte ne tarda pas à s'ouvrir.

— Bienvenue dans ma belle et luxueuse demeure ! s'écria-t-il en invitant la jeune fille à entrer.

Nerveuse, Shannon pénétra à l'intérieur et jeta des coups d'œil de droite et de gauche. La maison était sombre et silencieuse. Le propriétaire était apparemment sorti pour la soirée. Du moins l'espérait-elle.

Il faisait chaud, beaucoup plus que dehors et, au bout de quelques minutes, Shannon sentit, à mille fourmillements et picotements, que le sang se remettait à circuler dans ses membres gelés. Ses poumons se dilatèrent tandis qu'elle aspirait des goulées d'air tiède, l'âme pleine de reconnaissance.

Les deux jeunes gens déambulèrent à tâtons dans les lieux, entrant dans une pièce, sortant d'une autre, butant contre des meubles, trébuchant sur des tapis disposés çà et là.

— Je n'arrive pas à dégoter une lampe, fit Joseph.

— Moi non plus. (Shannon fit courir la main le long d'une étagère et referma les doigts sur une petite boîte. Elle la secoua, et le son qu'elle en tira la réjouit.) J'ai déniché des allumettes ! s'exclama-t-elle avec enthousiasme.

Un silence ténu suivit.

— Vous avez déniché des allumettes, disiez-vous ? reprit enfin Joseph sur un ton sarcastique.

— En effet.

— Eh bien, qu'attendez-vous pour en gratter une ?

Shannon obéit, et la lumière de la flamme illumina leurs visages. Ils se fixèrent, chacun cloué d'horreur à la vue de la pâleur fantomatique de l'autre.

— Mon Dieu ! On dirait le diable ! s'écria Shannon.

— Et vous, sa femme ! répliqua Joseph.

La jeune fille gratta une seconde allumette, et Joseph découvrit une lampe sur un guéridon. Shannon l'alluma. Aussitôt, une clarté ambrée baigna l'élégant salon, révélant, dans un angle, un immense sapin décoré de nœuds, de clochettes, de bougies et de friandises.

Ils contemplèrent, émerveillés, les décorations scintillantes.

— C'est Noël, Joseph ! fit Shannon alors que des larmes lui montaient aux yeux. Comment avons-nous pu oublier Noël ?

— Nous avons eu d'autres sujets de préoccupation... comme de rester en vie, par exemple.

Joseph, levant haut la lampe, entreprit d'explorer la demeure, Shannon sur ses talons. Chaque objet que la lumière faisait surgir de l'ombre captivait l'imagination de la jeune fille. Elle passait la main sur les tables cirées et sur les sièges recouverts de brocart, ravie devant tant de splendeur et d'opulence.

Investi d'une mission plus concrète, Joseph fouillait les placards de l'office. Écartant des pains de glace, il emplit ses poches avec empressement tout en se bourrant la bouche de nourriture.

— Shannon, venez... Servez-vous. Nous avons besoin de nous restaurer. Prenez...

Mais Shannon avait vu quelque chose qui avait échappé au regard de Joseph — une énorme dinde rôtie trônait sur une étagère.

— Je veux dîner, annonça-t-elle.

Joseph lui tendit un morceau de pain et de fromage.

— Dînez, dînez, répliqua-t-il en mastiquant.

— Non, je veux m'asseoir et dîner, Joseph. Comme un être humain, non comme un animal. Ainsi que je le faisais à la table familiale le jour de Noël. Apportez-moi cette dinde.

Avec la solennité digne d'une princesse, elle marcha à pas glissés jusqu'à la table de la salle à manger et s'assit. Joseph s'empara de la volaille avec nervosité et la suivit. Il jeta la dinde sur la table, où elle atterrit dans un boum retentissant.

— Il faut la mettre sur un plat, dit Shannon, le sourcil levé.

Joseph poussa un soupir d'exaspération.

— Shannon, nous sommes des cambrioleurs ! Nous serons pendus si on nous surprend.

— Découpez-la, s'il vous plaît.

Joseph déchiqueta la dinde à pleines mains.

— Tenez, dit-il en lui tendant le pilon.

— Je préférerais du blanc si je ne...

— Sapristi, jeune femme ! Vous allez manger cette fichue cuisse !

Et de la lancer en travers de la table jusqu'à Shannon. La jeune fille sursauta et se recroquevilla au fond de sa chaise. Agitée de soubresauts, elle semblait à deux doigts de fondre en larmes.

— S'il vous plaît, Joseph, accordez-moi une faveur ! J'ai moins besoin de sustenter mon corps que de dorloter mon âme. Feignez avec moi. Durant un petit quart d'heure, faites comme si cette belle demeure était la nôtre.

Cette délicate supplique, formulée avec une telle sincérité, émut Joseph.

— La nôtre ?

— Jamais nous ne posséderons toutes ces jolies choses, sauf en imagination. Faites comme si vous étiez mon mari. Asseyez-vous et dînez avec moi.

Rivant sur ceux de Shannon ses yeux débordant d'une émotion non dite, Joseph obéit. La lumière dorée de la lampe éclairait son visage, révélant les sentiments mêlés dont il était la proie.

Ni l'un ni l'autre n'avala la moindre bouchée.

— Et que ferions-nous... si nous étions mariés... vous et moi ? murmura-t-il d'une voix rauque.

Les joues rosissantes, Shannon se pencha un peu plus vers lui.

— Je suppose que vous devriez vous montrer gentil envers moi... et m'aimer de temps à autre.

A ces mots, tous deux s'empourprèrent et baissèrent les yeux sur la dinde intacte.

— Je n'ai aucune expérience pour ce qui a trait aux choses de l'amour, avoua Joseph.

Shannon le crut sur parole. Sa voix et l'expression de son visage lui certifiaient qu'il disait la vérité. Elle repensa à Grace et se sentit libérée d'un poids. Il n'avait pas été amoureux de cette fille, en fin de compte.

— Vous n'en rêvez même pas ? continua-t-elle, se rappelant les innombrables nuits où ils avaient tous deux dormi dans la même chambre, si proches et pourtant si lointains.

Il haussa les épaules.

— Peut-être.

La réponse enhardit Shannon.

— Dans les romans que j'ai lus, quand un homme et une femme s'éprennent l'un de l'autre, ils... ils s'embrassent.

Elle eut toutes les peines du monde à prononcer le dernier mot. Son cœur battait si fort qu'elle était sûre que Joseph devait l'entendre et elle tremblait si violemment qu'elle étreignit ses cuisses pour ne pas se trahir.

Dans un étonnement ravi, elle s'aperçut que Joseph tremblait, lui aussi.

— On ne peut pas faire semblant de s'embrasser, observa-t-il tranquillement. Soit on s'embrasse, soit on ne s'embrasse pas.

— Vous avez raison.

Elle se pencha vers lui, il s'inclina vers elle. Avançant la bouche, elle en effleura celle de Joseph un très fugace instant. Mais, si fugace fût-il, elle eut le temps de s'émerveiller de la tiédeur de ses lèvres, de leur plénitude sensuelle... Et elle se rendit compte qu'elle désirait l'embrasser encore... et le plus tôt possible.

Cependant, elle devait se comporter en lady. Elle réprima son envie, se demandant si Joseph livrait lui aussi un combat contre lui-même.

— Oh, Joseph, se plaignit-elle, pourquoi la fortune est-elle passée à côté de nous ? Étais-je à ce point frappée de cécité lorsque j'étais en Irlande pour m'imaginer que je bâtirais un empire en Amérique ? Touchez mes mains. (Elle les lui tendit ; il les prit dans les siennes.) La pauvreté les a abîmées et rendues aussi rugueuses que les vôtres.

Elle étreignit les doigts de Joseph, essayant de puiser à ce contact la force dont elle avait tant besoin. Hélas, les mains du garçon étaient aussi chaudes et sensuelles que ses lèvres et Shannon se sentit de nouveau brûler de désir.

— Vous meniez la belle vie avant de vous enfuir avec moi. J'ai l'impression de vous avoir trahie, déclara Joseph, observant les mains de Shannon que le froid et le rude labeur avaient gercées et rougies.

— Quelle idée, Joseph ! C'est moi qui n'ai aucun talent pour l'aventure. Vous avez pris soin de moi à chaque étape de la route. Sans vous, Dieu seul sait à quoi j'en serais réduite à présent !

Ils restèrent silencieux un moment, se regardant dans les yeux. Les étincelles qui avaient jailli lors de leur première rencontre s'embrasèrent soudain comme de l'étoupe. Shannon ne put tenir plus longtemps la bride à son désir. Il la submergea, tel un feu liquide.

— Faites comme si vous m'aimiez ! implora-t-elle.

— D'accord.

Se jetant dans les bras l'un de l'autre, ils perdirent l'équilibre, tombèrent de leurs chaises et heurtèrent le plancher, toujours enlacés.

Shannon atterrit sur Joseph, noyant son visage sous une cascade de boucles. Joseph fit courir ses doigts dans la chevelure soyeuse.

— Ah, jeune femme... murmura-t-il quand ses lèvres trouvèrent celles de Shannon.

Ce baiser-là fut beaucoup plus appuyé que le premier et les lèvres de Joseph plus brûlantes. Faisant litière de toute retenue, Shannon jeta aux orties sa qualité de lady et la sauvegarde de sa vertu, en dépit des leçons que Nora lui avait maintes fois serinées. Elle oublia tout, sauf l'étreinte de Joseph et la passion que son baiser déchaînait en elle.

Ainsi, voilà à quoi ça ressemble d'être embrassée par un homme, se dit-elle tandis que la bouche de Joseph glissait sur la sienne et qu'elle répondait à son invite. On se croirait au paradis !

Tout d'un coup, Joseph la fit basculer et elle

se retrouva sous lui. Elle aima le poids de ce corps viril pressant le sien sur le somptueux tapis, en goûta la dureté contre la douceur du sien.

— Joseph... chuchota-t-elle.

L'heure était mal choisie pour songer à la différence de classe, qui faisait de Joseph un roturier et de Shannon une aristocrate. Il s'agissait de Joseph, son partenaire, son plus proche ami... et, en l'occurrence, son amant.

— Oui, ma chérie ? dit-il, écartant sa bouche de la sienne pour lui embrasser les joues et la gorge.

— Je voudrais...

— Quoi donc, mon trésor ?

— Je voudrais que vous...

— Oui ?

— Je voudrais que vous... vous me caressiez.

Voilà, c'était dit ! Elle avait prononcé les mots tabous. Elle avait désobéi à l'esprit et à la lettre de l'éducation dispensée par sa mère, mais sa requête avait paru si naturelle, la pensée si agréable et pertinente sur le moment. Elle désirait sentir les mains chaudes et fortes de Joseph la caresser comme ferait un amant. Elle le désirait plus que tout au monde.

— Vous en êtes sûre ? demanda-t-il, hors d'haleine, ses mains se mouvant sur la taille de la jeune fille, ses doigts plaqués sur ses côtes.

— Oui, sûre et certaine.

Il ne reposa pas la question. Lentement, ses mains remontèrent et s'immobilisèrent au-dessus de la ronde poitrine.

— Ah, Shannon, souffla-t-il, que vous êtes belle ! Cela fait si longtemps que je brûle de caresser votre peau satinée, de laisser mes mains vous dire à quel point je vous aime ! Mais je me figurais que vous me détestiez.

— Jamais de la vie, Joseph ! J'ai toujours cru que c'était *vous* qui me détestiez.

Il enveloppa délicatement le sein rond de sa paume.

— Ah, quelle douceur ! murmura-t-il avec respect. Plus grande encore que dans mes rêves ! (Il plongea son regard dans celui de la jeune fille ; celle-ci songea qu'il ne lui avait jamais paru si beau, si viril, et pourtant si tendre.) Je vous remercie, Shannon. Je vous remercie de m'accorder cet honneur et ce privilège.

Déboutonnant le haut de sa robe, il écarta l'étoffe et effleura d'un baiser le renflement des seins. Shannon emmêla les doigts dans ses cheveux épais et le baisa au front.

— Je ne vous ai jamais détestée, jeune femme. Pas une minute. En fait...

Soudain pétrifié, il leva la tête puis jeta un coup d'œil à la ronde.

— Qu'y a-t-il, Joseph ?

— Ch... chut ! Il me semble avoir entendu un bruit.

Un craquement sourd retentit en façade et une voix de basse cria :

— Qui est là ? Il y a quelqu'un ?

Joseph bondit sur ses pieds et éteignit la lampe. Shannon se remit debout tant bien que mal et lui saisit la main. Des pas lourds résonnèrent à travers la demeure, et leurs cœurs se mirent à battre la breloque.

— Filons ! chuchota Joseph tandis qu'il guidait Shannon dans les ténèbres.

La jeune fille heurta un meuble massif et du verre se répandit sur le sol.

— Halte ! tonna la voix. Qui va là ?

Ils virent la lumière d'une lampe se rapprocher derrière eux, cependant qu'ils tentaient de trouver une issue dans l'enfilade de pièces obscures.

— Où est cette bon sang de porte ? souffla Joseph.

— Là-bas ! s'écria Shannon en le tirant.

Ils tâtonnèrent pendant ce qui leur sembla une éternité à la recherche du bouton alors que s'accentuait le martèlement de pas.

— Stop ! Plus un geste, sales voleurs, ou je vous abats tous les deux ! rugit l'homme.

Une rafale glaciale les happa lorsqu'ils franchirent le seuil en trombe et coururent dans la véranda. Joseph, à demi tirant Shannon, à demi la poussant, lui fit dévaler les quelques marches et l'entraîna dans la neige épaisse qui ensevelissait le jardin derrière la demeure.

— Dépêchez-vous, Shannon, dépêchez-vous ! lui cria-t-il.

La jeune fille faisait de son mieux, mais elle s'emberlificota les jambes dans sa jupe et tomba face contre terre. Joseph la souleva par les aisselles et la hissa sur ses pieds.

Une détonation claqua dans la cour, suivie d'un éclair d'un blanc aveuglant. Une douleur brûlante vrilla le dos de Shannon, puis un liquide tiède coula le long de ses côtes.

— Joseph, s'exclama-t-elle en s'effondrant dans ses bras, je crois que je suis blessée !

L'étreignant, il la porta en hâte jusqu'à la clôture. Quand ils atteignirent la grille, une nouvelle détonation retentit, accompagnée d'un autre éclair.

— Halte, salopards ! Je sais que j'ai touché l'un de vous !

Mais Joseph s'élança par le portail, tenant Shannon serrée tout contre sa poitrine.

— Ne vous en faites pas, ma chérie, je vais m'occuper de vous. Nous allons trouver de l'aide, ne vous inquiétez pas.

Mais Shannon ne s'inquiétait pas. Elle ne pensait à rien d'autre qu'aux bras de Joseph qui l'enveloppaient, à la douceur et à la chaleur des ténèbres qui se refermaient sur elle.

— A l'aide, quelqu'un ! criait Joseph en portant Shannon par les rues obscures.

La neige s'accumulait et le vent se levait de nouveau, lui mordant la peau sous la fine chemise, emportant ses paroles au loin dès l'instant où elles franchissaient ses lèvres.

Il passa devant un élégant portail, puis un autre, luttant contre les éléments, chargé de son précieux fardeau. Il hurlait à s'époumoner, mais aucune porte ne s'ouvrait, personne ne se montrait aux fenêtres ornées de rideaux de dentelle.

— Joseph... murmura Shannon.

Son haleine était chaude contre son cou, ses cheveux doux sur son visage. Il la serra encore plus étroitement contre lui.

— Oui, jeune femme. Je suis là.

— Devrai-je vous quitter maintenant ? dit-elle d'une voix faible.

La peur submergea Joseph. Elle ne pouvait mourir ! Pas au moment où il avait l'impression de l'avoir trouvée.

— Luttez, jeune femme, ordonna-t-il en déposant un léger baiser sur son front. Luttez pour garder votre esprit dans ce monde.

Elle leva la main et la plaqua contre la joue de Joseph. Il fut épouvanté de la sentir si froide. Pouvait-on rester en vie, avec une balle dans le dos et aussi glacée que la mort ?

— Je commençais... fit-elle d'une voix sans force, je commençais à dépasser les frontières de la simulation. Je commençais à... à tomber amoureuse de vous. Sans mentir.

Joseph écouta ces paroles que son cœur avait tant désiré entendre quand son esprit le traitait de fou. Était-ce vrai ? Comment Shannon — la fille d'un riche landlord protestant — pourrait-elle aimer un simple paysan comme lui ?

Et pourtant, les vieilles femmes affirmaient qu'un être humain sur le point de rendre l'âme ne proférait jamais de mensonge. Et, en vérité, il craignait qu'elle ne fût bel et bien en train de mourir entre ses bras. Se pouvait-il, finalement, qu'elle dît la vérité ?

Il enfouit le visage dans ses boucles soyeuses

et ferma un instant les yeux, tout au bonheur qu'il éprouvait de l'aveu de Shannon. Mais sa joie fut de courte durée. La jeune fille le regarda, les yeux emplis de souffrance.

— J'ai si mal, Joseph !

Joseph sentit un frisson parcourir le corps de Shannon.

— Je sais, jeune femme. Je supprimerais votre souffrance si cela était en mon pouvoir. Vous n'en doutez pas, je pense ?

— En effet, murmura-t-elle. J'en suis sûre.

Il regarda de-ci, de-là les fenêtres où des lampes dorées diffusaient leur chaude et lumineuse clarté. S'il pouvait la faire entrer dans une maison, à l'abri du froid, et s'ils parvenaient à trouver un médecin...

— Pour l'amour de Dieu, à l'aide, quelqu'un ! cria-t-il.

Mais, comme auparavant, il n'y eut pas de réponse.

— Je... je ne puis demeurer plus longtemps consciente, Joseph, fit Shannon en fermant les paupières.

Sa main glissa de la joue de Joseph et son corps se fit flasque dans ses bras.

— Non, Shannon... Non !

Il se fraya péniblement un chemin sur la chaussée, chancelant parmi les congères de neige incrustées de glace. Les joues ruisselantes de larmes, il sanglotait sans retenue.

Soudain, il entendit le hennissement d'un cheval plus haut dans la rue et distingua une grosse berline noire, éclairée à chaque angle par des lanternes. Il avança en titubant dans sa direction, essayant de repérer le conducteur à travers la neige.

— Hé, l'ami, s'écria une voix d'homme, qu'est-ce que vous tenez là ?

Joseph baissa le regard sur Shannon ; son beau visage recevait en plein la lumière des lanternes. Les paupières closes, la jeune fille paraissait dormir. Mais Joseph savait que ce n'était pas un sommeil ordinaire.

— C'est l'amour de ma vie, dit-il entre ses larmes. Et je crains fort qu'elle ne soit en train de passer entre mes bras. Aurez-vous pitié de nous, monsieur ? Dieu sait que j'ai besoin d'un cœur compatissant et d'une main secourable !

L'homme sauta à bas de son siège et se hâta vers Joseph. Il examina Shannon et secoua la tête.

— Mon Dieu, mon Dieu ! Quel malheur ! Et c'était une si jolie jeune fille ! Que puis-je pour vous, mon garçon ?

— Si vous aviez la bonté de nous prendre dans votre voiture, monsieur, j'aimerais faire ce que je n'ai cessé de remettre à plus tard.

— Et de quoi s'agit-il ?

— Elle n'a jamais été mienne. Je vais la ramener à ceux à qui elle appartient.

Stephen Chase, assis dans le salon des Christie, fixait les flammes de la cheminée. Son long visage aristocratique était aussi dépourvu d'expression qu'à l'accoutumée, mais ses yeux gris révélaient un désespoir sans fond. Il avait passé tant de jours à rechercher Shannon, espérant avec impatience l'heure où il l'arracherait des griffes de ce misérable paysan et la sauverait d'elle-même.

Oh, peut-être lui tiendrait-elle tête, au début. Il devait s'attendre à pareille réaction. Après tout, elle s'était enfuie de son plein gré avec ce bâtard. Mais s'il pouvait seulement la ramener chez elle, ici, dans le sein de sa famille, elle reprendrait ses esprits, et, pour finir, le remercierait.

Une maison malfamée ! Il avait le cœur flétri rien que d'imaginer Shannon dans un endroit de ce genre. L'avait-on déjà souillée, sa pure colombe ? Des vauriens avaient-ils abusé d'elle ?

Il chassa de son esprit cette idée trop abominable pour qu'on puisse même seulement l'envisager. Non, il préférait penser que sa bien-aimée avait trouvé un moyen de résister aux tentations de la chair. D'une façon ou d'une autre, sa vertu saurait surmonter toutes les faiblesses pécheresses.

Stephen Chase, en homme d'honneur qu'il était, ne pouvait tout bonnement pas concevoir une conduite déshonorante de la part d'un être qu'il adorait. Et il adorait Shannon Christie. Même si elle avait repoussé son affection et l'avait quitté pour un autre — son ennemi juré —, il était impatient d'avoir l'occasion de lui pardonner et de fêter son retour au bercail.

Assis dans le fauteuil de cuir à oreillettes, en train de tripoter la montre de gousset en or héritée de son grand-père, il s'imaginait se ruant par la porte d'un établissement miteux, pistolet au poing, prêt à tirer sur tout maraud qui se mettrait en travers de son chemin. Il voyait Donelly tenter de se jeter entre Shannon et lui, et il se délectait à l'avance de la joie qui serait sienne à presser la détente et à regarder ce bâtard s'effondrer à terre, mort, ainsi qu'il le méritait.

Alors, prenant Shannon dans ses bras, il la ramènerait à M. et Mme Christie, scellant des liens avec eux à jamais. Jusqu'à la fin de leur vie, ils le béniraient de leur avoir rendu leur fille bien-aimée.

A coup sûr, Daniel Christie ferait de lui son héritier — de lui ou des fils que Shannon et lui concevraient. Et Stephen, en sa qualité d'administrateur de la fortune du landlord, était mieux placé que quiconque pour savoir ce que possédaient les Christie.

A la perspective de la richesse qui serait sienne un jour, Stephen esquissa un sourire ; sourire n'étant guère dans ses habitudes, ce ne fut guère plus qu'un rictus, qui dépara ses jolis traits.

Il se leva et, s'approchant de la cheminée, il prit le tisonnier pour aviver les flammes. Il leva soudain la tête, l'oreille dressée... Il lui semblait avoir entendu un bruit au-dehors... Le gémissement du vent, peut-être, ou un homme en train de crier.

Il était tard et les rues étaient désertes depuis des heures. Il y avait longtemps que

Daniel et Nora s'étaient retirés dans leurs chambres, à l'étage. Qui pourrait bien se risquer si tard dans cette abominable tempête ?

Au moment où Stephen concluait que ce ne devait être que la plainte du vent, le bruit se refit entendre. Cette fois, il n'y avait pas à s'y méprendre : il s'agissait d'une voix humaine, une voix d'homme. Bien que Stephen ne pût comprendre les paroles, le ton ne laissait aucun doute : un être se trouvait en détresse.

Il courut à la fenêtre et essuya le givre du carreau avec son mouchoir. Il distingua sur la chaussée la masse d'une lourde berline et une silhouette qui tenait quelque chose dans ses bras.

Il se précipita vers la porte et l'ouvrit. Du haut des marches, il reconnut sans hésiter le visiteur et son cœur s'emballa sous l'effet de la fureur. Donelly ! L'impudent !

Glissant la main sous sa redingote, Chase voulut prendre ses pistolets, puis il se souvint qu'il les avait déjà rangés.

— Donelly ! cria-t-il. Espèce de fils de pute, fichez le camp de cette propriété ou je vais...

C'est alors qu'il vit ce que portait Joseph. Shannon ! Il se figea. Et la jeune fille avait l'air très malade ; peut-être même était-elle morte...

— Aidez-moi, dit Joseph en avançant d'un pas. Je vous en prie ! Faites-le pour elle, sinon pour moi !

Stephen, homme d'action à l'ordinaire, était incapable de bouger ou de parler. Il continuait de fixer la forme flasque dans les bras de Joseph.

— Et sans perdre une seconde, poursuivit celui-ci. Faites-nous entrer afin de nous mettre à l'abri du froid. Elle est plus morte que vive.

Les yeux de Joseph étaient pressants. Brusquement, Stephen se mit au garde-à-vous comme un de ses soldats bien dressés.

Il ouvrit le battant en grand et s'écarta.

— Amenez-la ici.

Joseph grimpa les marches de la véranda deux à deux.

— Oh Shannon ! s'exclama Stephen quand il considéra le visage mortellement pâle et bleu de sa fiancée. Que de mal il vous a fait, ma chérie !

Joseph grimaça, puis se hâta de dire :

— Il n'y a pas une minute à perdre. Outre qu'elle est à demi gelée, on lui a tiré dans le dos. Il lui faut un médecin à l'instant ou elle va mourir.

— On lui a tiré dans le dos ! Ô mon Dieu !

Stephen ouvrit le manteau de Shannon pour repérer la blessure.

— Stephen... est-ce vous ? demanda une voix féminine du haut de l'escalier.

— Oui, Nora. Venez vite, ainsi que Daniel !

Joseph regarda le couple descendre les marches, puis, les traits tordus par la souffrance, il contempla Shannon.

— Vous voilà en sécurité dans cette belle maison qui est la vôtre, Shannon, chuchota-t-il. Reposez-vous, dormez... guérissez. (Il déposa son précieux fardeau dans les bras de Stephen.) Vous devez l'aimer pour l'avoir suivie par-delà l'océan. Prenez soin d'elle. Sa place est près de vous. Elle n'est pas de mon monde. Et, je vous en conjure, traitez-la avec tendresse, ajouta-t-il, les joues ruisselantes de larmes.

Stephen, Shannon contre sa poitrine, regarda Joseph tourner les talons, dévaler les degrés et s'enfuir dans la rue.

En un clin d'œil, le garçon se fondit au sein de la tempête.

15

Joseph courait aussi vite qu'il le pouvait dans le blizzard sans un regard en arrière, conscient du fait que s'il ne s'éloignait pas de la maison des Christie — plus précisément, de Shannon —, il ne se libérerait jamais d'elle, ni elle de lui. Chacun d'eux avait failli causer la perte de l'autre. Il le savait désormais avec une certitude absolue. On lui avait dit et répété qu'on ne mélangeait pas les torchons avec les serviettes. Et à juste titre. En tentant de passer outre, Shannon et lui avaient manqué perdre la vie.

Pour lui, Shannon était morte à l'instant, et par sa faute. Il ignorerait toujours si elle avait survécu à la nuit, si sa famille avait pu quérir un médecin à temps, si celui-ci avait réussi à la sauver.

Joseph fit halte au beau milieu de la rue obscure, les poings serrés le long de ses flancs, le front couvert d'une sueur glacée. Non, il ne pouvait s'en aller. Il fallait qu'il sache. S'il partait à jamais, Shannon l'obséderait jusqu'à son dernier souffle.

Il fit demi-tour et reprit sa course vers la maison, remettant ses pas dans les traces qu'il venait de creuser dans la neige.

Il disparaîtrait dès qu'il aurait eu des nouvelles. Cela, il s'en faisait la promesse... ainsi qu'à Shannon.

Debout derrière une clôture de l'autre côté de la rue, Joseph ne quittait pas la demeure des Christie du regard. Plusieurs heures auparavant, il avait vu un domestique sortir et courir jusqu'à une maison voisine. Il l'avait entendu demander le médecin et un homme d'âge mûr l'avait bientôt suivi à la hâte.

A présent, Joseph, posté à l'affût, observait les ombres qui se silhouettaient çà et là devant une fenêtre du premier étage. Il ne pouvait que deviner ce qui se passait dans cette chambre, imaginer le praticien extrayant la balle.

A plusieurs reprises, il avait marché jusqu'à la porte, histoire de se changer les idées, et avait regagné vite fait sa cachette derrière la clôture, tapant des pieds et battant des mains pour tenter de se réchauffer.

Tôt ou tard, le médecin finirait par sortir; et Joseph l'interrogerait sur l'état de la blessée.

Ce fut plutôt tard que tôt, peu avant l'aube, que l'homme d'âge quitta la demeure, sa serviette noire à la main, les épaules voûtées par la fatigue. Engourdi d'être resté des heures immobile, Joseph s'aperçut qu'il vacillait sur ses jambes lorsqu'il traversa la rue en trombe et agrippa le médecin par la manche de son pardessus. Le vieil homme recula, l'air effrayé.

Joseph prit conscience de l'allure qu'il devait avoir — dépenaillé, crasseux et à demi gelé.

— N'ayez pas peur, monsieur, dit-il. Je n'ai pas l'intention de vous dévaliser. Mais il y a une chose que je dois savoir.

— Quoi donc, mon petit ?

— Il faut que vous me disiez si la jeune fille est en vie ou... si elle est morte.

— Elle vit, répondit le médecin avec un soupir exténué. Mais si peu...

— Croyez-vous qu'elle s'en sortira ?

Un je-ne-sais-quoi dans les yeux de Joseph sembla toucher le vieux médecin ; il posa la main sur son épaule en un geste de réconfort.

— Oh oui ! Elle va s'en sortir les doigts dans le nez ! C'est une battante, cette jeune fille-là !

— Oui, tout à fait. (Joseph eut un petit sourire triste.) D'une certaine façon, elle mérite davantage que moi le surnom de Bagarreuse.

Joseph regarda le vieil homme regagner sa maison. Puis sa conscience lui rappela sa promesse et il s'éloigna dans la direction opposée.

Je ne la reverrai jamais, se dit-il, submergé par la mélancolie que cette pensée éveillait dans son cœur. Je ne reviendrai jamais par ici. J'en fais le serment !

Mais Joseph fut incapable de tenir sa promesse. Aux premiers jours du printemps, Boston était toujours recouverte d'un tapis de neige ; des jonquilles et des crocus perçaient hors du sol gelé dans les jardins des quartiers chics, et Joseph avait pris position de l'autre côté de la rue, derrière la même clôture, en face de chez les Christie. Le soleil brillait d'un vif éclat dans un ciel d'azur que ne voilait aucun nuage et la neige commençait à fondre par plaques.

Ébahi, Joseph vit deux hommes sortir de la maison, des pelles à la main, et se mettre à déblayer l'allée de sa glace fondante. Il en reconnut un aussitôt : son vieil ennemi, Daniel Christie. Quant au second, il l'identifia sans peine, lui aussi, mais n'en put croire ses yeux. « *Son bel œil velouté était une calamité* », chantait-il. Danty Duff ! Le meilleur ami de son père !

Et voilà que ce vieux vaurien pelletait la neige en compagnie du landlord, poussant la chansonnette comme s'ils étaient de bons copains de beuverie !

Christie mêla sa voix à la sienne.

— « *Il n'était pas depuis trois jours en terre/ Qu'elle ficha l'camp avec ses sous, lonlaire.* »

— « *Du haut des cieux, il contempla, lonla/Celle que naguère il adora* »...

Danty lança de la neige à la figure du landlord et les deux hommes hennirent doucement.

Ce sale traître ! fulmina Joseph de sa cachette. Frayer ainsi avec l'ennemi !

— « *Par Dieu, mon pauv' gars/La v'là déjà qui convole avec un autre que toi !* », termina Christie avec une fioriture.

360

Une fenêtre s'ouvrit au premier étage et Joseph se tapit davantage derrière la clôture à la vue de la femme qui se penchait.

— Daniel ! cria Nora Christie. Cessez de vous compliquer la vie et laissez Danty faire le travail. N'oubliez pas que vous êtes un gentleman.

Danty et Christie échangèrent un clin d'œil et gloussèrent comme des écoliers espiègles.

— J'arrive tout de suite, ma chère ! répondit Daniel.

A peine sa femme eut-elle refermé la croisée, il se baissa, ramassa une poignée de neige, la modela en forme de boule et la lança contre la vitre, où elle ricocha contre l'appui. Les deux compères furent pris de fou rire.

— Je ferais mieux de lui obéir, mon vieux, dit Christie en tapant sur l'épaule de Danty. C'est une vraie peste quand elle est en colère.

Il jeta sa pelle sur l'épaule et, traînant les pieds, rentra à contrecœur.

Dès qu'il fut hors de vue, Joseph se mit à siffler doucement. Danty leva les yeux de sa tâche, une expression curieuse sur ses traits.

— Qui est là ? demanda-t-il.

Joseph chuchota aussi fort qu'il l'osa :

— Danty ! Par quelle calamité as-tu bien pu te lier à la famille Christie ?

Stupéfait, l'interpellé posa sa pelle et traversa la rue, se guidant à la source de la voix.

— Mon Dieu ! s'exclama-t-il en découvrant Joseph. Le fils de Joe Donelly !

A la vue de la mine renfrognée et fulminante dudit fils de Joe, il voulut retraverser la rue comme une flèche. Joseph l'empoigna par le col.

— Par ici, la bonne soupe ! fit-il en le faisant pivoter comme un toton, afin de planter son regard dans le sien. C'est toi qui m'as envoyé tuer ce bonhomme et qui chantes à présent avec lui ?

— Je... je... commença Danty, cherchant ses mots pour s'expliquer avant de recevoir une raclée. J'ai été fait prisonnier, oui-da... capturé au cœur du combat, réduit en esclavage, martyrisé...

Joseph le secoua si fort que les dents de Danty s'entrechoquèrent.

— Épargne-moi tes salades ! Dis-moi seulement une chose... Leur fille... Shannon... est-elle vivante et en bonne santé ?

— Oui, répondit Danty, circonspect, mais croise au large, Joseph ! Elle te déteste, mon gars.

— Elle me déteste ? Pourquoi ?

— Tous te détestent. On m'a formellement interdit de prononcer ton nom ou quoi que ce soit qui rime avec.

De l'autre côté de la rue, la porte d'entrée de la maison s'ouvrit et l'homme que Joseph haïssait le plus au monde parut. Stephen Chase.

— Danty, où êtes-vous ?

Sa voix compassée, pleine de morgue, tapa sur les nerfs déjà à vif de Joseph.

Danty sauta sur l'occasion pour détaler. Joseph se fit tout petit derrière la clôture.

C'est alors qu'il la vit, au bras de Stephen,

toute vêtue de fourrure et de velours, vision plus belle encore que celle qui l'avait hanté durant ces interminables mois d'hiver.

— Shannon ! murmura-t-il.

Et son nom n'avait jamais été si doux à ses lèvres.

Cependant, c'était Shannon... et ce n'était pas elle. Sa démarche, son maintien... Où étaient passés l'allant de son pas, l'étincelle de sa prunelle ? Jamais, au cours de ces mois où ils avaient vécu ensemble, même aux périodes les plus misérables, elle n'avait paru si abattue, si déprimée.

Une fragilité l'enveloppait, qui semblait provenir davantage de l'âme que du corps.

Joseph regretta presque d'être venu. Il s'était juré que ce serait la dernière fois, et il refusait de conserver d'elle cette image.

Était-elle ainsi à cause de sa blessure ? Il en doutait.

— Danty, où étiez-vous ? demanda Stephen Chase. (Sans attendre de réponse, il ajouta :) Avancez la voiture. Vous allez nous conduire à un concert de piano.

Danty s'empressa d'obéir, et tant de servilité fit bouillir le sang de Joseph dans ses veines. Stephen aida Shannon à monter dans la voiture et Danty ferma la portière sur eux. Après un coup d'œil en direction de Joseph, il se hissa sur le siège du cocher et l'attelage s'ébranla.

Joseph le suivit des yeux jusqu'à ce qu'il disparaisse dans la courbe d'un virage, le cœur brisé. Oh oui ! Qu'il regrettait de l'avoir revue !

— Ah, Shannon... que vous est-il arrivé, jeune femme ? chuchota-t-il en resserrant son manteau autour de lui.

Il enfonça les mains dans ses poches et tourna le dos à la maison et à ses occupants qui, depuis toujours, étaient des étrangers pour lui et le demeureraient à jamais.

Stephen prit la main de Shannon dans la sienne et la pressa doucement, essayant d'attirer l'attention de la jeune fille. Il avait déjà tenté à plusieurs reprises d'engager la conversation avec elle lors du trajet pour se rendre à la salle de concert, en pure perte.

— Vous paraissez en forme, Shannon, dit-il d'un ton empreint de sollicitude. Faites-moi la faveur d'un sourire.

Elle le regarda et lui adressa une piètre grimace.

— Oh, Stephen, je suis désolée de n'être pas une agréable compagnie, aujourd'hui. Vous vous êtes occupé de moi avec une patience d'ange, même quand je me suis montrée détestable !

— Ne me remerciez pas, ma chérie. (Il leva la main de Shannon jusqu'à ses lèvres et déposa un furtif baiser sur ses doigts.) C'est un plaisir de prendre soin de vous... Je vous aime tant !

Shannon baissa les yeux sur ses paumes emprisonnées dans celles de Stephen.

— La pauvreté m'a abîmé les mains, remarqua-t-elle. Elles m'empêchent d'oublier.

— Le temps leur rendra leur délicatesse, ma chérie.

Shannon dévisagea Stephen, une lueur d'angoisse dans le regard.

— Peut-on concevoir pareille cruauté ? gémit-elle, au bord des larmes. M'avoir abandonnée ainsi ! Rejetée, comme si je n'étais rien pour lui...

— La vie n'a aucune valeur pour un homme de si basse extraction, Shannon. Votre mère et moi-même nous tuons à vous le répéter ! Si je ne vous avais pas découverte cette nuit-là, vous seriez morte dans un caniveau.

Shannon se mit à pleurer doucement. Stephen attira sa tête au creux de son épaule et lui caressa les cheveux.

— Mais je remercie Dieu de vous avoir retrouvée et rendue à ceux qui vous chérissent. Je me demande comment j'ai pu vivre sans vous.

— Merci, Stephen, dit-elle, acceptant ses paroles de réconfort. Je vous remercie de m'avoir sauvé la vie.

— Prêts ! A trois, vous mettez à feu, d'ac ? Un... deux... trois !

Sur l'ordre du contremaître, les ouvriers appuyèrent sur les détonateurs et la montagne fut secouée d'une vague d'explosions. Le fracas que firent les rochers en tombant noya les acclamations que poussa l'équipe du chemin de fer ; des volutes de poussière s'échappèrent de l'entrée du tunnel.

Dès que le grondement se fut estompé et que l'air eut retrouvé sa limpidité, les hommes s'engouffrèrent dans le boyau et entreprirent de haler des brouettées de débris et des chariots de rocs.

Joseph faisait partie de l'équipe. Il travaillait plus que sa part et la sueur qui ruisselait sur son front y traçait des sillons crasseux.

Si les ouvriers, dans leur ensemble, affichaient diverses expressions sur leurs traits, allant de la peur à l'excitation, en passant par la souffrance due au labeur éreintant, celle de Joseph était vague ; ses yeux avaient un regard vide, comme s'il vagabondait en esprit à des lieues de là... dans une autre époque... dans un autre endroit.

— Je vous aime, Shannon. Et je ne fais pas semblant, disait-il dans ses songes éveillés, alors que les deux jeunes gens étaient assis dans la salle à manger de la somptueuse demeure de Boston, la dinde volée posée sur la table devant eux.

— Moi aussi, je vous aime, Joseph, rétorquait Shannon, les yeux brillants. Je vous ai aimé au premier regard. Je regrette de m'être montrée à ce point odieuse envers vous et de vous avoir traité de noms aussi abominables qu'extracteur de tourbe. Je n'ai jamais voulu vous blesser. Jamais.

— Et moi, ce n'est pas par méchanceté que je vous ai plongée un jour dans la baignoire. Si je ne vous avais pas emmenée hors de la cham-

bre et à demi noyée, Dieu seul sait ce que je
vous aurais fait ! Dieu sait ce que je *voulais*
vous faire !

Elle se pencha davantage vers lui, avec ses
lèvres douces et pleines, ses joues empourprées
par un désir égal à celui que lui-même ressentait.

— Et c'était quoi, Joseph ? Que vouliez-vous
donc me faire ce soir-là ?

— Ceci. Et je voulais vous le faire chaque
nuit depuis que mon regard s'est posé sur vous.

Il effleura des doigts la joue de Shannon,
émerveillé par le velouté de sa peau.

Son baiser, tendre d'abord, se fit bientôt plus
ardent, et Shannon y répondit avec la même
passion, sans marquer la moindre hésitation ni
répugnance. Encouragé, Joseph fit courir les
mains sur ses cheveux roux, sur son visage, son
cou, puis sur ses seins ronds.

— Ah, Shannon... Vous toucher est pour moi
un tel bonheur !

— Partagé, croyez-moi ! Mais...

La lèvre inférieure de la jeune fille tremblait.

— Qu'y a-t-il ? Voulez-vous que je cesse ?

— Non, n'arrêtez pas ! C'est juste que je...
que je souhaite davantage.

Joseph n'en pouvait croire ses oreilles ; pourtant, l'invitation était indéniable.

— Davantage... mais encore ? demanda-t-il,
pesant ses mots.

— Tout, chuchota-t-elle. Je désire aller
jusqu'au bout...

Sans répondre, Joseph se leva de sa chaise

et, prenant Shannon dans ses bras, il l'emporta dans le salon. Il l'allongea sur le sofa avec mille précautions et se mit à dégrafer son corsage, découvrant une peau d'albâtre. Confondu par tant de beauté, il se sentit empli de gratitude à l'idée que la jeune fille lui accordait pareil privilège.

— Shannon, je veux que vous sachiez que je vous ai...

— Filez vous mettre à couvert, les gars! Gare à l'explosion!

Une voix rude retentit à l'oreille de Joseph, interrompant net sa grande scène. Tout autour de lui, les ouvriers détalaient à la recherche d'un abri.

Le chef d'équipe commença le compte à rebours.

— A trois... Un... deux... trois!

Le détonateur se déclencha. Plaquant les mains contre leurs tympans, tous baissèrent la tête dans l'attente du tonnerre. Rien. Le silence. Nulle explosion, nulle dégringolade de pierraille.

— Saperlipopette! (Le chef d'équipe arracha son chapeau et, le jetant à terre, se mit à le piétiner. Puis il se tourna vers les hommes apparemment terrorisés.) Les gars... vous savez ce que cela signifie. J'ai besoin d'un volontaire.

Personne ne bougea.

— Allons! On va pas y passer le réveillon, bon Dieu!

Joseph, couché sur le sol, se releva. Le regard

vide, mort, il s'avança vers le contremaître.

— Quelqu'un doit y aller, déclara-t-il. Autant que ce soit moi.

— Merci, Joseph. Je veillerai à ce que tu touches un petit bonus quand tu auras ta paie, samedi.

— Pour ça, oui, c'est bien courageux d'aller là-dedans récupérer une charge qui n'a pas explosé ! marmonna un des hommes tandis que Joseph mettait le cap sur l'entrée du tunnel.

Un autre secoua la tête.

— Si tu veux mon avis, le courage n'a rien à voir dans l'histoire. Ce petit gars-là traîne un chagrin si douloureux qu'il ferait n'importe quoi pour s'en débarrasser. Y compris mourir.

Parvenu dans le tunnel, Joseph suivit le cordon de dynamite, escaladant des éclats de roc, de la poussière, des gravats. Quelque chose avait foiré dans le mécanisme, et il lui appartenait de découvrir le problème, d'y porter remède et de décamper vite fait avant que la montagne ne l'engloutisse.

— Quel fieffé crétin je suis ! s'écria-t-il, et nul n'était là pour le contredire. Et à cause d'une femme... La pire espèce de crétin sur la verte terre de Dieu !

De nouveau, l'imagination l'emporta sur la froide raison, le passé envahit le présent, alors que sa vie même était en danger et qu'il lui fallait se concentrer pour accomplir sa tâche. De quelque côté qu'il se tournât, il voyait le beau visage de Shannon, l'arrondi d'une joue rose, sa peau satinée et ses lumineux yeux pervenche.

Une fois encore, son esprit retourna dans la maison de Boston — sauf que, ce coup-ci, la demeure était plus somptueuse encore et que Shannon et lui n'étaient plus des voleurs en guenilles, des cambrioleurs entrés dans les lieux par effraction : ils étaient les propriétaires en titre de cette splendide résidence, ainsi que de tous les objets luxueux qui la décoraient... depuis le sofa recouvert de brocart aux tapis d'Orient, en passant par les lustres de cristal et les lourdes draperies de velours, tout leur appartenait, à sa femme et à lui.

De magnifiques habits avaient remplacé leurs haillons élimés. Joseph était vêtu d'un élégant costume, avec une montre de gousset en or, et coiffé d'un melon neuf plein de chic. Shannon était exquise dans une robe de dentelle et de soie, dont la nuance saphir était assortie à ses yeux. Elle avait réuni ses cheveux d'or sur le sommet de la tête et des épingles constellées de diamants les fixaient. Les gemmes accrochaient la lumière de la lampe de porcelaine peinte à la main à chacun de ses mouvements et étincelaient, telles des étoiles chatoyantes.

— Qu'allons-nous faire, ce soir, ma chérie ? lui demanda-t-il d'une voix distinguée dont avait disparu toute trace de rusticité. Vous plairait-il d'aller au théâtre ? Ou peut-être à un concert ?

Elle traversa le salon et lui offrit sa paume.

Un énorme diamant scintillait à l'annulaire de sa main gauche. Son alliance. Une des cinq qu'il lui avait données le jour de leurs noces... Cousu d'or comme il l'était, c'était une bagatelle.

— Je n'ai pas grande envie de sortir ce soir, Joseph chéri, dit-elle en caressant le plastron de sa chemise empesée.

— Qu'aimeriez-vous faire, alors, mon cœur ?

Rapide comme l'éclair, elle le saisit par la nuque et attira son visage vers le sien. Elle l'embrassa dans un élan de passion qui coupa le souffle à Joseph, dévorant ses lèvres comme si elle ne pourrait jamais s'en rassasier.

— Oh Joseph... c'est de vous que j'ai envie ! s'exclama-t-elle, déchirant ses vêtements, lui découvrant le torse, avant de s'occuper de la boucle de sa ceinture. Tout de suite !

— Il vaudrait peut-être mieux que nous montions, ma chérie. Il serait plus convenable de nous mettre au lit.

— Au diable les convenances ! Je vous veux ici, et à l'instant ! Et ce que femme veut...

— Bon... d'accord, grogna-t-il tandis qu'elle l'entraînait à terre et commençait à lui ôter son pantalon.

A l'extérieur du tunnel, l'équipe attendait, osant à peine respirer. Les hommes se jetaient çà et là des regards nerveux, puis fixaient de nouveau l'ouverture. Le contremaître sortit sa montre de sa poche et observa le soleil qui déclinait derrière la montagne.

— Ça fait un bout de temps qu'il est là-dedans, m'sieur, dit un des hommes.

— Je le sais, crétin !

— Il a dû lui arriver quelque chose. Peut-être que des rochers se sont éboulés sur lui... peut-être gît-il blessé et baignant dans son sang...

— Eh bien, rétorqua le contremaître d'un ton rogue, dois-je comprendre que vous vous portez volontaire pour aller le chercher ?

— Euh... non, ce n'est pas exactement ce que j'ai dit. On ferait peut-être bien d'attendre encore quelques mi...

Une détonation secoua le sol et les hommes se jetèrent à plat ventre dans la poussière, les mains sur la tête.

— Doux Jésus ! cria un Irlandais. Sûr qu'il est devant son Créateur, à l'heure qu'il est !

Le tunnel cracha fumée et poussière, on entendit le fracas mortel de roches et de débris tombant. Joseph avait fait exploser la charge, y avait pas à dire... Mais à quel prix ?

— Pauvre type ! s'exclama le contremaître. J'espère que l'explosion l'aura déchiqueté et que sa mort aura été rapide.

— Et s'il était resté prisonnier sous les pierres et la poussière ?

— Allons voir !

Personne ne bougea.

— Hé, regardez ! Le voilà !

L'Irlandais pointa l'index en direction d'une silhouette sombre qui sortait en chancelant du tunnel, ses vêtements pendant en lambeaux sur son corps, son visage noirci de poussière et de crasse.

Tous se précipitèrent pour féliciter Joseph. Avant qu'ils ne fussent arrivés à sa hauteur, il leur cria des paroles étranges que nul ne comprit.

— Que cette maudite rouquine aille en enfer et retour ! Elle sera ma mort !

Puis il bascula et tomba sur le dos.

Le soir, les ouvriers firent la queue devant la marmite afin de recevoir leur pitance vespérale — les restes de la veille agrémentés d'une poignée d'orge, de quelques pommes de terre et de légumes non identifiables.

Leur bol de ragoût dans une main, leur tasse de café dans l'autre, ils se scindèrent en petits groupes et s'agglutinèrent autour du feu de camp comme des papillons de nuit voletant autour de la lumière ambrée d'une flamme.

Ils commentaient les événements de leur journée de travail, parlaient avec nostalgie des femmes qu'ils avaient laissées — des femmes dont la beauté et la sensualité allaient croissant à mesure que l'absence se creusait —, se plaignaient de leurs os rompus et de leurs muscles endoloris.

Joseph, endurci par la solitude, avalait son dîner à l'écart de ses compagnons, les yeux fixés sur les flammes. A plusieurs reprises, un homme ou l'autre s'approcha pour tenter de lier conversation. Chaque fois, sa froideur décourageait les bonnes volontés.

— Curieux type que ce Donelly, confia un ouvrier à son voisin. Sûr qu'il ne doit pas avoir grand-chose à dire à quiconque à propos de quoi que ce soit.

— Ah, rétorqua l'autre, il préfère sa compagnie à celle de n'importe lequel d'entre nous. Et vu l'odeur que tu dégages, O'Manion, ce n'est pas moi qui lui jetterais la pierre.

Chacun s'esclaffa, assenant des bourrades sur l'épaule du voisin et des coups de poing dans les côtes.

Joseph les observait de son refuge. Surprenant les regards qu'on lui lançait à la dérobée, il comprit qu'il faisait les frais de la conversation. Il supposa qu'on se moquait de lui.

Mais il s'en fichait comme de l'an quarante.

Joseph Donelly se fichait de tout, ces temps-ci.

— Aboulez, 'spèces de salauds !

Joseph s'était campé au beau milieu du saloon, poings brandis, tricotant des jambes. Il parcourut la salle en chancelant, battant l'air de ses bras à l'adresse de l'un, puis de l'autre membre de son équipe.

On était samedi soir, et c'était jour de paie... Les ouvriers étaient venus en ville pour relâcher un peu de vapeur. Joseph, quant à lui, soufflait comme une locomotive.

— Assis, sac à vin ! s'écria son patron en le poussant vers une chaise.

Joseph lui décocha un direct maladroit ; le contremaître l'esquiva sans difficulté et envoya son assaillant bouler contre le mur. Joseph heurta rudement de la nuque la dure surface, mais il ne cilla même pas. Faisant appel à toute sa volonté, il leva les poings et traversa la salle en titubant, mettant le cap sur un autre ouvrier.

— J'étais autrefois le plus grand boxeur de Boston... dit-il d'une voix pâteuse. Parfaitement !

Son patron survint et le saisit par le col et le fond de son pantalon.

— Écoute-moi bien, cinglé d'Irlandais ! J'ignore ce qui t'inspirait alors, mais tu l'as perdu. Amène-toi, Charlie, ordonna-t-il à un homme qui se tenait à proximité. Viens me donner un coup de main.

Trois secondes plus tard, Joseph était catapulté dehors par le fond de sa culotte. De miséricordieuse façon, il s'évanouit juste avant de toucher du front la poussière.

Une fois le tunnel percé à coups de dynamite et nettoyé de ses gravats, l'équipe consacra les jours suivants à poser les rails. Le bruit rythmé et métallique des marteaux enfonçant les rivets se répercutait dans toute la verte vallée, donnant naissance à une étrange musique. De l'acier frappant de l'acier en un froid tintement rude, ponctué par des jurons et d'occasionnels grognements.

Joseph brandit son marteau et sentit se nouer les muscles de ses bras et de son dos. Balancer, frapper, lever, balancer, frapper... Le marteau enfonçait la tête du rivet, et l'impact remontait telle une onde dans ses mains, ses bras, ses épaules et son corps, au point qu'il en était engourdi de la pointe des orteils jusqu'à la racine des cheveux.

A quelque distance, une procession dépenaillée de chevaux et de chariots avançait au pas en direction de l'ouest. A côté de Joseph, un vieil homme s'appuya sur son marteau et observa la caravane, une lueur d'envie dans ses yeux décolorés.

— La fièvre de l'Oklahoma, mon gars, dit-il. Ils vont tous dans l'ancien territoire des Cherokees. (Il soupira et passa un mouchoir bleu sur son front.) Je les accompagnerais bien si j'avais ta jeunesse et ta vigueur.

Joseph renifla et continua à jouer du marteau.

— Ça ne m'intéresse pas, jeta-t-il dédaigneusement.

A la vue du contremaître qui venait vers eux, le vieil homme se remit à enfoncer ses rivets avec une ardeur renouvelée.

— Je cherche des tarés ! cria le chef.

Le long de la voie, les hommes suspendirent leur travail. Le tapage se tut avec une singulière soudaineté.

— En voici un, chef ! s'exclama un type en poussant son voisin en avant.

Le contremaître ne lui prêta pas attention.

— Il y a des dingues, dans le coin ? Nous embarquons des hommes pour Galveston pour les faire trimer sur une saleté de pont. (Il hésita, regardant à la ronde.) Où est l'Irlandais ? Où est cet abruti d'Irlandais ?

Joseph jeta son marteau.

— Je suis votre homme, m'sieur, déclara-t-il d'une voix dépourvue d'émotion. Pour moi, c'est bonnet blanc et blanc bonnet.

Joseph était allongé sur le plancher du wagon, sa veste roulée sous sa tête en guise d'oreiller. Il s'endormait peu à peu au bercement rythmé des grondements et des cliquetis métalliques du train.

Il entendait, venant de très loin, les voix de ses compagnons — des travailleurs immigrés appartenant à une mosaïque de nationalités —, qui, assis en rond autour d'une lampe à huile, tapaient le carton et évoquaient leurs rudes conditions de vie dans un anglais heurté.

— J'avais une femme, voulait pas de mézigue, because j'étais sans un, vous pigez ? dit un type en abattant son jeu, abandonnant toute prétention sur la pile d'allumettes, de brins de paille et de brindilles qui représentait le magot accumulé au cours de la partie.

— C'est ça, l'Amérique, répliqua un autre. Si t'es pas riche, t'es personne. J'aurais jamais dû foutre les pieds ici.

Les yeux de Joseph s'alourdirent et il les ferma, appelant de ses vœux un rêve plus agréable que la réalité présente.

Ainsi qu'elle l'avait fait maintes fois durant les derniers jours, son âme décida de visiter l'Irlande, plus précisément la ferme paternelle.

L'endroit chéri était resté le même que dans son souvenir, et bien qu'une partie de son esprit lui dît qu'il était en train de rêver, Joseph s'émerveilla des quarante nuances de vert dont se repaissaient ses yeux affamés ainsi que de la douce fragrance — douce ô combien ! — de la vieille Érin.

— Joseph ! cria une voix familière dans son dos. Joseph, mon garçon...

Il se retourna pour voir qui l'appelait, bien qu'il le sût déjà. Loin sur sa droite, il aperçut une clôture de pierre, cette bonne vieille clôture de pierre qu'il avait tant de fois sautée, gamin. Son père y était juché sur le faîte, le regard tourné vers l'océan, perdu sur l'horizon gris. Sans son horrible entaille à la tête, il paraissait aussi fringant qu'un violon lors d'une fête villageoise.

— P'pa ? C'est toi ?

— Eh oui, répondit Joe. Tu m'as appelé, non ? (Il sauta à bas du muret et marcha à la rencontre d'un Joseph transporté de joie à sa vue. Il examina la chair de sa chair des pieds à la tête et se renfrogna.) Te voilà tout troublé et égaré, mon beau petit diable.

— Je suis plus plaisant à regarder que toi, p'pa, riposta Joseph dans un sourire.

Son père secoua la tête et marmonna :

— Plus plaisant à regarder que moi, qu'il dit ! Toujours à me bouffer la laine sur le dos ! Allez, tu ferais bien de me suivre.

— Où sommes-nous, p'pa ?

Joe, sans répondre, poursuivit sa route,

Joseph sur ses talons. Soudain, d'autres silhouettes commencèrent à se matérialiser hors des brumes oniriques. Joseph les considéra, ébahi.

— O'Dwyer, O'Donovan, Doyle... (A l'énoncé de chaque nom, Joe gratifia l'interpellé d'un signe de tête.) MacRannal, O'Farrel, O'Keane...

— P'pa... qui sont ces gens ?

— Suis-moi et sois poli, toi. Ce sont tes ancêtres.

— Mes ancêtres ?

Une foule de personnages surgissaient autour d'eux — des hommes et des femmes du passé, des fermiers, des mères, des soldats, des commerçants. Certains hochèrent le menton à l'adresse de Joseph. D'autres se querellaient.

— Regarde, Joseph, lui intima Joe en désignant un pêcheur des îles Aran qui s'affairait à ramener de lourds filets. Fais un signe à cet homme. Tu as hérité de lui ton amour du travail honnête. (Joe saisit son fils par la manche et le tira vers une femme âgée qui, enveloppée d'un châle, s'appuyait sur une canne en prunellier.) Et tu vois celle-là ? C'est d'elle que vient ta gentillesse, quand tu veux bien te montrer gentil, espèce de grande gueule !

La vieille adressa un sourire affable à Joseph et hocha la tête. Mais avant que le garçon n'eût pu lui rendre son sourire, Joe l'entraînait déjà vers des jumeaux vêtus comme des soldats.

— Et qui sont ces deux-là ? fit Joe. Tu te demandes où tu as pêché ton goût pour la bagarre ? Regarde-les !

Les deux frères commencèrent à se disputer, puis à se battre. Bientôt, ils mordirent la poussière et roulèrent sur le sol, se décochant force coups de pied, coups de griffes, coups de dents et horions.

— Et cet homme, continua Joe, indiquant de l'index un magnifique Nordique à la longue barbe d'or, c'est un Viking ou un truc dans ce style-là ; c'était un voyageur, qui, comme toi, explorait le monde, cherchant Dieu seul sait quoi !

Joseph entendit le son d'une cornemuse derrière lui et il se retourna. Un gaillard habillé d'un pantalon bigarré et arborant un sourire espiègle soufflait une joyeuse mélodie.

— Et ce coquin-là, expliqua Joe, c'est O'Mally de Mocharabuiee. C'est lui qui t'a donné l'étincelle qui pétille dans ta prunelle.

O'Mally entama une petite gigue, et Joe se joignit à lui avec les autres. Un groupe animé, qui ne tarda pas à devenir tapageur et turbulent. Au bout d'un moment, Joe s'éloigna.

— Bon, ça suffit ! décréta-t-il. Je cause à mon fils.

D'un geste de la main, il renvoya O'Mally et le reste de la bande se calma.

Joseph regarda son père, le cœur gonflé de joie à l'idée d'être de nouveau avec lui, de voir son visage, d'entendre sa voix.

— Tu m'as manqué, p'pa ! s'écria-t-il affectueusement.

— Ah, laisse courir ! répliqua son père, pour ne pas céder à l'émotion.

Joseph tourna ses regards vers le pied de la colline ; son bien-aimé cottage s'y dressait, intact. Ce n'était plus le tas de décombres calcinés qu'il avait vu avant son départ.

— P'pa... suis-je revenu à la maison ? demanda-t-il d'une voix étranglée.

Une femme se tenait devant la chaumière. Elle portait une robe rouge vif et ses longs cheveux noirs étaient joliment nattés.

— C'est ta mère, Joseph, dit Joe, la voix altérée par une émotion qu'il s'efforçait de dissimuler. Tu ne l'as pas connue. Elle est morte en te donnant naissance. Je dois aller la rejoindre, à présent, et prendre congé de toi, fiston.

Joseph observa la femme sur le seuil et ses yeux s'emplirent de larmes quand elle lui sourit et lui fit signe. Joe s'éloigna en direction du cottage, puis se retourna.

— Joseph, tu es un étrange garçon, déclara-t-il. Je l'ai toujours dit, mais, maintenant, je te comprends, fiston. (Il désigna d'un geste la foule d'esprits qui les entouraient.) Tu es un mélange de miracles : une pincée de ceci, une pincée de cela, prise à chacun de nous. Notre temps, cependant, est écoulé et le tien vient à peine de commencer. Nous t'avons donné tout ce que nous avons pu.

— P'pa...

Joseph n'était pas encore prêt à prendre congé de son père ; pourtant, celui-ci reprit sa marche vers la femme et le cottage.

— Va, mon fils, ordonna-t-il en le repoussant de la main. Suis ta route, mon petit.

— Ma route ? Quelle route ?

— Suis ta route, Joseph, et accomplis ta destinée.

Le train s'arrêta brutalement, et Joseph s'éveilla en sursaut. Le soleil lui brûla les yeux tandis qu'il luttait pour reprendre conscience, les tympans emplis d'un vacarme assourdissant. Il crut d'abord que ce tonnerre n'existait que dans son esprit confus, puis il se rendit compte qu'il provenait du dehors.

Se levant du dur plancher, il se rua à la fenêtre et regarda. De sa vie il n'avait vu spectacle aussi incroyable. Le filet de colons se rendant en Oklahoma avait enflé pour prendre les proportions d'une migration colossale. Des centaines de chevaux et de chariots cheminaient, disparaissant à l'horizon lointain.

Tant de gens, tant d'êtres courageux, tant de rêves poursuivis avec entêtement...

Et quelque part, hors de cet océan d'espoirs, se trouvait son propre rêve. Un rêve qui s'était plus ou moins égaré en cours de route, sans se perdre vraiment.

Quelque chose, en Joseph, s'embrasa et se transforma en fournaise. D'autres ouvriers observaient cet exode à ses côtés, et leurs traits reflétaient leur amertume et leur défaite.

— Ils sont cinglés, marmonna un homme grisonnant. Il n'y a pas assez de terre. Seulement un sur cent pourra s'établir. Les quatre-vingt-dix-neuf autres sont des crétins.

Le train s'ébranla avec lenteur. Le brasier

qui s'était allumé en Joseph s'étendit au point qu'il ne sentit plus que la chaleur de ses flammes, n'entendit plus que leur rugissement. Ce fut plus fort que lui: il s'arracha à la fenêtre et traversa le wagon en trombe.

Arrivé sur la plate-forme, il n'hésita qu'un fragment de seconde avant de bondir du train en marche. Il chancela dans la poussière de la voie.

— Hé, l'Irlandais! cria le contremaître. Où tu vas comme ça?

Joseph lui adressa un sourire éclatant et fit des signes aux ouvriers agglutinés aux fenêtres.

— Désolé, les gars, brailla-t-il. Je m'étais fourvoyé!

Rome ne s'est peut-être pas faite en un jour, se dit Joseph en évoquant un des proverbes favoris de son père, mais cette ville, elle, semble être née aujourd'hui.

Une cité constituée de tentes avait jailli au beau milieu de la prairie, bruyante et pleine d'animation. Des gens se précipitaient d'une tente à l'autre, sortant des magasins d'aliments déshydratés pour se rendre aux tripots, aux saloons, aux bordels... Les boutiques restaient ouvertes vingt-quatre heures sur vingt-quatre.

La trépidation, les espoirs de cette foule électrisaient l'atmosphère. Des hommes vieux et des jeunes, des femmes et des enfants de tout âge, des gens à l'air prospère à côté de clochards en guenilles... tous étaient rassemblés là pour planter les jalons d'une nouvelle existence. Et tous attendaient avec impatience l'occasion de réaliser leurs rêves.

Mais Joseph n'avait cure de toute cette agitation. Il marchait, indifférent à la cohue, habité par l'urgence de son propre rêve. Il était investi d'une mission et ne pouvait se permettre de s'en laisser distraire.

— Hé, beau brun ! (Une jeune femme, vêtue d'une robe de satin rouge et les jambes gainées de bas noirs, héla Joseph de l'entrée d'une des plus vastes tentes.) Ça te plairait, un peu d'amour, contre cinquante *cents* ?

Sans même s'arrêter, il lui jeta :

— Je ne donnerais pas même un penny.

Il joua des coudes sur la place bondée du centre ville, où des hommes étaient assis sur des cageots devant un hôtel en bardeaux et une forge de maréchal-ferrant. Plus loin, des gens faisaient la queue devant une tente qui annonçait : BUREAU FONCIER.

Joseph se joignit à l'interminable file et poireauta des heures de rang sous le soleil ardent. Certains abandonnèrent pour aller boire une bière bien fraîche au saloon voisin, mais Joseph tint bon.

Enfin, ce fut son tour et il franchit l'ouverture. Un officier distribuait des piquets et donnait des instructions.

— Chaque lopin est marqué d'un jalon, dit-il à Joseph en lui tendant un piquet. Vous participez à la course, enlevez le jalon et plantez votre piquet à la place. L'épreuve aura lieu après-demain à midi.

Joseph s'éloigna, son précieux piquet à la main. Il entendit l'officier mettre le postulant suivant au courant, l'air de réciter mécaniquement une comptine :

— Chaque lopin est marqué d'un jalon. Vous participez à la course...

Joseph se dirigea vers un corral ; des hommes, assis sur des cageots, chiquaient du tabac et bavardaient.

— Où puis-je me procurer un cheval ? demanda-t-il. J'ai la poche pleine d'argent gagné au chemin de fer pour le gars qui me cédera un canasson.

Un cow-boy, le visage buriné par d'innombrables jours de chevauchée au soleil, se leva et épousseta son pantalon. Il planta fermement son cure-dent dans sa bouche.

— Vous arrivez après la bataille, cow-boy. Il ne reste pas un choix fou.

Joseph tendit quelques billets que l'autre lui arracha des doigts pour les fourrer dans sa poche.

— J'en ai deux. (Du menton, il indiqua deux bêtes, l'une calme, l'autre nerveuse.) Celui-ci est débourré. L'autre pas. Vous connaissez la différence ?

Joseph hocha la tête.

— Elle saute aux yeux, je crois.

— Un cheval débourré est digne de confiance. Cependant, le second est plus rapide.

— Alors, c'est le meilleur.

Le cow-boy fit siffler l'air autour de son cure-dent et prit une expression dubitative.

— Peut-être ben qu'oui, peut-être ben qu'non. On ne peut prévoir ses réactions. Il serait capable de vous emporter d'une traite au Canada. Enfin, bref. Ho !

Il éloigna Joseph de la clôture alors que l'étalon ruait des quatre fers, brisant net une planche de l'enclos.

Joseph attendit d'avoir récupéré son souffle et de voir son pouls se calmer.

— Donnez-moi le cheval pépère, dit-il.

Fier comme Artaban, Joseph mena Père Peinard — le premier cheval qu'il eût jamais possédé — jusqu'au centre ville et l'attacha à une barre devant la forge, parmi des douzaines de ses congénères. A cet instant, le maréchal-ferrant, un vieil homme barbu, jeta un fer sur la chaussée, qui vint atterrir aux pieds de Joseph, son bord touchant le bout de sa botte.

Une terreur superstitieuse s'empara du garçon. La dernière fois qu'un fer à cheval était tombé à ses pieds, il avait levé les yeux et vu...

Et elle sortit de l'hôtel. Descendant la rue, elle s'engouffra dans une tente, se volatilisant avant que Joseph n'ait pu la contempler son content.

Shannon ! Dans ce lieu entre tous ! Pourquoi s'obstinait-elle à le suivre, sapristi ! Ne lui suffisait-il pas de hanter ses rêves, nuit après nuit, dès qu'il posait sa tête sur son oreiller afin de trouver le sommeil ?

Parmi toutes les femmes vivant sur la verte terre du bon Dieu, pourquoi fallait-il que ce soit justement elle ?

Joseph agrippa la barre pour se remettre d'aplomb.

— Je suis maudit ! marmonna-t-il. Maudit.

Dès qu'il put respirer et eut repris contenance, il suivit la rue dans l'espoir d'apercevoir de nouveau Shannon. Mais ce fut Danty Duff qu'il repéra, sortant d'une tente, portant une livre de farine sous le bras, qu'il lança sur le siège d'un attelage.

Tout en surveillant du coin de l'œil la tente où avait disparu Shannon, Joseph courut vers le véhicule et saisit Danty par le bras.

— Danty, espèce de vieux démon ! Si je m'attendais à te revoir si vite !

Danty jeta un regard de chaque côté de la rue.

— Oh, te revoilà, mon gars ! Apparemment, tu as le chic pour apparaître là où ta présence est indésirable.

— Je l'ai vue... Shannon Christie... au bout de la rue. Qu'est-ce qu'elle fabrique ici ?

— La même chose que toi, je suppose. Mais tiens-toi à distance, ou son fiancé te trouera la peau.

— Son fiancé ? Alors, ils ne sont pas encore mariés...

— C'est dans leurs projets, mais pas avant d'obtenir leur titre de propriété. En étant célibataires, ils peuvent prétendre à un lopin chacun.

Joseph sourit, mélancolique.

— Ainsi, elle n'a pas renoncé à son rêve de posséder de la terre.

Un groupe d'hommes et de femmes sortirent de la tente et la moustache de Danty fut agitée de tics.

— C'est une intrigante, cette fille, pour sûr,

admit-il. Elle a traîné sa famille vers l'Ouest et tout le saint-frusquin...

A ce moment, Danty et Joseph aperçurent une ombrelle rouge au bas de la rue. Shannon se dirigeait vers l'attelage, flanquée de ses parents et de Stephen.

— Doux Jésus ! s'exclama Danty, poussant Joseph derrière la voiture. Fiche le camp de là, mon gars, ou tu risques de te fourrer dans de sales draps !

— Je ne m'en irai pas avant de lui avoir parlé, dit Joseph tandis que le groupe approchait.

— Tu es fou, mon gars ! Elle ne veut pas te causer, je t'en fiche mon billet !

Joseph observa la scène de sa cachette, s'attendant à tout instant à être découvert, alors que Daniel aidait Nora à monter. Shannon était proche, si proche qu'il aurait pu la toucher quand Stephen la hissa à son tour. A mi-distance, elle laissa tomber son ombrelle. Chase se pencha, mais Joseph fut plus prompt que lui. Bondissant comme un diable hors de sa boîte, il ramassa prestement l'ombrelle et la tendit à la jeune fille.

Elle la prit, ses yeux bleus écarquillés sous l'effet du choc. Puis, recouvrant son sang-froid, elle lui en assena un coup sonore sur le crâne.

— Sale lâche ! cria-t-elle.

— Lâche ? répéta Joseph, ébahi devant sa réaction.

On l'écarta brutalement et Stephen Chase sauta dans le cabriolet.

— Vous avez entendu madame, déclara-t-il. Elle ne veut rien avoir à faire avec vous. Partez avant que je vous brûle la cervelle !

— Attendez, Shannon ! Il faut que je vous parle.

— Elle n'a rien à vous dire, intervint Nora. Laissez ma fille tranquille, garçon aux yeux noirs ! Vous l'avez entraînée dans un bouge sordide et avez manqué d'un cheveu la tuer !

— C'est faux !

Nora s'empara de l'ombrelle de Shannon et en frappa Joseph.

— Allez-vous-en, mon petit, dit Daniel. Le mal que vous lui avez fait est irréparable.

— Je veux l'entendre de sa bouche !

Joseph tenta de voir l'expression de Shannon ; la jeune fille avait enfoui son visage au creux de l'épaule de Stephen.

— Ne niez pas ! s'écria celui-ci. Vous l'avez abandonnée. Si on ne l'avait pas retrouvée à temps, elle se serait vidée de son sang dans la neige.

Ulcéré par ce mensonge, Joseph brailla :

— Et quel Prince Charmant l'a découverte dans cette histoire que vous avez montée de toutes pièces ? Vous, je suppose ?

— En effet.

— Suis-je pour vous une telle menace que vous mentiez à la femme que vous aimez ?

— Vite, Danty ! ordonna Nora. Éloignez-nous de ce vaurien.

Danty grimpa sur le siège du cocher et fouetta le cheval. Joseph se mit à courir à la hauteur du cabriolet.

— Shannon, vous le croyez ? demanda-t-il
avec feu, perdant du terrain tandis que le véhicule prenait de la vitesse. Pensez-vous vraiment
que je vous aurais laissée mourir dans une congère ?

Shannon tourna enfin la tête et le regarda
par-dessus son épaule.

— S'il vous plaît, Joseph ! implora-t-elle, les
yeux emplis de tristesse et de trouble. S'il vous
plaît, laissez ma famille et moi-même tran-
quilles !

— Mais, Shannon, il ne faut pas ajouter foi
à ses paroles ! C'est un menteur ! cria-t-il derrière l'attelage qui disparaissait.

Sans doute ne l'avait-elle pas entendu.

Et quand bien même, lui ferait-elle crédit ?
Probable que non. Après tout, il n'était qu'un
vulgaire extracteur de tourbe !

N'ayant pas les moyens de prendre une
chambre d'hôtel, Joseph chercha un refuge au
bord de la rivière, parmi les autres colons pauvres. Il semblait que, même au cœur du territoire de l'Oklahoma, il fût destiné à ne trouver
sa place que dans les rangs des déshérités.

Las et la mort dans l'âme, il s'agenouilla sur
la berge et s'aspergea le visage de l'eau froide
et revigorante du fleuve, afin d'effacer l'humiliation de sa rencontre avec la famille Christie.

Non loin de là, un homme jeune plongeait un
seau dans le courant, cependant que sa femme
rinçait quelques assiettes. Un bambin et deux
enfants plus âgés s'ébattaient entre eux.

— Ne seriez-vous pas Joseph Donelly ? demanda l'homme.

— En effet.

— Je vous ai souvent vu boxer, à Boston. Mes enfants, regardez ! C'est à cet homme que nous devons une immense gratitude.

Bien que Joseph ne fût plus que l'ombre de lui-même, sale et loqueteux, la famille le contempla comme s'il était un puissant de ce monde.

— De la gratitude ? A moi ?

— Et comment ! En pariant sur vous, j'ai gagné assez d'argent pour emmener les miens dans l'Ouest. Venez partager notre dîner. Nous en avons un peu de reste et nous serions honorés que vous acceptiez.

La femme mit quelques haricots sur une assiette et Joseph les accepta avec reconnaissance.

Tout en mangeant, il jetait des regards alentour.

— Les gens qui veulent de la terre sont légion, dit-il.

— C'est une fièvre contagieuse, pour sûr. Elle a attiré toutes sortes d'individus. Regardez là-bas ! Vous voyez cette pieuse femme ? J'ai entendu dire que c'était une ancienne fille de joie.

Joseph tourna les yeux dans la direction indiquée. Près d'un cheval et d'une carriole, une femme agenouillée priait, étreignant une bible contre son sein. Joseph posa son assiette et alla la rejoindre.

— Bonté divine ! s'exclama-t-il. Je pensais bien vous avoir reconnue, Molly Kay !

Molly glissa la main sous le Saint Livre et sortit un revolver.

— Si vous êtes un vestige de ma vie d'avant, passez votre chemin ! Je me suis amendée.

— C'est moi qui vous ai donné ce revolver, Molly, rétorqua Joseph avec un sourire.

Il quitta l'ombre pour venir se placer à la lumière du feu de camp.

Molly le regarda du coin de l'œil, puis elle se leva d'un bond.

— Joseph ! J'ai été bourrelée de remords après vous avoir jetés hors de chez moi, mais j'ai expié, désormais. (La bible dans une main, le revolver dans l'autre, elle étreignit Joseph.) « Si vos péchés sont comme le cramoisi, ils deviendront blancs comme la neige », cita-t-elle. C'est ce que proclame le prophète Ésaïe.

— Vous êtes imprégnée de la parole biblique jusqu'à la moelle depuis la dernière fois que je vous ai vue, Molly !

Il prit place sur le cageot qu'elle lui offrait pour siège.

— J'ai récuré mon âme pour tous les hommes que j'ai baisés. Allons bon ! Voilà que je recause mal ! C'est dur de remettre une pécheresse comme moi dans le droit chemin.

Joseph rit et lui tapota l'épaule.

— Moi aussi j'ai fait une croix sur l'amour. J'ai enfoncé rivet sur rivet le long d'un million de kilomètres de rails. Mais elle m'a suivi jusqu'ici, et maintenant que je l'ai revue, je suis de nouveau tout tourneboulé.

— Ce n'est pas seulement de l'amour — c'est la destinée. Vous êtes attirés l'un vers l'autre, tel un papillon vers une flamme.

Joseph songea à Stephen Chase et une vive douleur lui noua les tripes.

— Je l'ai donnée à un autre... Un sale menteur, par-dessus le marché. Que dois-je faire, Molly ?

Molly gratta son chapeau, profondément perplexe.

— Je vous conseillerais sans mal si j'étais encore une prostituée. A présent que je me suis acheté une nouvelle conduite, j'y perds mon latin.

— Répondez-moi seulement avec votre cœur.

Molly plongea les yeux dans ceux de Joseph, emplis de souffrance et de passion.

— Si vous l'aimez, Joseph, agissez en conséquence. Allez la trouver et faites la paix avec elle. Tant que vous atermoierez, vous nagerez en pleine confusion.

Sur la place bruyante, des vendeurs proposaient tout et n'importe quoi, depuis des roues de charrettes jusqu'à de l'eau en bouteille. Des avocats rivaux étaient installés sur des cageots, des cow-boys monnayaient des chevaux, des femmes faisaient la lessive, des joueurs tentaient leur chance à la roulette, des banjos et des harmonicas gémissaient çà et là, des menuisiers travaillaient de la scie et du marteau.

L'hôtel se dressait d'un côté de la place, édifice en bois d'un étage à la façade rutilante. Devant l'entrée, Stephen Chase était en pourparlers avec un cow-boy.

— Faites-moi un rabais de cinq dollars et je vous achète les deux, dit-il.

— Des acheteurs, j'en ai à la pelle ! riposta le vieux bonhomme.

Une fenêtre s'ouvrit à l'étage ; Shannon s'y pencha.

— Assurez-vous qu'ils ne sont pas caractériels, Stephen ! cria-t-elle. Je ne veux pas d'un cheval qui me tienne tête ni d'un cheval craintif !

— Ne vous tracassez pas, Shannon. Je m'en occupe.

Stephen monta l'animal pour le tester tandis qu'une Shannon dépitée, mais obéissante, refermait la croisée. Elle se tourna vers Nora qui mettait de l'ordre dans la pièce.

— Stephen m'agace prodigieusement, parfois, confessa-t-elle. Il est si autoritaire.

— Ne fais pas ton enfant boudeuse, Shannon ! Acheter une monture est une affaire d'homme.

— Mais c'est moi qui serai sur sa selle demain, mère. Il se pourrait même que j'aie à galoper, ajouta-t-elle, sarcastique.

— C'est grandement assez de liberté pour une personne de ta condition.

Shannon s'assit devant la coiffeuse et observa dans le miroir sa mère qui s'affairait dans la chambre.

— Mère, c'est un hôtel ! Vous n'avez pas à faire les poussières !

— Je ne fais que mettre un peu d'ordre dans ce fatras. (Nora lança un regard critique à sa rejetonne.) Shannon, attache tes cheveux !

— Bah, quelle importance ? répliqua la jeune fille, examinant son reflet avec indifférence.

— Ne discute pas ! Stephen perdra tout respect pour toi si tu te négliges.

Nora saisit une brosse sur la coiffeuse et se mit à rassembler les longs cheveux emmêlés de sa fille en un petit chignon bien net. Shannon grimaça à l'adresse du miroir, comme une gamine à qui on frotte les oreilles.

— Vous me traitez comme si j'étais un bébé, mère.

— Uniquement quand tu te comportes comme tel. Lève-toi ! Tourne-toi ! Ferme ce bouton ! Là ! Souris, à présent. Non, ce n'est pas un sourire, c'est un rictus plein d'insolence !

— Mère ! (Shannon trépigna, exaspérée.) Je n'ai aucune liberté !

— Tu as tâté de la liberté et l'expérience a failli te coûter la vie. (Nora se dirigea vers le lit.) Viens. Ce matelas ne m'inspire pas confiance. Aide-moi à le retourner.

Shannon obéit ; l'autre côté n'était guère plus propre. Peu à peu, la jeune fille maîtrisa son mouvement d'humeur. Sa mère, somme toute, ne faisait que lui inculquer des principes qu'elle tenait pour essentiels. Shannon, hélas, s'était frottée à de dures réalités qui l'avait amenée à remettre en question les valeurs que prisait tant Nora. Elle doutait désormais pouvoir les partager.

— Mère... pensez-vous que père et vous soyez faits l'un pour l'autre ?

— Non.

— Mais vous avez dû l'être un jour. Pourquoi, sinon, l'auriez-vous épousé ?

Après avoir lissé et bordé le drap, Nora posa une fesse au bord du lit et tapota la place à côté d'elle. Shannon s'assit.

— Quand nous étions jeunes, ton père et moi sommes tombés amoureux fous l'un de l'autre. Notre idylle était passionnée, romantique, téméraire, même. Mais nous appartenions à la classe privilégiée. C'était à nous d'en sauvegarder les lois. Le mariage est un compromis, Shannon. L'homme et la femme renoncent à une part d'eux-mêmes.

— Mais, ça ne vous manque pas... la passion et l'audace ?

Nora prit la main de Shannon dans la sienne.

— Mieux vaut avoir la sécurité, ma petite fille moderne. La passion est éphémère. La sécurité dure, elle.

Shannon aurait bien voulu prendre les paroles de sa mère pour argent comptant, mais ce n'était pas facile. Elle songea à la sécurité que lui apporterait Stephen... et à la passion qu'elle avait partagée avec Joseph.

Le revoir avait fait resurgir les anciens

besoins, les anciens désirs. Si fort qu'elle voulût croire sa mère, il lui semblait que, dans certains cas, la passion, elle aussi, pouvait durer un temps intolérablement long.

Molly et Joseph flânaient dans les rues sombres pour rejoindre le centre ville qu'illuminaient des torches. L'agitation de la journée avait cédé la place au tapage nocturne. Parmi d'occasionnels coups de feu querelleurs, des hommes titubaient sur les trottoirs, leur ivresse et leur hargne empirant à mesure que montait la tension à la perspective de la grande course.

— C'est Sodome et Gomorrhe, Joseph, affirma Molly, fondues en une seule cité par le soufre.

Joseph l'empoigna pour l'écarter du chemin d'un ivrogne éjecté tête la première d'un saloon.

— Comment la retrouver dans cette pagaille ? demanda Joseph, scrutant la foule. Et comment la retenir assez longtemps pour lui parler et me réconcilier avec elle ?

— Bah, la destinée trouvera bien un moyen ! répliqua Molly d'un ton plein d'assurance.

Comme ils passaient devant un boxon toilé, l'une des filles — la même que celle qui avait fait des avances un peu plus tôt à Joseph — releva sa jupe, révélant une cheville et un bout de mollet au galbe parfait.

— Je suis toute à vous, monsieur, cria-t-elle, réitérant ses avances. Cinquante *cents* !

— Oh, encore vous ! rétorqua Joseph avec lassitude.

Molly se dressa entre eux, désireuse de mettre Joseph à l'abri des tentations de la chair.

— Ne vous dévaluez pas, ma choute, dit-elle en examinant la fille de la tête aux pieds avec un œil de professionnelle. Vous valez au bas mot un dollar.

Tandis qu'ils approchaient du centre, Molly et Joseph entendirent un orchestre jouer de la musique folklorique. Des colons accouraient de partout et prenaient place pour le quadrille. La tension accumulée, prête à exploser en joie tapageuse, emplissait l'atmosphère de fébrilité.

De l'autre côté de la place, hors de vue et d'oreille de Joseph, Nora Christie parut sur la véranda de l'hôtel.

— Daniel Christie ! s'écria-t-elle. Où êtes-vous, espèce d'excentrique !

Stephen surgit derrière elle, offrant le bras à Shannon. Le gant blanc de la jeune fille effleurait à peine la manche, ainsi que le recommandait la décence.

Daniel survint, flanqué de Danty Duff. Tous deux étaient coiffés d'immenses chapeaux de cow-boy et des éperons d'argent cliquetaient à leurs bottes.

— Salut, Nora ! s'exclama-t-il, passant les pouces dans sa ceinture. Acceptez-vous de devenir ma femme ?

Nora, incrédule, le fusilla du regard, détaillant son costume avec un mépris qu'elle ne chercha pas à dissimuler.

— Devenir votre femme ? Mais je le suis déjà, sombre crétin !

Il la rejoignit en deux bonds et lui saisit la main.

— Venez danser, Nora.

— Jamais de la vie !... Da-a-a-niel !

Elle piailla et rua des quatre fers tandis que Christie la soulevait maladroitement et l'emmenait de force. Danty s'élança à leur suite, cependant que, sur l'estrade, un animateur criait entre les allègres solos de violon :

> *Tournez en cercle*
> *Sur la gauche !*
> *Puis croisez*
> *La main gauche...*

Un quadrille calamiteux commença, ponctué par des coups de pistolet et des hurlements de plaisir.

Shannon et Stephen observaient la scène du haut de la véranda. Ils formaient un beau couple, l'un et l'autre empreints d'une réserve pleine de dignité.

Shannon sourit un peu tristement.

— J'espère que mes parents apprécient de vivre si loin de leur pays. L'Irlande est à des milliers de kilomètres et ils sont trop âgés pour renoncer à leurs habitudes.

Stephen la dévisagea, la mine soucieuse.

— Quelque chose vous tracasse, Shannon !

— Quelle idée !

— Il ne doit pas y avoir de secret entre nous.

Je lis du dépit dans vos yeux. Confiez-vous à moi en toute franchise.

Elle hésita.

— Je redoute de le faire. Cela risque de vous mettre en colère.

— Et après ? Rien n'entamera jamais l'affection que je vous porte. Dites...

Les paroles de Stephen donnèrent à Shannon le courage de passer aux aveux.

— Ces gens me terrifient. Leur façon de vivre, d'agir... Parfois, j'ai peur de succomber de nouveau à la tentation et de courir encore à ma perte.

Stephen se tourna vers elle et prit ses mains dans les siennes.

— Shannon, vous et moi sommes capables de chevaucher plus vite que quiconque. Demain, côte à côte, nous proclamerons nos droits sur un terrain assez beau pour nous protéger du monde. Vous y aurez votre ranch et une maison de pierre.

Shannon agrippa Stephen par le devant de sa chemise.

— Oh, Stephen, pourrez-vous jamais me pardonner de vous avoir fui ?

— Vous êtes pardonnée, à présent.

— Je n'ai jamais vu père se comporter ainsi avec ma mère.

Stephen observa Daniel qui entraînait une Nora réticente dans le quadrille.

— N'ayez crainte, ma chère. Ce n'est pas moi qui vous contraindrai à participer à cette danse de sauvages.

402

— Mais j'ai peut-être envie de danser, admit-elle à contrecœur.

— Vous plaisantez !

Shannon lâcha Stephen et le considéra.

— Stephen, regardez-moi. Je sais que je me suis conduite légèrement. C'est ma légèreté qui m'a permis d'apprécier une existence stable à vos côtés. Toutefois, je suis une femme, Stephen. J'ai un formidable appétit de vivre.

Il la fixa droit dans les yeux et dit sans émotion :

— Contrôlez-le. (Puis il lui prit le bras et la guida hors de la véranda.) Allons nous promener loin de cette foule déchaînée.

Danty, à l'écart, observait les danseurs, poussant des cris et tapant dans ses mains avec enthousiasme. Soudain, quelqu'un le saisit par le bras et le fit pirouetter sur lui-même. Joseph.

— Où est-elle ?

— Que les saints nous protègent, mon gars ! N'as-tu pas essuyé assez de rebuffades pour une existence ? (Frappé par l'expression résolue qu'il lisait dans les yeux de Joseph, Danty soupira et indiqua l'hôtel du menton.) La dernière fois que je l'ai aperçue, elle se tenait sur la véranda de l'hôtel... Avec son fiancé, ajouta-t-il à dessein.

Joseph scruta la foule et la véranda désormais déserte. Nerveusement, il passa les doigts dans ses cheveux emmêlés.

— De quoi ai-je l'air, Molly ?

— D'un bel épouvantail. Mais ne vous préoccupez pas de ce genre de détails. Soyez vous-même, charmant, et vous lui ferez perdre pied.

Joseph prit une profonde inspiration et plongea dans la cohue, laissant Molly tête à tête avec Danty.

Celui-ci souleva son immense couvre-chef.

— Je m'appelle Danty Duff.

Molly lui adressa un sourire plein de coquetterie.

— Et moi, Molly Kay.

Danty fit une courbette ; Molly itou.

— Vous êtes une femme confite en religion, à ce que je vois.

Il désigna la bible qui lui barrait la poitrine.

Molly jeta un coup d'œil aux danseurs, puis à sa bible. Elle adressa enfin un long regard scrutateur à Danty qui arborait son sourire le plus étincelant.

Lançant le Saint Livre à quelques pas derrière elle, Molly releva sa jupe et empoigna Danty par le bras.

— Moins que vous le croyez, dit-elle en le tirant dans le cercle des danseurs.

La voix de l'animateur retentit à travers la place :

> *En cercle sur la gauche,*
> *Et on galope, on galope !*
> *On danse l'allemande, hop !*
> *Avec la main gauche...!*

Levant haut les jambes, Daniel faisait tournoyer Nora. Lorsque Stephen et Shannon pas-

sèrent à côté d'eux, essayant d'éviter les danseurs, Christie prit sa fille dans ses bras.

— Du vent, mon garçon ! ordonna-t-il à Stephen. Ma fille danse avec *moi*.

— Mais...

Avant que Stephen eût pu protester, Nora le
happa. Ébahi, il suivit Daniel, faisant virevolter
Nora au gré des figures.

Daniel criait de bonheur tandis qu'il galopait.

Shannon rit.

— On dirait que l'Ouest sauvage vous convient à merveille, père !

— Merci, petite friponne, de nous avoir fait
parcourir tout ce chemin. Mais toi, es-tu heureuse ? Voilà la question.

— Oui, père, répliqua-t-elle avec beaucoup
moins d'enthousiasme que Daniel. Je le suis.

Après avoir fait plusieurs tours sur la place,
Shannon fut enlevée par Stephen. A cet instant,
Molly et Danty passèrent en gambillant.

— Vous êtes rudement souple, Danty Duff,
déclara Molly.

— Et vous-même, donc, Molly Kay !

Il fallut encore changer de partenaire. Danty
se retrouva face à Nora, qui manqua tomber en
pâmoison en se voyant dans les bras de son
domestique.

Et Shannon, pendant ce temps, atterrit dans
les bras de...

— Joseph !

Elle hurla sous le coup de la peur, et Joseph
parut aussi paniqué qu'elle. Puis il rassembla

toute sa jeune et mâle arrogance et bomba le torse.

— A mon avis, vous et moi sommes amoureux l'un de l'autre.

— Vous vous trompez !

— Dans ce cas, pourquoi le destin refuse-t-il de nous tenir éloignés l'un de l'autre ?

Un couple de danseurs les tamponna par-devant, un autre par-derrière, les jetant l'un contre l'autre. Tous deux haletèrent à ce contact.

— Vous n'êtes pas mon destin ! cria Shannon. Et cessez de vous conduire comme un crétin.

Elle lui tourna le dos et s'éloigna ; il l'empoigna et la remit entre ses bras.

L'animateur cria :

> *Partenaire de droite*
> *Tournez, virez !*
> *Main dans la main*
> *Galopez...!*

Le bras fermement passé autour de la taille de Shannon, Joseph fit tournoyer et tournoyer la jeune fille. Nora, qui dansait avec Stephen, les aperçut et se mit à hurler :

— Revoilà ce diable ! Cela ne serait pas arrivé, Stephen, si vous l'aviez tué dans ce duel ainsi que vous étiez censé le faire.

Elle poussa Stephen vers Joseph et Shannon au moment où il y avait échange de partenaire et Shannon se retrouva dans les bras de son fiancé.

— Ne vous laissez pas corrompre, Shannon, l'admonesta-t-il. Votre avenir est avec moi.

Il y eut un nouveau changement de partenaire, et Joseph arracha Shannon des bras de Stephen.

— Vous voudriez de cet imbécile pour mari ? demanda-t-il. C'est avec moi que vous vous êtes enfuie d'Irlande.

Il y eut toute une série de changements de partenaire et Shannon dansa avec son père, avec Danty, puis avec un homme d'une laideur de troll. Elle cria lorsqu'il passa la langue sur ses dents ébréchées en la regardant d'un air lascif.

Un instant plus tard, elle se retrouvait dans les bras de Stephen.

Toutes ces pirouettes finirent par faire tourner la tête à Shannon.

— Je m'effiloche ! hurla-t-elle en s'immobilisant.

Son cri hystérique interrompit net la danse. Les musiciens s'arrêtèrent de jouer et tous les yeux se braquèrent sur elle. Submergée par l'émotion, Shannon donna libre cours à ses larmes.

Stephen lui entoura l'épaule de son bras, lançant des regards assassins à Joseph.

— Voyez dans quel état il vous a mise, Shannon.

— Moi ? Certainement pas, riposta Joseph.

— Vous n'êtes qu'un paysan. Elle n'a aucun amour pour vous. C'est *moi* qu'elle aime. Je suis cultivé, j'ai étudié le droit, je suis pétri de bonnes manières et puis me vanter d'être un tireur chevronné. Nommez une chose que *vous* ayez accomplie.

La poitrine et l'amour-propre douloureux, Joseph repoussa Stephen.

— C'est moi qui ai fait l'histoire à Boston pendant un temps. J'ai été le champion invaincu des combats à poings nus. Le gratin m'admirait.

Stephen renifla avec mépris.

— La boxe est un sport de païens.

— C'est plus honorable que de manipuler un pistolet !

Cédant tous deux à la colère, ils se ruèrent l'un sur l'autre et se jetèrent à terre, luttant dans la poussière.

— Ça suffit, tous les deux ! hurla Shannon. Je croyais que c'était moi, l'objet de votre querelle !

Affalés sur le sol, ils la considérèrent, tête contre tête.

— Eh bien... en effet, Shannon, acquiesça Stephen, quelque peu penaud.

— Vous pouvez toujours courir ! Vous voilà tous les deux à vous rengorger et à vous vanter pour prouver qui est le meilleur boxeur, qui est le meilleur tireur, qui a la plus grosse vous savez quoi !

— Shannon ! piailla Nora.

— Ah, les hommes ! (Shannon tapa du pied.) C'est fanfaron et compagnie. De l'esbroufe ! Aucun de vous deux n'est digne de moi. Et quant à la course, j'y participerai seule.

Joseph et Stephen se remirent tant bien que mal sur leurs pieds.

— Mais, Shannon...

Stephen tendit la main vers elle.

— Seule ! hurla-t-elle en repoussant sa main. Et en ce qui concerne ma vie, la compagnie de mes chevaux me suffira amplement, merci ! Les chevaux valent mieux que les hommes. Ils dorment debout, eux !

Daniel rejeta la nuque en arrière et rugit. Nora postillonna, furibarde. Shannon disparut dans la nuit comme un ouragan.

— Stephen, dit Nora quand elle eut retrouvé son souffle, ne restez pas là à gober les mouches... Courez la rejoindre et faites preuve de fermeté envers elle. Il faut la mettre au pas.

— Il n'existe aucun homme sur terre qui puisse *la* mettre au pas, intervint Joseph.

Nora poussa Stephen d'une bourrade et le garçon s'enfonça dans les ténèbres. Joseph ne bougea pas. Il en avait sa claque ; toute cette histoire l'avait rendu furieux.

— Quelle erreur ai-je commise, Molly ? demanda-t-il en tapotant son pantalon, envoyant la poussière voler aux quatre vents.

— Vous avez laissé l'orgueil se dresser sur votre route. Et l'orgueil précède toujours la chute.

— Dans ce cas, qu'elle aille au diable ! Danty, tu as entendu mon père sur son lit de mort. Il m'a dit de trouver de la terre. J'ai suivi Shannon Christie suffisamment loin comme ça. Si elle peut être égoïste, alors, par Dieu, je puis l'être aussi !

Joseph s'éloigna à grand bruit dans la direction opposée à celle qu'avaient prise Shannon et Stephen.

Danty soupira.

— Quelle pitié quand les affaires de cœur vont de travers !

Molly sourit d'un air entendu.

— Oh, ne vous faites pas de bile pour ces deux jeunes gens ! Il ne va pas tarder à arriver à ses fins. Attendez voir si je me trompe ! Dès demain, il va de nouveau tourner autour de la jouvencelle.

17

Derrière l'hôtel s'étendait un labyrinthe de cordes à linge. Draps, pantalons, chemises, corsages, bas, caleçons longs, camisoles et culottes bouffantes claquaient dans la brise. Agenouillée devant un lavoir, Nora Christie, dame bien née, faisait délicatement barboter une chemise de son mari, la tenant du bout des doigts.

Shannon, laissant sa lessive dans le panier, s'avança vers sa mère, repoussant le linge suspendu au fur et à mesure de sa progression.

— Pour l'amour du ciel, mère! Ces vêtements ne seront jamais propres si vous ne vous mouillez pas les mains! (Elle s'agenouilla auprès de sa mère et attrapa la chemise.) Regardez. Il faut que vous la plongiez dans l'eau et la frottiez, la plongiez et la frottiez.

Elle accomplit sa démonstration sous l'œil émerveillé de Nora.

Celle-ci lui prit la chemise des mains et répéta l'opération.

— Comme ça ?

Shannon lui adressa un sourire affectueux, comme si un lien venait de se former entre elles.

— Oui. Mais vous devez prononcer les mots — plonger et frotter, plonger et frotter. C'est très important, au début de votre apprentissage... En tout cas, c'est ce qu'on m'a dit.

Un vacarme de sabots interrompit leur conversation. Deux cavaliers arrivaient au grand galop. Daniel Christie, la tête toujours dissimulée par son chapeau de cow-boy, montait un magnifique cheval bai. Il portait une chemise neuve dans le plus pur style de l'Ouest et un blue-jean. Stephen Chase chevauchait un pinto.

— Nora, cria Daniel tandis que les deux hommes arrêtaient leurs montures et sautaient à terre dans un nuage de poussière, on m'a tiré dessus !

Nora ouvrit la bouche démesurément et laissa tomber la chemise dans le lavoir.

— Tiré dessus ! Ô mon Dieu ! Daniel !

— Eh bien, on m'a mis en joue, en tout cas, corrigea-t-il en voyant Stephen lui jeter un regard en coulisse. La cavalerie a fait feu sur nous. Nous avons franchi la ligne de départ et enfreint la loi.

— Vous ne prendrez pas part à la course, vieux fou, décréta Nora avec autorité.

— N'en soyez pas si sûre. (Daniel rejeta son gigantesque chapeau sur sa nuque et glissa ses pouces dans sa ceinture, le torse avantageux, une lueur rebelle dans l'œil.) L'Ouest sauvage me botte tout à fait, Nora. Qui sait *ce que* je risque de faire ?

Entre-temps, Stephen s'était précipité vers Shannon qui, rassurée sur l'état de son père, avait repris sa lessive.

— Shannon, je l'ai trouvée ! s'écria-t-il, incapable de refréner son agitation. A cinquante kilomètres à l'ouest : la terre dont vous rêvez.

Shannon, sans répondre, essora la chemise et la déposa dans le panier.

— Décrivez-la-lui, Stephen, fit Daniel.

— Vous l'aimerez, Shannon. Ici, la terre est sèche et poudreuse, mais une rivière serpente là où nous vivrons et l'herbe pousse dru, grasse et verte sur les douces collines alentour.

La terre de ses rêves... Et celle de Joseph. Un moment, Shannon se laissa aller à évoquer les nombreuses fois où, étendus dans le noir, les deux jeunes gens s'étaient confié leurs espoirs. Même alors, elle avait vu ce pays couleur d'émeraude, la rivière babillante, les molles collines virides qui lui rappelaient le pays de son enfance.

Stephen se tenait au-dessus d'elle, le visage plein d'impatience. Tout ce qu'elle éprouvait pour lui, cependant, c'était de la colère — de la colère à l'idée qu'il s'immisçait dans son rêve.

— C'est le paradis, continua-t-il. Et tant que nous ne sommes pas mariés, nous pouvons revendiquer deux lopins.

Sans mot dire, Shannon prit une autre chemise dans le panier et la plongea dans l'eau.

— N'est-ce pas là exactement ce que vous m'avez dit vouloir ? demanda Stephen, l'air légèrement vexé et irrité.

— Si.

Il mit un genou en terre, après avoir au préalable inspecté soigneusement le sol, pour être sûr de ne pas tacher son pantalon. Shannon tiqua. Que ce comportement maniéré était typique de Stephen ! Avant, le geste lui aurait paru aristocratique et pétri d'élégance. Aujourd'hui, elle le jugeait affecté et elle se demanda si Stephen s'était jamais sali les mains une fois dans sa vie. Que penserait-il d'elle s'il apprenait qu'elle s'était immergée dans la boue glacée aux genoux à creuser un fossé jusqu'à l'évanouissement ?

Joseph l'avait trouvée courageuse et dure à la tâche, et il le lui avait dit. Stephen, sans doute, l'aurait taxée de vulgarité.

— Êtes-vous fâchée contre moi, Shannon ?

Lui prenant le menton, il la força à le regarder.

Elle repoussa sa main et se leva.

— A votre avis, Stephen ? (Ramassant le panier plein de lessive, elle le porta jusqu'aux cordes à linge.) Je vous ai déclaré hier soir, après le quadrille, que je souhaitais choisir ma terre moi-même.

Il se remit debout et courut à sa suite.

— Shannon, cessez vos enfantillages ! fit-il d'un ton empreint d'une condescendance autoritaire dont son père lui-même n'avait jamais usé envers elle. N'est-ce pas à cause de vous

414

que vos parents et moi-même sommes dans cet endroit oublié de Dieu ? Je ne pouvais pas vous emmener. L'entreprise était trop risquée.

— Je n'ai rien contre un zeste de danger çà et là, répliqua-t-elle, une expression de défi sur ses traits fort semblable à celle qu'affichait son père quand il caressait quelque projet secret.

Stephen, d'un geste ferme, lui prit les mains. La mine grave, il annonça :

— Demain, nous chevaucherons côte à côte, et nous ne ferons qu'un. Nous proclamerons nos droits sur notre terre, puis nous nous marierons et fonderons un foyer. Désirez-vous fonder un foyer, Shannon ?

— Oui, répondit-elle dans un soupir.

Radouci, il se pencha et l'embrassa légèrement sur le front.

— Voilà qui est mieux. Je déteste vous voir en colère. Ce n'est pas dans votre tempérament. Vous êtes une personne si douce, si gentille...

Douce, gentille ? Elle ? Les nerfs à vif, elle le regarda s'éloigner en direction de l'hôtel à la suite de Daniel et de Nora. Elle ne voulait pas qu'on la prenne pour une créature douce et gentille. Joseph ne l'avait jamais qualifiée de ces épithètes-là. Il lui avait dit qu'il admirait son courage, sa témérité, sa gaieté. Il l'avait traitée de bagarreuse, et elle préférait de beaucoup cette image-là d'elle-même.

Douce et gentille, mon œil ! pensa-t-elle.

Elle se mit à étendre le linge avec rage, essayant de maîtriser sa colère. Comment Stephen osait-il aller choisir sa terre à sa place ? Comment osait-il s'immiscer dans son rêve si chèrement payé... Un rêve pour lequel elle avait risqué sa vie et failli la perdre ?

Pour finir, l'ardeur qu'elle déploya à la tâche la calma et elle s'interrompit le temps d'essuyer son front en sueur.

— Hello, Shannon ! cria une voix familière.

Le cœur battant, elle fit volte-face... Joseph était derrière elle, son sempiternel sourire espiègle aux lèvres.

Elle le considéra un moment, puis, lui tournant le dos, se remit à suspendre sa lessive.

— Je suis surprise de vous revoir, compte tenu des nombreuses oppositions qu'ont rencontrées vos précédentes tentatives.

— Mais je n'ai pas eu la moindre occasion de vous parler seul à seule. Vos parents et votre imbécile de fiancé rôdaient toujours dans les parages. Vous avez l'air en pleine forme, Shannon.

Il fit glisser les yeux sur elle, comme s'il voulait mémoriser chaque trait de son visage, chaque courbe de son corps.

Gênée par l'onde de chaleur que faisait naître en elle l'examen de Joseph, Shannon tira un drap du panier et l'étendit sur le fil, créant un mur entre eux.

— Comment êtes-vous venu ici ? demanda-t-elle sur le ton de la conversation, résolue à traiter l'événement comme la rencontre banale de deux vieux amis. Nous-mêmes avons pris le train.

416

Joseph jeta un coup d'œil derrière le drap; Shannon se hâta d'en suspendre un autre.

— Moi aussi.

Elle se demanda avec quoi il avait payé son billet. La dernière fois qu'elle l'avait vu, il était dans la dèche. Mais elle le connaissait suffisamment bien, aussi, pour savoir qu'aucun obstacle ne pouvait l'arrêter quand il avait décidé quelque chose. Au fond, c'était un bagarreur.

— Et je suppose que vous comptez prendre part à la course, demain ? dit-elle, sachant d'avance la réponse.

— J'ai toujours affirmé que j'aurais ma terre.

Il repoussa le drap. Shannon accrocha les culottes de sa mère sous son nez, certaine qu'il n'oserait pas y toucher.

— Je me suis même acheté un cheval, ajouta-t-il avec fierté. Une fort belle bête, ma foi !

Elle sourit, moitié avec tristesse, moitié avec gêne.

— Le temps pourvoit à tout, n'est-ce pas ? Cette époque semble remonter au Déluge.

En esprit, elle revoyait leur modeste chambrette, les rues qu'ils avaient prises ensemble, les soirées qu'il avait passées dans son fauteuil rafistolé à essayer d'apprendre à lire.

— Oui... Boston... C'était... (Les yeux de Joseph s'embuèrent un instant, comme si le garçon, lui aussi, revoyait cette période et ces lieux. Puis il secoua légèrement la tête et sortit d'un coup de sa rêverie.) Vos parents et vous-même serez soulagés d'apprendre que j'ai renoncé à tenter de nous remettre tous deux ensemble. A mon sens, les choses se sont arrangées de la manière qu'elles le devaient. Vous n'êtes pas de mon avis ? demanda-t-il en la dévisageant.

La jeune fille hocha le menton, sans grande conviction toutefois.

— Je souhaitais juste me réconcilier avec vous, conclut Joseph. Après tout, nous nous en sommes sortis ensemble, il ne me paraissait pas bien que nous soyons ennemis.

— Bonne chance pour demain, Joseph !

Elle lui offrit la main, reléguant temporairement à l'arrière-plan la souffrance et la colère que lui causait sa désertion.

Il prit ses doigts dans les siens et ses vibrations embrasèrent Shannon. Comment se pouvait-il que le seul contact de sa main eût tant d'effet sur elle quand un baiser de son fiancé ne lui faisait ni chaud ni froid ?

— Et bonne chance à vous aussi, de tout cœur, dit-il tristement. (Il tourna les talons. Hésitant, il se retourna ; un vif éclat brûlait dans ses yeux verts.) Shannon Christie, vous n'avez jamais renoncé ! Vous saviez ce que vous vouliez en Irlande et, regardez... vous voilà en Oklahoma, prête à participer à la course ! (Il sourit et secoua la tête, les yeux emplis d'admiration.) Vous êtes quelqu'un, Shannon. Ah ça, oui !

Puis il s'éloigna, disparaissant parmi le linge qui claquait au vent.

Submergée par l'émotion, Shannon, les larmes aux yeux, demeura plantée à regarder le lieu, désormais vide, où s'était tenu Joseph. Que se serait-il passé, si, cette fameuse nuit, il ne l'avait pas abandonnée dans la neige, se demanda-t-elle. Auraient-ils participé à la course ensemble ? Revendiqué leur rêve ensemble ?

Elle secoua la tête et ferma les paupières, s'efforçant de barrer la porte aux souvenirs, aux rêves et aux sentiments amoureux. Joseph l'avait bel et bien abandonnée, et c'était Stephen qui l'avait retrouvée. Et c'était cela seul qui importait désormais. Cela seul qui importerait jamais.

Partagé entre un curieux sentiment de bonheur d'avoir revu Shannon et de désespoir d'avoir dû la quitter, Joseph s'éloigna, repoussant draps et couvertures tandis qu'il se frayait un chemin à travers le dédale de linge trempé. Après avoir soulevé une ultime taie d'oreiller, il tomba nez à nez sur Stephen Chase.

Aussitôt, le sang afflua à son visage et il sentit ses joues devenir brûlantes de colère.

— Que faites-vous là, après que je vous ai averti — et de façon on ne peut plus explicite — de croiser au large ? fit Chase. Répondez !

— Je n'ai rien à vous dire. Du moins, rien qu'il vous plairait d'entendre.

Il se remit en marche. Chase lui barra la route.

— Vous me l'avez amenée au cours de cette nuit glaciale et m'avez demandé de veiller sur elle. Ce que j'ai fait, et au-delà. A présent, évitez-la. Vous m'entendez ? Vous n'avez rien à offrir à une femme de sa condition.

L'insulte atteignit Joseph au vif et ses mains se refermèrent en poings le long de ses flancs.

— Et vous, qu'avez-vous donc à lui offrir ?

— De la terre. La terre de ses rêves. Je l'ai vue et proclamerai mes droits dessus demain.

— Écartez-vous !

Stephen ouvrit sa redingote et montra à Joseph les pistolets dans leur étui.

— Je vous préviens, mon ami ! Ne vous avisez pas de lui adresser une nouvelle fois la parole ! Et ne vous approchez pas de moi pendant la course. Il y a une balle, là, qui pense à vous depuis le matin où vous vous êtes enfui lâchement pour couper court à notre duel.

Enfui lâchement ? Son sang se mit à bouillonner, mais Joseph s'efforça de maîtriser sa colère.

— J'irai où bon me plaira. Vous n'êtes plus en Irlande. Et je courrai pour moi. Pas pour Shannon, pas pour quiconque... pour *moi* !

Quelque chose, dans les yeux de Joseph, dut impressionner Chase, car il recula pour lui laisser le passage.

Ainsi, il va donner à Shannon la terre de ses rêves, pensa Joseph en s'éloignant, sentant les yeux de son rival dans son dos. C'est bien mal connaître Shannon Christie ! Elle ne désire sûrement pas qu'un homme lui donne quoi que ce soit, elle préfère le prendre elle-même.

Mais cette pensée n'apporta qu'un piètre

réconfort à Joseph et ne contribua guère à apaiser la douleur de son estomac. Shannon était toujours aussi belle... et à jamais perdue pour lui.

Dans la soirée, Shannon, assise au bord de son lit, brossait sa longue chevelure. Elle portait une élégante chemise de nuit de coton ornée de dentelle aux poignets et au col. Il ne fallait pas s'habiller comme une païenne, même dans l'Ouest sauvage, lui avait déclaré sa mère quand elles avaient fait leurs bagages en vue du voyage.

— Toc, toc, toc, dit son père, ouvrant la porte et passant la tête dans la chambre.

— Entrez ! répondit-elle, toujours heureuse de sa compagnie.

— Tu es aussi jolie qu'une bougie, fillette. Me donneras-tu un baiser en guise de bonne nuit ?

— Avec joie, père.

Daniel Christie vint s'asseoir sur le couvre-lit à côté d'elle. Restant un instant silencieux, il tendit l'oreille au tohu-bohu de la foule qui s'agitait dans la rue, un sourire épanoui sur son visage rond.

— Quelle aventure, hein ? Et ce grâce à toi, petite renégate ! (Il se tut et la dévisagea. Shannon arborait une expression lointaine qu'il lui avait vue maintes fois au cours de l'année écoulée.) Tu ne m'écoutes pas, la réprimanda-t-il gentiment.

— Si, si...

Elle lui prit la main.

— Tu crois qu'il t'a suivie jusqu'ici ?

Shannon parut surprise qu'il eût deviné ses pensées.

— Non, répliqua-t-elle. Il n'a pas besoin de moi. Ni moi de lui.

Sans mot dire, Daniel considéra sa fille avec tristesse.

— Vous pensez que je mens, n'est-ce pas ?

— Ce que je pense ou non n'a aucune importance, mon enfant. Dans les affaires de cœur, seul importe ce que croit l'intéressé.

Shannon soupira et appuya la tête sur l'épaule de son père. Daniel l'enveloppa de son bras, l'étreignant, désireux de la réconforter.

— Eh bien, énonça Shannon avec lenteur, il me semble que je dois l'oublier... Toutefois, nous avons vécu, lui et moi, des situations parfois cocasses, parfois touchantes, que mon cœur n'oublie pas, même si ma raison m'ordonne de n'y plus songer.

Daniel Christie serra sa fille contre lui et l'embrassa sur la joue.

— Je t'ai naguère conseillé de suivre ton cœur, puis je me suis maudit, craignant de t'avoir envoyée à ta perte. J'hésite à te redonner ce conseil, mon enfant, même s'il me semble qu'il était bon.

— Je comprends, père. Cependant, je ne vous demande pas réellement conseil, cette fois. Je sais ce que je dois faire.

— Et quoi donc, mon enfant ?

— Suivre ma raison, pour changer, et non

mon cœur. Si seulement cela n'était pas si douloureux !

Daniel Christie regretta de ne pouvoir faire
ou dire quoi que ce fût pour consoler son unique enfant. Mais il savait qu'un cœur brisé a
besoin de davantage de temps pour guérir
qu'un bras ou une jambe cassés.

Mais quand sa fille serait-elle enfin guérie ?
Tant de jours, déjà, avaient passé sans apporter
de nette amélioration...

Mon Dieu, pria-t-il, faites que ce soit bientôt !

Joseph avala son whisky cul sec, en goûtant la brûlure de sa gorge à son estomac.
L'alcool, ajouté à celui qu'il avait précédem-
ment ingurgité, courait dans ses veines, es-
tompant la scène qui se déroulait devant ses
yeux. Joueurs, buveurs et prostituées avaient
tous le même sourire de contentement, aussi
plaisant et chaleureux que le sien. En vérité,
tout ce petit monde était un peu pompette et
Joseph n'arrivait pas à déterminer au vrai si
ses compagnons souriaient ou faisaient la
moue. Bah... au fond, il s'en souciait comme
d'une guigne !

Il reposa son verre, rejeta la nuque en arrière
et se mit à brailler à tue-tête :

Son bel œil velouté
Était une calamité.
Il n'était pas depuis trois jours en terre
Qu'elle ficha l'camp...

Il interrompit sa chanson, sa bonne humeur évanouie.

— Quelle femme impossible ! marmonna-t-il d'une voix pâteuse. Elle est venue par le train, qu'elle m'a dit. Le train ! Tous ces mois passés à essayer de l'oublier, à dynamiter les montagnes et à enfoncer des clous... j'étais couché sous les rails mêmes qui l'ont amenée ici !

Chancelant, il dut s'appuyer au mur. Mais comme il se trouvait sous une tente, la paroi était de toile et ne supporta pas son poids. Joseph atterrit vite fait sur les fesses. La foule rugit quand il se remit debout avec difficulté.

— Au diable l'humanité ! brailla-t-il. Voilà ma pensée pour la nuit. Ils ont trouvé leur terre... la terre de leur rêve. Demain, je courrai pour moi, pour moi seul ! Et j'irai où il me plaira... sur mon beau cheval.

Tirant sur sa veste et réunissant les vestiges de sa dignité en lambeaux, il franchit l'ouverture de la tente en titubant et se retrouva dans la rue.

Il traversa la place et mit le cap sur la barre près de la forge où tous les chevaux étaient à l'attache. Soudain, il s'arrêta net, poussa un grognement et se signa.

— Que Marie, Jésus et tous les saints nous protègent !

Le maréchal-ferrant, un vieil homme portant un tablier de cuir, sortit de son antre d'un pas nonchalant.

— J'avais jamais vu un canasson plus vieux

que celui-là, dit-il. Incroyable que quelqu'un ait donné du bel argent contre cette carne !

Là, sur le sol, gisait Père Peinard. Et un seul regard suffit à Joseph pour voir que l'animal était on ne peut plus mort.

Le lendemain matin, la vivante cité de toile s'était métamorphosée en ville fantôme. La foule grouillante avait décampé, laissant dans son sillage des tentes démantelées et des monceaux de déchets. Un silence d'outre-tombe régnait sur le sentier poussiéreux qui avait été naguère la Grand-Rue de cette étrange ville.

Un claquement de sabots sonore troubla le silence. Shannon arriva au petit galop, montée sur un puissant rouan, et stoppa sa monture au milieu des décombres.

— Père ! Mère ! cria-t-elle en balayant les alentours des yeux.

Un second cheval longea au galop l'arrière des tentes ; son cavalier agitait deux piquets coiffés de drapeaux jaunes qui battaient violemment dans la brise.

— Stephen ! Je ne les trouve nulle part !

— Moi non plus, répondit-il en amenant sa bête flanc à flanc contre celle de Shannon. La course ne va pas tarder à commencer.

— Où peuvent-ils bien être ?

— Je l'ignore, mais nous ne pouvons nous permettre de nous en soucier pour l'heure. Je suis sûr qu'ils vont bien. Dépêchez-vous, Shannon !

Après avoir jeté un dernier regard fébrile de

tous côtés, la jeune fille prit le piquet que lui tendait Stephen et les deux jeunes gens s'éloignèrent au galop.

Droit sur la ligne de départ.

Des chevaux tirant des carrioles piétinaient sur un enchevêtrement de pistes, se tamponnant les uns les autres. Les conducteurs criaient et juraient, soulevant des nuages de poussière qui gênaient la visibilité de tous. La plus grande course de l'histoire de l'Oklahoma allait démarrer, et l'enjeu était d'acquérir de la terre.

Avec fièvre, des familles réparaient à la hâte des chariots branlants, des cow-boys jouaient des coudes pour dégager l'espace autour d'eux. En retrait, des Indiens observaient la scène avec une vive curiosité tandis que la tension montait.

Au milieu de ce chaos, un tumulte fit lever la tête même aux plus absorbés. Un jeune homme aux cheveux bruns montait un étalon qui ruait comme si le diable lui piquait la croupe de sa fourche.

— Ho ! cria Joseph, s'efforçant de maîtriser l'animal qu'il venait d'acheter une heure plus tôt. Holà, satané fils de Cromwell !

Il s'agrippa désespérément à la crinière, cependant que la bête donnait des coups de sabot dans tout ce qui se trouvait à sa portée. Les gens détalaient pour échapper à ses ruades mortelles ; des chariots quittaient la piste à son approche, des chevaux se cabraient. Quelques badauds s'esclaffaient, d'autres vouaient Joseph aux gémonies et faisaient d'obscènes suggestions à propos du sort qu'il devrait réserver à son étalon.

— Enfer et damnation ! marmonna Joseph entre haut et bas. Aide-moi à me sortir de ce guêpier, p'pa... sinon sûr que ce démon va m'emporter jusqu'au Canada !

— Nous enfreignons la loi, Nora, dit Daniel, tandis que sa femme et lui s'accroupissaient dans un sillon qui divisait une étendue de terre fertile et verdoyante. (Il brandit allègrement un piquet orné d'un drapeau.) N'est-ce pas excitant ? En fin de compte, nous la tenons, notre aventure !

Ils épièrent les alentours ; aussi loin que portaient leurs regards, cependant, ils n'aperçurent que leur cheval.

— Il me déplaît que ce soit vous qui vous occupiez de nos affaires, affirma Nora en reniflant.

Daniel tapota l'épaule de sa femme comme il l'eût fait à un vieux compagnon de beuverie.

— Ah oui ? Maintenant, écoutez-moi. Votre tâche consistera à planter ce piquet dans le sol au moment où je vous dirai de le faire. Dans l'intervalle, je vais faire tourner le cheval en rond, afin qu'il ait l'air transpirant et exténué... S'il mourait, ce serait encore mieux. Vous avez bien compris ?

— Oui, mais... je préférerais vivre avec les enfants, déclara tristement Nora.

— Shannon n'est plus une enfant !

Nora jeta un coup d'œil à la prairie et frissonna.

— L'endroit est lugubre, avoua-t-elle, comme si elle confessait quelque gravissime péché. Je n'arrête pas de penser qu'un Peau-Rouge va surgir pour nous scalper.

— Il n'y a plus d'Indiens dans le coin, Nora. Il y en avait autrefois. Ce pays était le leur avant que le gouvernement ne les en chasse.

— On les a chassés de leur terre ?

Une lueur de tristesse traversa le regard de Daniel.

— Oui. On chasse tout le temps quelqu'un de sa terre quelque part dans le monde. (Se penchant, il déposa un furtif baiser sur la joue de sa femme, le premier geste d'affection spontané qu'il avait envers elle depuis des années. Nora écarquilla les yeux sous le coup de la surprise.) Bah ! Inutile de vous tracasser, ma chère. Nous réussirons. Faites comme si nous étions à l'aurore de notre vie, et non à son terme.

Nora dévisagea son mari ainsi qu'elle l'eût fait d'un inconnu. Puis ses traits s'adoucirent et elle sembla rajeunie.

— Pourquoi ne pas essayer, en effet, Daniel... répliqua-t-elle avec un petit sourire, tandis qu'elle lui rendait timidement son baiser. Oui, pourquoi ne pas essayer !

Stephen et Shannon chevauchaient vers la ligne de départ, se frayant un chemin parmi la foule qui se faisait plus compacte. Tendu et belliqueux, Stephen pressa sa monture pour dépasser Shannon, écartant quiconque de sa route.

— Que se passe-t-il, là-devant ? cria-t-il.

Shannon vit un nuage de poussière et entendit crier des gens assemblés en cercle autour d'une scène confuse et violente.

Quand ils furent plus proches, Stephen comprit la cause de ce tumulte et sourit. Shannon haït aussitôt le garçon pour son sourire méprisant.

Agrippé aux rênes et au pommeau de la selle, Joseph luttait toujours avec son étalon fougueux, dont les sabots volaient en tous sens.

— La course, c'est par ici, mon ami ! brailla Stephen, railleur.

Il mena son cheval près de l'étalon et agita délibérément son piquet orné d'un drapeau jaune devant l'animal. Effrayé, celui-ci se cabra et Joseph tomba au sol tête la première.

— Abandonnez votre canasson et allez mordre la poussière du premier bout de terre que vous pourrez trouver ! hurla encore Stephen à son adresse.

Puis il éclata de rire et s'éloigna.

Shannon mit son cheval contre celui de Joseph.

— Prenez-le par le mors, Joseph ! cria-t-elle au passage. Tenez-le fermement et montrez-lui qui est le maître !

Joseph leva les yeux du sol et la regarda chevaucher vers la ligne de départ. La ligne qu'il devait rejoindre s'il voulait tenter sa chance.

Il sauta en selle, empoigna les rênes et le bridon. L'animal se cabra, se soulevant du sol, puis recommença à ruer et à se contorsionner.

Eh bien, songea Joseph tandis qu'il restait un court instant suspendu dans les airs, on sait au moins qui est le maître... C'est ce foutu canasson !

Des soldats de la cavalerie, revêtus de leurs uniformes bleu vif aux boutons de cuivre astiqués de frais, se tenaient près de la ligne, brandissant clairons, chronomètres et pistolets. Des canons prêts à tirer se dressaient à proximité. Un rang serré de chevaux, de chariots et de colons pleins d'espoir s'étirait à gauche et à droite, aussi loin que portait le regard.

Shannon ôta le foulard de son cou et s'en couvrit le nez et la bouche. Ils n'allaient pas tarder à avaler de la poussière.

Stephen poussa son cheval en avant, écartant agressivement d'autres cavaliers.

Les clairons firent retentir un avertissement. Les chronomètres indiquaient qu'il ne restait que quelques secondes avant le départ. La tension, dans l'air, était aussi dense que la poussière. Un silence impressionnant s'était abattu sur les candidats.

Soudain, un cavalier démarra prématurément ; aussitôt, un soldat sortit son pistolet et fit tomber l'homme à bas de sa monture.

Paniqués, des chevaux se cabrèrent. Il y eut quelques cris puis ce fut de nouveau le silence.

A midi tapant, les canons rugirent.

Shannon cravacha son pur-sang, galopant comme si une meute de démons était à ses trousses, emportée par une monstrueuse déferlante telle qu'elle n'en connaîtrait jamais plus. Elle était consciente, tout en filant à un train d'enfer, qu'elle se rappellerait, qu'elle revivrait la griserie de ce moment jusqu'à la fin de ses jours. L'occasion, unique, ne se représenterait plus, et elle galopait telle une démente. Elle se battait... se battait pour son rêve.

Tout autour d'elle, les chevaux, les chariots, les charrettes, les bicyclettes et les piétons se ruaient dans un fracas de tonnerre à travers le pays ouvert. Le sol tremblait et la poussière volait.

La ruée vers la terre d'Oklahoma venait de commencer !

18

Tandis que chevaux et chariots passaient dans un bruit d'enfer, l'enveloppant d'un nuage de poussière, Joseph paniqua. S'il n'arrivait même pas à enfourcher ce maudit cheval, comment aurait-il jamais la chance de poursuivre son rêve ?

Des souvenirs surgirent dans sa tête comme il faisait une nouvelle tentative... Sa monture se déroba sous lui. Il songea à toutes les rebuffades qu'il avait essuyées pour parvenir là où il se trouvait aujourd'hui, évoqua le rude hiver durant lequel Shannon et lui avaient failli mourir de froid et d'inanition dans les rues. Il pensa aux innombrables journées passées sous le soleil brûlant, à enfoncer des rivets dans les rails du chemin de fer.

Cette satanée bête n'allait pas anéantir tout cela.

Se suspendant au mors, Joseph regarda l'étalon droit dans les yeux.

— Je n'ai pas envie de me battre avec toi, déclara-t-il avec une délibération implacable.

Un instant plus tard, son poing s'abattait comme une masse sur les naseaux de l'animal, estourbissant celui-ci assez longtemps pour permettre à Joseph de sauter en selle. Cette fois, il n'allait pas vider les étriers ! Il jura à la hâte sur la tombe de son père d'emmener l'étalon dans les entrailles de l'enfer mais de ne pas quitter son dos.

Le cheval rua des quatre fers et essaya de filer dans la mauvaise direction. Joseph tira frénétiquement sur les rênes et se retrouva soudain propulsé vers la ligne de départ.

Il était dans la course !

Et, par-dessus le marché, son cheval remontait tous les concurrents. L'animal volait, tel Pégase, comme s'il avait la queue en feu, dépassant des colons dont les rêves gisaient brisés dans la poussière. Des chariots renversés, des roues cassées, des chevaux pris de panique, se cabrant, arrachant leur harnais ; d'autres se tamponnant... De partout, montaient des cris de dépit et de souffrance.

Joseph tenait bon, emporté par son ouragan de cheval, si penché que la crinière de l'étalon lui battait les joues et lui fouettait les yeux. Il ne s'en rendait même pas compte. Tout ce qu'il voyait, c'était son rêve... sa terre... et juste devant lui... il le sentait !

Au loin, il distingua deux silhouettes familières, un homme grand et mince vêtu d'une redingote noire et une femme à la radieuse chevelure de cuivre qui flottait sauvagement au vent. Stephen et Shannon, droit devant ! Et il comblait l'écart qui les séparait. Il faisait son possible pour diriger le cheval dans leur direction.

Shannon, ignorant qui la suivait, balayait l'horizon du regard, s'efforçant de repérer l'endroit — l'endroit chéri — que son cœur, elle le savait, reconnaîtrait à l'instant où elle poserait les yeux dessus.

Elle rejoignit Stephen et baissa le foulard qui lui masquait la bouche. Elle vit le jeune homme cravacher et éperonner sa monture.

— Plus vite, Shannon ! hurla-t-il. Hue !

Il fouetta le cheval, le flanc gauche, puis le droit. Il arriva derrière un cavalier et se pressa en avant, essayant de le dépasser. Les deux bêtes chevauchèrent cou contre cou près d'une minute, puis Stephen arracha le piquet qui dépassait de la sacoche de selle et le jeta par terre, obligeant l'homme à tourner bride pour revenir le chercher.

Stephen prit la tête, triomphant.

Ils laissaient derrière eux des scènes de chaos et de destruction. Dans les vociférations et l'anarchie, des hommes poussaient leurs chevaux et des femmes sautaient des chariots, fichant des piquets dans leur terre, puis se campaient, armes au poing, pour les défendre. De violentes querelles éclataient — bagarres, piquets brisés, fusils en action et morts. Le pays tout entier était livré au carnage.

Mais Shannon ne pouvait se permettre de le voir, encore moins d'y participer. Quelque part, peut-être juste au-delà de la prochaine élévation, il y avait son rêve... et, par Dieu, elle n'allait pas faire halte avant d'avoir proclamé ses droits dessus!

Nora Christie, nerveuse, agrippait son piquet des deux mains, tandis que son mari décrivait des cercles autour d'elle, afin d'exténuer son cheval couvert de sueur.

— Cette malheureuse bête semble près de s'effondrer, Daniel! dit-elle avec irritation.

Ses nerfs étaient sur le point de lâcher; il fallait qu'elle gourmande quelqu'un.

— Parfait! C'est ainsi qu'il doit être. Il n'est pas question qu'il ait l'air frais et dispos, n'est-ce pas? répliqua-t-il, affichant toujours ce sourire joyeux qui la faisait tourner chèvre.

Ignorait-il qu'ils étaient en train de commettre un acte plus qu'illégal? Ils risquaient la mort, et lui s'en amusait!

Fugacement, elle pensa que le Daniel qui se tenait devant elle, ce Daniel au sourire impie et avec l'étincelle de l'aventure brillant dans ses yeux, était une réminiscence du jeune homme dont elle était tombée amoureuse tant d'années auparavant. A l'époque, elle aussi était tout feu tout flammes. Puis, quelque part en cours de route, elle s'était desséchée, aigrie. Elle avait cru que c'était là l'attitude qu'on attendait d'elle... dès lors qu'elle était femme, mère et maîtresse de maison.

Peut-être étaient-ils bel et bien en train de recommencer leur vie, en fin de compte.

Elle sentit la terre trembler sous ses pieds et

un grondement de tonnerre retentit dans le lointain.

— Que le Seigneur nous protège, Daniel ! cria-t-elle tandis qu'une avalanche de chariots et de chevaux se déversait du sommet de la colline. Les voici !

— Attention, partenaire ! fit Daniel avec un calme qui la confondit. Feignez d'être hors d'haleine.

— Que je fasse semblant ? Le cœur m'est remonté dans le nez !

Christie s'éloigna en direction de la vague de chariots, puis, tournant bride, galopa vers son point de départ aussi vite qu'il le put. Il sauta à bas de son cheval et brailla :

— Maintenant, Nora !

Et Nora enfonça bravement le piquet dans le sol.

Les colons passèrent près d'eux dans un bruit d'enfer. Daniel Christie entoura d'un bras les épaules de sa femme et tous deux arrangèrent fièrement le drapeau jaune qui s'agitait dans le vent.

Ils n'étaient plus qu'un couple de propriétaires parmi d'autres.

La ligne, tout à l'heure serrée, de concurrents s'était déployée en éventail et répandue à travers la plaine, émaillée désormais de piquets ornés de drapeaux jaunes, cependant que des colons, exultants, célébraient l'avenir et que d'autres, la mort dans l'âme, faisaient reprendre à leurs chariots la route du passé.

Shannon et Stephen chevauchaient en tête de la meute, bien servis par leurs excellentes montures et leurs qualités de cavalier.

Ils gravirent une petite colline et Stephen cria :

— C'est là !

Shannon considéra l'endroit qu'il désignait... Ce bout de terre était en effet tout droit sorti de son imagination. Verdoyant et gras, planté d'arbres et sillonné par une jolie rivière babillante, il parlait à son cœur, aussi accueillant qu'un foyer. Un flot de bonheur, un sentiment de plénitude et de paix coula en Shannon, une joie sans pareille. Elle était chez elle.

Elle entendit soudain des sabots marteler le sol dans son dos et devina qu'un cavalier la remontait. Jetant un coup d'œil par-dessus son épaule, quelle ne fut pas sa stupéfaction quand elle vit que c'était Joseph qui galopait vers elle... pis, vers sa terre !

Stephen et elle approchèrent de la rivière et le garçon cravacha son cheval pour l'inciter à traverser. Shannon, à la vue des rochers glissants, hésita.

— Venez, Shannon ! Dépêchez-vous ! cria Stephen.

Impatiemment, il fit halte sur l'autre rive. Déconcentrée par son ordre impérieux, Shannon éperonna sa monture au mauvais moment ; le cheval trébucha et se renversa. Shannon tomba dans l'eau, heurtant les durs rochers avec une violence qui lui coupa le souffle.

— Stephen, haleta-t-elle, aidez-moi !

Elle tendit la main vers lui. Stephen, peu secourable, la morigéna :

— Qu'est-ce qui vous prend ? Levez-vous ! Agrippez les rênes ! Un enfant aurait été capable d'accomplir ce saut.

Elle se remit sur ses pieds tant bien que mal, alourdie par le poids de sa jupe mouillée. Puis elle vit Joseph arriver sur elle à bride abattue dans une gerbe d'éclaboussures. Il freina d'un coup son cheval ; l'animal se cabra sur ses postérieurs, mais Joseph se maintint en selle.

— Ouah ! Ça va, Shannon ? demanda-t-il. Prenez ma main. (Elle s'exécuta, mais l'étalon recommença à se cabrer.) Ce maudit canasson n'en fait qu'à sa tête !

Shannon tendit de nouveau la main et plongea un instant son regard au fond des yeux verts. Sa décision était prise.

— Non, Joseph, dit-elle. Allez ! Allez ! Allez ! Galvanisé par son ordre, Joseph éperonna son cheval et traversa la rivière dans un jaillissement d'eau. Stephen leva sa cravache. Joseph lui assena un coup de poing retentissant sur la mâchoire. Chase chut tête la première dans l'onde limpide.

Joseph galopa droit sur le jalon.

— Maudite soyez-vous, Shannon ! hurla Stephen, pris de démence. Vous voulez votre terre, oui ou non ?

Joseph, lancé à un train d'enfer, extirpa son piquet de sa sacoche de selle et, sans s'arrêter ni même ralentir, bondit à bas de l'étalon et arracha le jalon du sol. Il leva brièvement les yeux, le temps de voir son cheval disparaître comme une tornade au-delà des collines. Le cœur serré, il eut le pressentiment que l'animal ne réduirait pas l'allure avant d'avoir atteint la frontière du Canada.

Il brandit son piquet, puis marqua une pause, savourant l'instant. Shannon et Stephen arrivaient au galop de la colline.

— Cette terre m'appartient... cria Joseph. Par destinée !

Mais alors, il regarda Shannon et hésita, le piquet à quelques centimètres au-dessus de l'ancienne place du jalon.

— Allez-y, Joseph ! Revendiquez-la !

— La revendiquer ? s'exclama Stephen. Shannon, pourquoi... Ce n'est rien qu'un...

Stephen observa Shannon, puis Joseph, et la rage le prit. Fouettant son cheval, il fonça droit sur son rival. Shannon hurla tandis que la bête allait piétiner Joseph ; à la dernière seconde, celui-ci s'empara de la bride, faisant trébucher l'animal.

— Attention, Joseph ! cria Shannon.

Trop tard. Le lourd étalon roula sur Joseph, le plaquant au sol avec une violence à lui rompre les os.

Sa tête heurta un rocher avec force et il resta étendu là, immobile, du sang sourdant d'une blessure à la tempe.

— Ô mon Dieu ! s'écria Shannon en sautant à bas de son cheval pour courir vers lui. Joseph !

Stephen l'attrapa par le bras.

— Laissez-le, Shannon. Ne vous occupez pas de lui. La terre est nôtre, à présent.

Shannon pivota et repoussa Stephen, le faisant chanceler en arrière.

— Fichez-moi la paix, Stephen ! brailla-t-elle, le visage empourpré par la fureur. Vous avez fait assez de mal. Allez-vous-en !

Lui tournant le dos, elle se rua vers Joseph, s'agenouilla auprès de lui et nicha la tête du blessé au creux de ses bras.

Stephen l'observa de loin, une expression de souffrance sur ses traits.

— Joseph, Joseph... (Shannon repoussa les cheveux de son visage et effleura la blessure.) Joseph, regardez-moi !

Joseph obtempéra, privé de force.

— Je meurs, je le sens, dit-il.

— Non ! N'arrêtez pas de fixer mes yeux !

Il lutta pour obéir, mais ses paupières se fermèrent.

— Shannon... toute la terre du monde n'a aucun sens sans vous. Votre père était le propriétaire du mien et j'ai essayé de faire mes preuves à vos yeux. Toutefois, qu'ai-je à prouver ? Je ne connais rien aux livres ni aux lettres, au Soleil ou à la Lune, j'ignore lequel tourne autour de l'autre...

— Quelle importance, Joseph ? (Pleurant, Shannon appuya la tête du garçon contre son sein.) Rien de tout cela n'a la moindre importance.

— Mais je sais une chose, poursuivit-il. Joseph aime Shannon. Tout le reste n'est que ténèbres glacées...

Il prit une profonde inspiration et sa tête retomba.

— Non ! Non ! Joseph, Joseph, non !

Elle l'allongea doucement sur le sol, posa la main sur sa poitrine. Son cœur ne battait plus. Elle colla l'oreille contre ses lèvres, mais ne perçut aucun souffle.

— Oh Joseph ! Mon cher, mon doux Joseph !

Stephen s'agenouilla lentement près d'eux. Son orgueil bouffi de suffisance s'en était allé et ce fut avec une candeur et une humilité confondantes qu'il parla.

— Shannon, je vous ai menti tout au long des mois écoulés. Il ne vous a pas abandonnée, cette fameuse nuit. Il vous a ramenée parmi les vôtres et vous a déposée dans mes bras. Je vous ai menti afin que vous l'oubliiez. Comprenez, je vous prie, que c'est pour vous protéger que j'ai agi ainsi.

Shannon, concentrant toute la souffrance qu'elle éprouvait, gifla Stephen de toutes ses forces du dos de la main.

— Cessez de me mentir, Stephen Chase ! Vous l'avez fait pour *vous* protéger ! Il m'aimait, et c'est pourquoi vous le détestiez. A présent, croisez au large, Stephen. Que je ne vous revoie jamais !

Stephen se remit péniblement debout, plein de raideur, comme si toute vie l'avait déserté. Jetant un coup d'œil alentour, il vit que tous les terrains avaient été revendiqués. Il se dirigea vers son cheval et lança son piquet au loin. Puis, montant en selle, il s'éloigna.

Shannon étreignit Joseph.

— Oh Joseph, gémit-elle, je suis si furieuse contre vous ! C'était notre rêve à tous deux ! Sale égoïste ! Étiez-vous aveugle ?

De très loin, Joseph entendait la voix de Shannon qui le suppliait de revenir. Ouvrant les paupières, il fut abasourdi de se retrouver flottant... très haut, en apesanteur, tel un nuage dans le ciel. Il baissa les yeux et vit son corps allongé sur le sol, Shannon penchée au-dessus, l'implorant de revenir.

Une force qu'il n'avait jamais ressentie de sa vie le poussait à s'élever de plus en plus haut dans l'éclat doré du soleil. Il avait l'impression d'être un oiseau... plus léger, même, tandis qu'il montait comme une flèche, abandonnant ses souffrances physiques et les chagrins de son cœur. La lumière l'invitait, l'attirant dans ses rayons dispensateurs de vie. Son esprit jubilait, ivre de sa liberté neuve. Une libération inouïe...

— Revenez, espèce de fou !

Tandis qu'il grimpait vers des sommets inaccessibles au sein de la lumière, se délectant de sa chaleur, il entendait Shannon l'appeler.

— De grâce, Joseph ! Je vous aime ! J'ai besoin de vous !

Elle l'*aimait* !

Son esprit cessa son ascension, amarré qu'il était par les paroles de la jeune fille.

Shannon l'aimait... plus encore, elle avait besoin de lui !

Sur un coup d'œil mélancolique à la chaude

lueur dorée, il regarda au-dessous de lui. Shannon le secouait, sa tête à lui roulait de côté et d'autre.

— Revenez, Joseph! Je vous en conjure, revenez!

Joseph perçut une singulière poussée, une sensation de chute, comme s'il plongeait du sommet d'une falaise. Une secousse, et il se rendit compte qu'il avait réintégré son corps. Il sentait les mains de Shannon sur ses épaules, l'humidité salée de ses larmes sur ses joues.

— Je vous ai aimé dès l'instant où je vous ai embroché la cuisse avec une fourche! l'entendit-il dire. Je vous ai aimé au premier regard!

Il ouvrit un œil et le leva sur le beau visage de la jeune fille.

— Je me suis souvent posé la question, rétorqua-t-il avec un sourire malicieux.

Shannon cria de joie.

— Joseph! Vous êtes vivant! Mais... mais vous étiez mort!

— En effet. Toutefois, je le jure... je ne mourrai pas une seconde fois!

Shannon se mit à le couvrir de baisers, embrassant ses lèvres, ses joues, son front, sa blessure. Chaque baiser ramenait Joseph un peu plus à la vie et il finit par s'asseoir tant bien que mal.

Enfin, il se traîna à quatre pattes avec Shannon dans l'herbe haute jusqu'à son piquet qui gisait sur le sol.

Il le saisit et le tendit à la jeune fille.

— Ensemble ?

— Oui !

Comme un seul et même être, ils brandirent le piquet orné de son drapeau jaune et le fichèrent dans le sol, affirmant leurs droits sur l'avenir... Deux vies, deux cœurs... un rêve unique.

CINQ ANS APRÈS...

— Joseph! Jo-seeeph!

Shannon descendit les quelques marches de la véranda qui ceignait la jolie ferme et scruta les champs alentour.

De riches épis de blé mûrissaient au soleil, ondulant en vagues d'or au souffle de la brise.

Shannon se dirigea vers l'écurie, une magnifique construction fraîchement peinte de rouge, et sella une splendide jument blanche. Prenant le galop, elle fila en direction de la route, ses longs cheveux roux volant au vent, sa jupe se gonflant autour de ses genoux.

— Joseph! cria-t-elle. Joseph, où es-tu?

A la lisière d'un champ, une petite tête surgit et la bouille souriante d'un garçonnet de quatre ans s'illumina.

— Coucou, Joseph, mon beau petit homme! s'exclama Shannon en mettant pied à terre pour prendre le bambin dans ses bras. Et où est ton papa?

— Où crois-tu que je sois, écervelée rouquine? répliqua une voix derrière elle. (Elle se

446

retourna et vit son mari, une faux dans une main, une poignée de grains mûrs dans l'autre.) J'accomplis ma journée d'honnête labeur.

Main dans la main, Shannon et le petit Joseph se dirigèrent vers lui. Shannon observa les grains dans la paume de son mari et sourit.

— La récolte promet d'être superbe, Joseph.

Il eut ce sourire espiègle qui allait toujours droit au cœur de la jeune femme.

— Tu crois ?

Shannon regarda son fils et nota le même sourire sur sa petite frimousse. Elle se pencha et donna à son mari un long baiser tranquille.

— J'en suis sûre, mon amour, répondit-elle avec une certitude qui remua Joseph jusqu'au tréfonds de son être. J'en suis sûre.

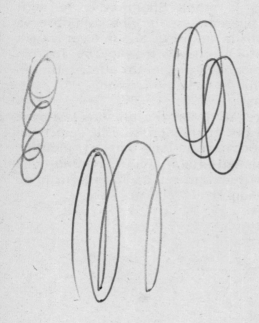

3356

Photocomposition Gresse B-Embourg
Achevé d'imprimer en Europe (France)
par Brodard et Taupin à la Flèche (Sarthe)
le 17 août 1992. 6965F-5
Dépôt légal août 1992. ISBN 2-277-23356-0

Éditions J'ai lu
27, rue Cassette, 75006 Paris
Diffusion France et étranger : Flammarion